MECHANICAL

DOS-COY ROBO

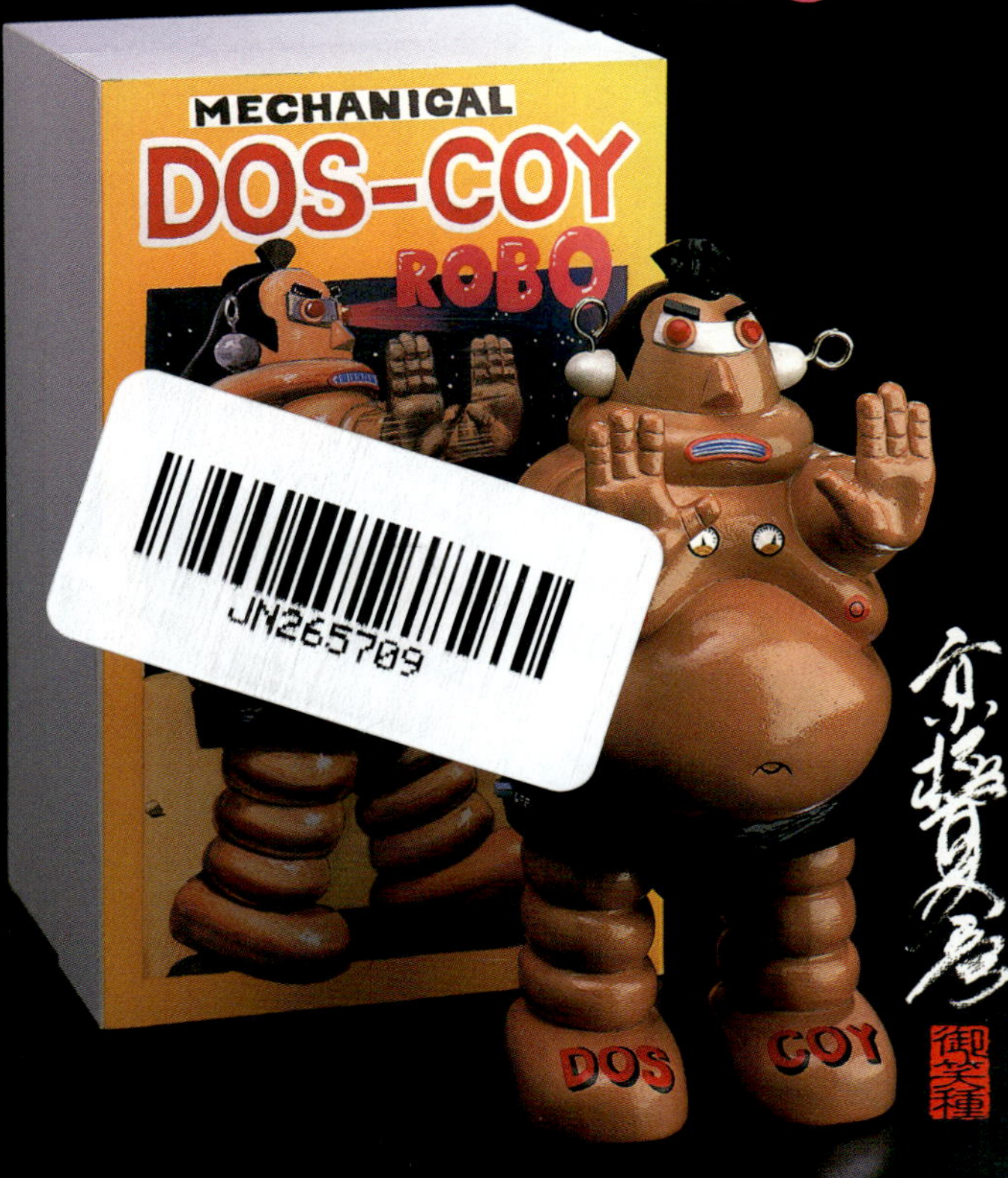

集英社文庫

どすこい。

京極夏彦

集英社版

目次

どすこい。

四十七人の力士　新京極夏彦—六
パラサイト・デブ　南極夏彦—五四
すべてがデブになる　N極改め月極夏彦—一三八
土俵《リング》・でぶせん　京塚昌彦—二四六
脂鬼　京極夏場所—三一八
理油《りゅ》（意味不明）　京極夏彦—四〇六
ウロボロスの基礎代謝　両国踏四股—四九二
実録・解説まんが　怪奇!!大極肉彦くん♥　児嶋都—五四七
文庫特別付録「おすもうくん」完全収録　しりあがり寿—五五四

デザイン／FISCO
イラストレーション／しりあがり寿

集英社文庫

どすこい。

京極夏彦

集英社版

四十七人の力士
新京極夏彦

新京極夏彦（しんきょうごくなつひこ）一九七五年京都府生まれ。八七年新京極商店街ちびっこ相撲大会準優勝。九八年『どす恋』で第一回東新橋猫又商店街振興文学賞佳作入選。実は南極夏彦『パラサイト・デブ』の作中人物である。

四十七人の刺客
池宮彰一郎
一九九二年／新潮社刊
一九九五年／新潮文庫
二〇〇四年／角川文庫

それまでの忠臣蔵観を塗り替える斬新な視点が話題を呼んだ本格時代小説。高倉健主演で映画化もされた。第十二回新田次郎文学賞を受賞。

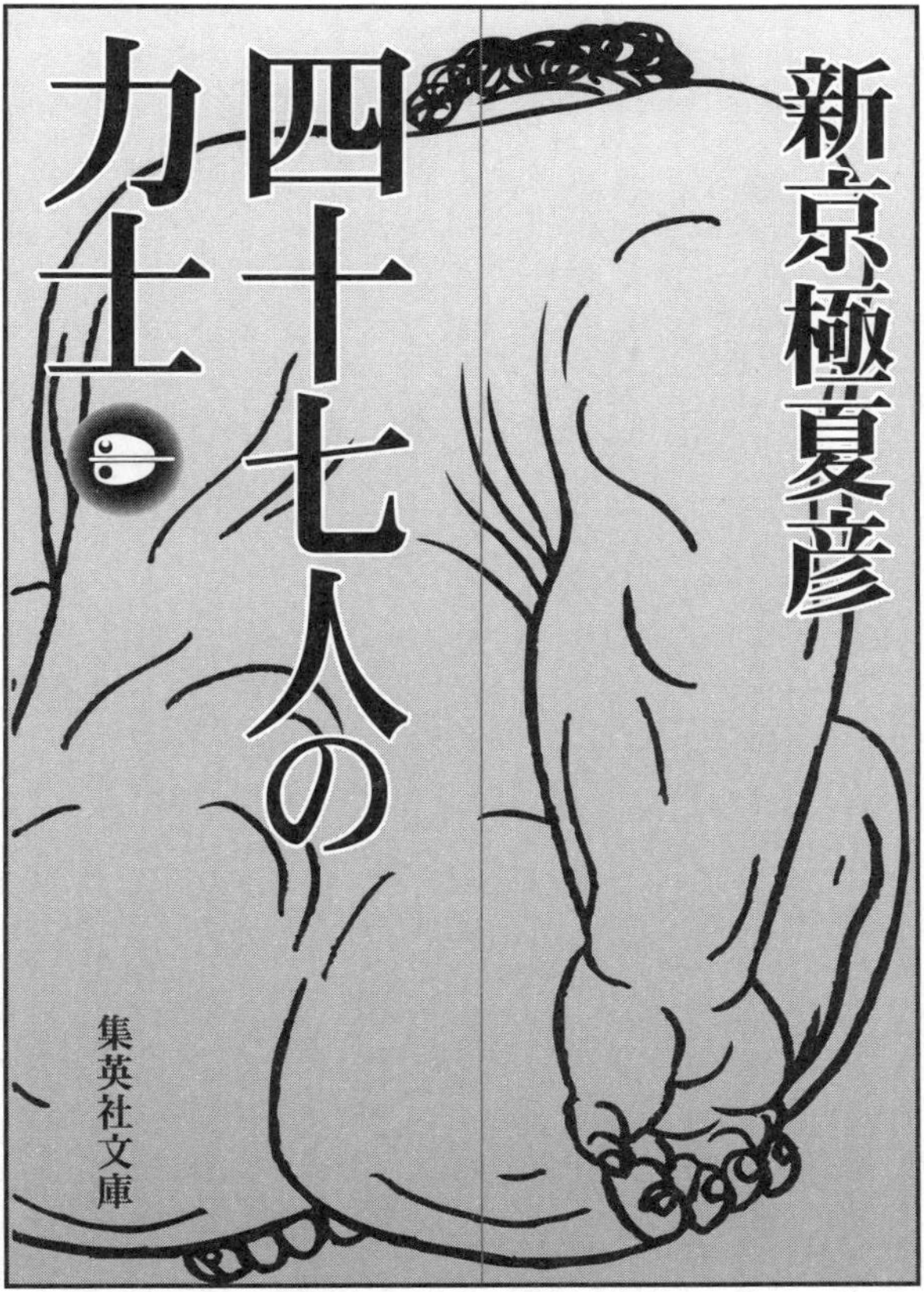
新京極夏彦
四十七人の力士
集英社文庫

――池宮彰一郎先生の作品とは一切因果関係がありません。

1

地響きがする——と思って戴きたい。

地響きといっても地殻変動の類《たぐい》のそれではない。

一定の間隔をおいてずん、ずんと肚《はら》に響く。所謂《いわゆる》これは跫《あしおと》なのである。

たかが跫で地響きとは大袈裟《おおげさ》なことを——と、お考えの向きもあるやもしれぬが、これは決して誇張した表現ではない。振動は、例えば戸棚の中の瀬戸物をかたかたと揺らし、建付けの悪い襖《ふすま》をぎしぎしと軋《きし》ませ、障子紙をびんびんと震わす程の勢いであった。

子《ね》の刻《こく》である。

折からの雪が、しんしんと江戸の町に降り積もっている。

つまり冬場の深夜である。だから殆《ほとん》どの者は眠っていた。

当然音はなく、その所為《せい》か余計にそれは遠くまで響いた。

耳を澄ますと、その重低音の振動に合わせて、ふん、ふんという荒い息遣《いきづか》いらしきものも聞こえる。どことなく家畜の鼻息にも似ている。音だけで判断するに、生臭《なまぐさ》き印象を抱きがちだが、それは単に音質の類似によって記憶の嗅覚が喚起されただけである。

宇兵衛《うへえ》はしかし、幼い頃に嗅いだ牛の熱い吐息を夢現《ゆめうつつ》のうちに想起していた。

牛が、巨大な牛が表通りを過ぎて往く。

牛歩というくらいだから速度もあんなものだろう。

しかし、それにしてはやけにでかい。

多分小山程もある牛が——。

——牛ではねえな。

ここは曲がりなりにも生き馬の目を抜く江戸、しかも本所だ。

肥《こえ》の香《か》を漂わせた牛馬が通りを練り歩く訳もない。だいいち、小山程もある牛など存在する訳がないではないか——。

宇兵衛は漸《よう》く覚醒した。

——ものけか。

足洗い屋敷の大男でも歩き出したか。

宇兵衛は眼を開けた。やはり音はする。

暗がりに眼が慣れて、宇兵衛はまず目前に朦朧《もうろう》と浮かぶ老妻の萎《しな》びた寝姿に一度落胆した。続いてその萎びた婆ァが、地響きに合わせて痙攣《けいれん》するが如く定期的に小さく飛び上がる様を確認した。まるで水揚げした瀕死の鯉である。しかも萎びている。

宇兵衛は思わず吹き出しそうになり、一方でそれが夢などではないことを確信して——。

戦慄した。

宇兵衛はそっと床を抜けた。
雨戸の隙間を覗く。
それは牛などではなく――。
力士の群れだった。

2

異様な光景という言葉は実によく耳にするが、実際にはそうお目にかかれるものではない。例えば滅多に発生しない珍奇な事態に遭遇したとしても、稀有《けう》なだけならばそれは単に珍しい光景である。否否《いやいや》珍しいでは済まされぬ、妖怪変化魑魅魍魎《ちみもうりょう》の類を目撃したのじゃ――というような場合は、これは既に幻覚の域に達しているから、つまりは怪奇であり非現実であり、これも異様とはいい難い。だが――。

この場合は異様としかいいようがない。

雪の夜道である。

風景は時代劇などで見る江戸の町並みを思い描いて戴ければよい。もっとも劇中の閉塞感《へいそくかん》溢れるセットの風景と比べると、実物は幾分開放感がある。建物自体もそれ程立派ではなく、どこまでも平屋ばかりだから空の面積が多く、見通しもいい。

その多めの暗い空には、ちらちらと白いものが舞っているという按配である。道は既に白で覆われている。

その大通りの真ん中を、大勢の力士が、相撲取りが、関取が、取的《とりてき》が角力が、横綱が大関が関脇が小結が前頭が十両が幕下が褌担《ふんどしかつ》ぎが、アンコ型が、所謂おすもうさんが、ざくざくと足並みを揃えて行進しているのである。

これで浴衣《ゆかた》でも着ていてくれたなら、まだしも許せたであろう。しかし、相撲取りの大群は一様に――裸形《らぎょう》だった。

裸の太った大男達が列をなして、夜の道を一生懸命に歩いているのだ。

肉襦袢《にくじゅばん》を着ている訳ではない。

草履《ぞうり》も鞋《わらじ》も下駄《げた》も履いていない。

身に着けているのはマワシだけである。

宇兵衛は見逃してしまったようだが、先頭の力士に到っては化粧マワシをつけている。

力士達は無言である。

しかし、号令もないというのに足並みは揃っている。

地響きは――彼ら全員の跫だったのである。

それは――見事なものだった。他に褒めようもなかったのだけれど。

寒空にむちむちした肌はほんのりと赤く染まり、頬は上気している。

歩調が合っているからふんふんという息遣いも揃っていて、ひとりひとりのそれは小さな音なのだが、恰《あたか》も熊の鼻先に耳を近づけたような具合に大きく響く。それこそが獣の、巨大な牛の息遣いの正体だったのである。

宇兵衛は、思わず息を呑んだ。

――ほんに生臭いかもしれん。

そう思ったからである。

夢や幻ではない。

宇兵衛は取り分け力士にトラウマを抱くような幼児体験をした覚えはないし、こともあろうに集団の力士に圧縮変換されるような潜在願望を持っているとも思えない。確かに、こんなものに象徴される潜在願望などを持って生きるなら死んだ方がマシである。

だからこれは現《うつつ》だ。

しかし、力士達はどことなくこの世のものとは思えなかった。まあ百歩譲ってもこの世のものとは思えないおぞましい状況ではあるのだろうが、宇兵衛がそう思ったのは、そういう身も蓋もない根源的な問題とは無関係で、単に彼らを包む霞《かすみ》のような靄《もや》のような気体の存在に拠るところが大きかったようである。まるでソフトフォーカスをかけた美少女写真のように彼らは白く霞んでいて（いいたくはないが）美しかった。

気体の正体は水蒸気である。

ただでさえ体温の高そうなやつらがせっせと運動を繰り返しているのである。気温は低いが体温は牛馬の如きに上がっているに違いない。だから、中中大した肺活量の彼らが吐き出す息は物凄く白かった。

体表の温度も著しく上がっているに違いない。躰《からだ》自体からもほやほやと湯気が出ていたし、宙を舞う細かい雪片は、彼らの躰に触れるやいなや、一瞬のうちにその姿を儚《はかな》い気体へと変えた。サーモグラフィでもあれば、そこにはさぞや鮮やかな朱色の巨体が記録されたことであろう。

とにかく、そこにいるのが勇猛で、なお少少愛敬のあるおすもうさんでなかったら、それはこの世のものとは思えない程神秘的な光景であっただろうと思われる。

宇兵衛はしばし見蕩《みと》れた。

このようなモノは老い先短い人生で二度と見られるものではないだろう。

頼んでも見せて貰えるモノではないだろうし、また頼んでまで見たくもないモノである。

縦《よし》んば頼むとしたって、どこの誰に頼むというのだ。つまりこれは、将《まさ》に千載一遇の、真《まこと》に稀有なる体験なのである。富籤《とみくじ》に当たるよりも確率は低かろう。富籤の方がいいけれど。

だから宇兵衛は、まだぴちぴちと跳ねている婆ァを起こしてやろうと思って、止《や》めた。

——これは男の世界じゃ。

そう思ったからである。

身を切るように寒いのに暑苦しい。強靭《きょうじん》な筋肉と豊潤な贅肉《ぜいにく》を包んだはち切れんばかりのその肌の表面に、これまた季節感のない汗が光っているのを見て、宇兵衛は余計にそう思ったのだった。

その時。師走の夜風が相撲取りの間を駆け抜けて部屋に吹き込んで来た。息を止め続けて苦しくなり、大きく空気を吸い込んだところだった宇兵衛は、少し汗の臭いの混じった強烈な鬢付《びんつ》け油の残り香を胸一杯に吸い込んで、

噎《む》せた。

3

元禄時代——。

ここに至って漸く年代が特定されて、はてと首を傾げる向きもあろうかと思う。

時代考証がなってない——ような気もする。

まず元禄時代にこのようなおすもうさんがいたのかという素朴な疑問すら湧く。

相撲取りは、勿論いた。

考古学的見地から述べるならば——例えば相撲人形と呼ばれる装飾土器が出土している。

つまり古墳時代にお相撲はもうあったのだ、とされることが多い。しかしその土器が果たして現在でいうところの相撲を象《かたど》ったものなのか、はたまた荒ぶる男同士の熱き抱擁《ほうよう》なのかは、正直いって判断できぬ。

しかして。

民俗学的見地から述べるならば——相撲は農業生産の吉凶を占う農耕儀礼——神事ということになる。つまり稲作文化の発生と時を同じくしてそれはできたということで、鵜呑みにすれば弥生時代以前からその祖型はあったということになる。

文献的には『日本書紀』に載る宮廷の健児《こんでい》相撲の記事が最古のものといわれている。これは百済《くだら》からの使者を喜ばせるために行われたもので、皇極《こうぎょく》元年のこととされている。

しかし更に遡《さかのぼ》って野見宿禰《のみのすくね》と当麻蹶速《たいまのけはや》が力比べをしたのがその最初であるとする説もあるようで、それなら垂仁《すいにん》天皇の時代になる。何の何の、力比べならさらに昔、建御雷《たけみかづち》と建御名方《たけみなかた》が国譲りの時にやっている——と仰《おつしや》る方までいるようである。いずれ相当に古い話であることに違いはない。ただそれがどの程度〈相撲〉だったのかと問われれば、何とも答えようがない。

ただの力比べならば象や牛でもやるのである。

そもそも相撲の二文字は『本行経《ほんぎようきよう》』という経本が初出である。本行経は平たくいえばお釈迦様の一代記といったところだろうか。これはお経なのだから、多くの経典がそうであるように元は当然梵語で書かれていた。これを印度の坊さんが漢訳した。ありがたいありがたいと訳していって、坊さん、はたと手が止まった。

その本行経の中に、お釈迦様は力比べ競技に勝って姫を娶《めと》ったのです——というくだりがあったのだ。当然出家前の出来ごとである。坊さんは困った。その力比べ競技、梵語のゴダバラを表す漢語が存在しなかったのである。そこで、その印度の坊主が慌てて造った造語が〈相撲〉なのである。つまり〈相方撲《なぐ》り合う〉ということであろうか。ベースボールを野球と和訳したようなもので、一応名訳であるといえよう。

それが日本に入ってきて、大和言葉〈すまふ〉に当てられた。すまふとは争うというような意味だったらしい。だからどっちにしても（宗教儀礼的な意味づけをしなければ）行為自体は喧嘩《けんか》力比べと大差なかったのである。

つまりは相撲と力比べとを分かつ唯一の差異は、その文化的背景一点に収斂《しゅうれん》する。狒狒《ひひ》が縄張り争いで嚙み合うのとは違う。個人の肉体の優位性を競うものでもない。相手を殺傷するために戦うのでもない。その年の収穫の出来不出来を占うものであれ土地を踏み鎮《しず》める呪術であれ、いずれ背景に別なものがあって、契約上争いは始まり契約に基づいて勝敗が決する。

そうでなくては相撲ではない。

だから相撲は、儀礼と深く結びついている。神社仏閣、そして朝廷を抜きにして、相撲の現在は語れない。神事相撲は神亀《じんき》三年、聖武《しょうむ》天皇が始めたものとされているようだが、これは古くより民間で行われていたものを朝廷が公式に取り上げた、と考えた方がいいようである。これら神事相撲の名残りは、現在も秋祭の奉納相撲などに窺うことができる。

そして、奈良時代に入ると相撲は一種の神事を兼ねた余興と化した。朝廷によって全国津津浦浦から猛者《もさ》どもが集められ——彼らは相撲人《すまいびと》と呼ばれた。

相撲取り、おすもうさんである。

平安時代にそれは一層盛んになり、相撲は相撲節会《すまいのせちえ》と呼ばれる宮中の一大イヴェントに発展した。四十人程の屈強な相撲人と関係者一同が行列を成して紫宸殿《ししんでん》に入場する様はまさに壮麗の一語に尽きたと伝えられる。

ただ当時は土俵《どひょう》も、行司《ぎょうじ》もなかった。

転んだ方が、負けである。

相撲節会は高倉《たかくら》天皇の頃に絶えたというから、それでも凡《およ》そ三百年は続いたことになる。なぜ絶えたのかといえば、これは天皇がお相撲に飽きた訳ではなく、朝廷がスポンサーとして耐え切れなくなったというのが正解であるらしい。源平の戦いを機に権力の中心は公家から武家へと移行していったのである。余興を続ける余裕がなくなった訳である。

しかし宮中の節会は途絶えても——相撲は途絶えなかった。

武士が権勢を握る世が到来すると、勇猛果敢な相撲は益々好まれたのだった。武将は武術として相撲を嗜《たしな》んだ。力比べが呪術に、そして余興に転じ、そして武道に転じた。公式の大会が催されることはなくなったが、力士は大名に召し抱えられて戦場に出陣し、一方で半ば職業化していた相撲人集団は全国巡回興行を始める。これが後の勧進相撲のルーツである。

のみならず、民衆の間では盛んに草相撲が行われた。

そして相撲史上画期的といわれる信長の天覧相撲が元亀《げんき》元年より開始される。

どこが画期的だったかというと、公式相撲作法《オフィシャルルール》が定められ、それを仕切る行司《ジャッジ》が登場したところが画期的だった訳である。

だが江戸の頃にはこの作法も乱れた。大名お抱えの力士集団、予《かね》てからの職業力士集団に加え、失業者や侠客を中心にした無頼の力士集団が続続形成され『強ければよし』という、ルール無用の相撲取りサヴァイヴァル時代が到来したのである。辻相撲野相撲が横行し、気がつけば到るところで凶悪な顔をした巨漢が一番取っているという、悪夢にも似た状況が発生した。

契約《ルール》あってこその相撲、それなくしては暴徒の憂さ晴らし。暴力沙汰は絶えず、そして幕府は相撲を一時的に禁止した。

困ったのは職業力士達である。

何とか禁止令を解いて貰わなければ――喰うに困る。それでなくても大きな躰、維持するだけでも一苦労なのである。喰えない時代に一般人の何倍も喰わねば保《も》たないのだから、これは十倍も二十倍も働かねばならぬ。

そこで、力士は代表者を選び、角界の組織化を図った。

決まり手や禁じ手を成文化し、相撲場に境界を引いた。

自粛と綱紀粛正で市民権を獲得しようとした訳である。

それまでは力士が円陣になって人垣を作り、その中で転んだり、人垣から出た者が負けである――というルールだったようだ。これを人方屋《ひとかたや》という。しかしこれは危険だった。当たり前である。まず倒れた力士は大抵バリケードに当たる。ところが、この場合バリケード自体も力士なのである。だから当然そのままでは済まない。バリケードの方が頭に来て乱入することになる。要するに誰と誰が戦っているのか判らない乱闘状態になるケースが頻発したのである。考えてみれば、プロレスリングでロープの代わりにレスラーや観客がピケを張っていたならば、直ちにバトルロイヤルになることはまず間違いない。だから一概に当時の力士に短気な者が多かったのだと断言する訳にはいかないが、まあ無謀な話ではあったろう。

そこで力士達は考えた。そして当たっても怒らない五斗俵《ごとだわら》を境界にしたのである。

流石《さすが》に俵は力士に襲いかかって来なかったようである。

これが、土俵の始まりである。

こうして元禄時代の中頃には、ほぼ現在の相撲の形が出来上がった。

現在残っている最古の番付《ばんづけ》は、元禄十二年、京都岡崎天王社《おかざきてんのうしゃ》に於ける勧進相撲公許興行のものであるという。

そして――。

宇兵衛の目撃した悪夢のような力士達の行進は、その三年後、元禄十五年十二月十四日の深夜の出来事なのである。

だから勿論この情景はあり得ないものではない。

あり得ないものではないのだが、あるかどうかは怪しいものである。

何故なら、江戸相撲の興行が記録上頻繁に確認できるようになるのはそれより更に二十年以上後の享保《きょうほう》年間のことなのだ。加えて江戸における相撲取り組織が強固なものとなり、相撲文化の中心が江戸に移って江戸相撲会所――現在の相撲協会が出来上がるのは、更に先、宝暦《ほうれき》・明和《めいわ》年間のことなのである。

だからまあ、この時代にこの場所にこんな奴らがいるのは、確かにおかしいといえばおかしいのだが、これは本来そういう話ではない。

この場合は、目前に繰り広げられている事実だけが問題なのである。

だから宇兵衛にしても彼らが力士であると即座に認識できたかどうかは正直なところ判らないのだ。ただ宇兵衛の目を通じて見ているこちらには、それが力士だと認識できたという、それだけのことである。

だが。

それでも、当然彼らは力士なのであるから、今まで語ったような来歴の上に成り立っていることは確かである。しかし、それでも元禄時代の話には違いないのだから元禄以降の角界の展開について彼らが知っている道理はない。その後何百年か経って、相撲取りがえらくモテるようになって芸能人と浮き名を流すようになるとか、ワイドショーによく出るようになるとか、剰《あまつさ》え外国人の横綱が誕生するなんてことは、全く、毛程も、微塵も思っていない。

但し。

断っておくがこれはSF小説ではない。広い意味でも狭い意味でもSFではない。

彼らは力士型エイリアンでもないし、力士の一団が元禄時代にタイムスリップした訳でもない。それによって歴史が変わるといったような含蓄溢れるシミュレーション小説でもないし、況《ま》してや舞台は相撲取りが頻繁に徘徊するパラレル江戸でもない。そういう類型的なパターンばかり取り上げてSFを定義するなとお叱りになる読者もいらっしゃるかもしれないが、どう定義しても違うのだから仕方がない。

勿論歴史小説でもない。だから別に手を抜いている訳ではないのだが、必要以上の考証は無意味である。

そのうえ洒脱なパスティーシュやパロディでもない。

相撲取りの悲喜劇を描いた人間ドラマも一切ない。

当然のように泣けない。

目の前に繰り広げられている事実だけが問題なのだ。

これは、これだけのものである。

とにかく裸の相撲取りの一団が夜の江戸を行進していると、何が何でも思って戴きたい。

4

さて。

力士達が向かっているのは、

――本所一つ目――後の松坂町。

察しのいい向きは最初からとっくにお気づきのこととも思うが、これはかの有名な元高家《こうけ》筆頭《ひっとう》・吉良上野介《きらこうずけのすけ》の、越して間もない屋敷の在所である。

本来なればこの日、この刻限にこの道を通るべきはかように奇態な一団ではない。袖に幅広の白晒布《しろさらし》を縫いつけた裾短《すそみじか》の小袖に鎖《くさり》綴《と》じ込みの股引《ももひき》という火事装《かじしょう》束《ぞく》に身を固め、各々武器を携えた、かの播州《ばんしゅう》は浅野《あさの》の残党――所謂赤穂浪士《いわゆるあこうろうし》達であるべきである。

彼らはどうしたんだ! といいたいのは山山なのだが、そんなことはもうどうでもいい。何しろ今、その道を歩いているのは似ても似つかぬ力士達なのである。

先頭を行くのは横綱である。

名を、大石山蔵之助《だいせきざんくらのすけ》という。

ほらやっぱりパロディじゃないかという声が聞こえて来そうだが、やはりこれはそうではない、と思って戴くよりない。なぜなら彼は元よりそういう名前で、赤穂の浅野家元家老とは、縁もゆかりもないからである。

面相も不細工を通り越して醜怪だ。

俗にいう人三化七《にんさんばけしち》である。

その後ろには太刀持ちと露払いが並んでいる。まだ若い。

その後ろには行司姿の男がいる。ひとりだけ服を着ているが、やはりひとりだけ痩せているからひとりだけ寒そうである。

裃姿が本来であるが、どうも烏帽子《えぼし》をかむり、軍配を手にしているようである。

武器になりそうなものを持っているのはその三人だけで、後はただの裸である。

大関以下、その数四十四人。

総勢四十八人の行進である。

そう。これは紛うことなき土俵入り——否、討ち入りなのである。

彼ら相撲取りがなぜ吉良邸に討ち入らねばならぬのか——それを知ることはできない。彼らの来歴もよく判らぬのだからこれは仕様がない。

また知っても無駄なことである。

牽強《けんきょう》付会《ふかい》に考えれば、まあここは今でいう両国、国技館のすぐ近くであるから、その関係も少しはあるか——などと要らぬ因果を思いつくが、これは間違いである。

例えば浅野家が相撲取りを大勢召し抱えていたかどうかとか、あるいは浪士が相撲取りと親交を結んでいた可能性はないかなど、あれこれ考えるのも、やはりこの場合は無用のことである。そんなことは多分ない。

相撲と赤穂を結ぶものといえばせいぜい塩くらいのものだ。

ただ、彼らに闘志が漲《みなぎ》っていることだけは確かである。殺意といってもいい。

その巨体の肉の隅隅にまでそれは行き渡っていた。最後尾を行く乱毛《らんげ》の小僧までが目を血走らせているのだった。

何があったのかはこの際問うまい。

彼らにも判っていなかったやもしれぬ。

どうあれ、今――まさにおすもうさんの一団が、あの吉良邸に討ち入らんとしていることだけは事実なのである。

そして。

大石山は今、考えている。

勿論これからの取組について考えているのである。

自分は横綱である。結びの一番は当然自分だ。ならば――。

――どんな技を使うか。

それが問題だ。散散じらして猫騙《ねこだま》しでは格好がつくまい。それなりに流麗で、尚且《なおか》つ勇壮な大技がいい。何としても美しく――決めたい。

大石山は想像する。

相撲の技は俗に四十八手といわれるが実際にはもっと遥かに多い。大石山はそのごつい容貌に似《そぐ》わぬテクニシャンであり、技を多く知っているのが売りの横綱だった。

——儂《わし》は面《つら》は拙《まず》いが技は綺麗《きれい》だ。

女子供がきゃあきゃあいうのも勿論面《ルックス》に対していっている訳ではない。後ろに控えている力と押し《パワーインパクト》だけの大男片岡川《かたおかがわ》を空穂附《うつぼつけ》で高く放り投げ、二枚目系《ビジュアル》の堀部《ほりべ》錦《にしき》を二丁投《にちょうな》げで溜《たま》りに沈める。その度に観客《ミーハー》は黄色い声をあげる。彼女達は大石山のその華麗な技の数数に憧れ、ときめいているのだ。自分から技をとって、果たして何が残るか。

——汚ねえ面だけだ。

その通りである。

大石山は己を熟知していた。

不細工なのだ。限りなく。

だから今日もひとつ、誰にもできないような、難易度の超高いやつを一発かましてやるよりないと、それで大石山は最前よりずっと思案を重ねているのである。

なぜなら。

これが大石山にとっては最後の一番になるやもしれぬからである。恐れ多くも高家筆頭まで勤めたお方との大勝負、仮令《たとえ》勝ったところでただでは済むまい。

——行司は切腹するらしいが、相撲取りは切腹するのだろうか。

それは判らない。腹を切った相撲取りの話は聞かない。それでも、打ち首か磔《はりつけ》か、いずれ命はないものと、大石山は肚を括《くく》っている。

だが。

その、田舎行司の口伝《くでん》などを含めると優に三百種は超えようという相撲技の数数が、先達《せんだつ》て本当に四十八に纏《まと》められてしまったのである。

危険を伴う技はその殆どが禁じ手とされた。

それもこれも、相撲禁止令を解いて貰うために已《や》むを得ずにした自粛だったのだが、大石山は大いに不服である。大体、四十八手とはいっぱい手があるぞう、という意味である。九十九里浜が九十九里ないのと同じだ。

だから名前の通りの数にしようなどというのはナンセンスなことである。九十九里浜を九十九里に延ばせとか、千本腕がない千手観音像は千手観音と認めないとか、そういう馬鹿なことを主張するのと、それは同じことだと思う。

——土俵作っただけで十分だ。

とも思う。折角土俵という結界を張ったのだ。ならばその中は戦いの坩堝《るつぼ》にして欲しいものだ。土俵の中に間違って民間人が入り込む訳でもなし、闘いが土俵の外に転げ出ることもあり得ない。そのための結界なのだ。

堅気《かたぎ》に迷惑さえかけなければ、相撲取り同士でどんな技を使おうがいいではないか。一番一番が真剣勝負なのだ。何も刀や包丁を使うといっているのではない。それに、見物人が見ているだけでショック死するようなスプラッタホラーな技などは存在しないのだ。相撲の元祖といわれる野見宿禰は相手を蹴殺したと聞く。そのくらいの気迫がなくて、

何の相撲ぞ——と思うだけである。

確かに。

四十八手の呼称は古い。熟々《つらつら》と古書を繙《ひも》けば、『源平盛衰記《げんぺいじようすいき》』辺りに既に四十八の取り手という記述を見ることができる。

しかし、その実大石山の思う通り、室町期の辞書である『節用集《せつようしゆう》』などを見ると、

——四十八手と申し候らへども百手ばかりも御座候。

などと書かれている。

百もあったのだ。百。

元禄期に制定された決まり手は〈投げ〉〈掛け〉〈反《そ》り〉〈捻《ひね》り〉の四種十二手ずつの四十八で、それぞれ裏と表がある。しかし実際は手さばき、手くだき、紛《まが》いの手が百八十はあったらしい。ちなみに昭和三十五年にはこれらは整理統合され、七十手が制定されている。

そんなことは勿論大石山は知らない。知りようもない。

ただ、大石山は決まりや約束は必ず守る、守りたいという律儀な側面も持ちあわせた男なのだった。だから悔しいけれど四十八手の中から技を選ぼうと考えているのだ。それが延々、彼の頭を悩ませている訳である。襷《たすきぞ》反りか。内無双《うちむそう》か。絵になる方がいい。

——しかし他の奴が先に使ったら。

それは嫌だった。もし後ろにいる奴等が先にその技を使ってしまったら。

——やはり儂は使いたくない。

大石山はそう思って歩を進めている。

5

その頃、吉良邸近辺の警戒は厳しかったものと思われる。それは勿論相撲取りの急襲に備えるためのもの――などではなく、浅野の遺臣どもがいつ仇討ちを叫んで攻め入って来るやもしれなかったからに他ならない。

しかし。

何故かその日に限って警備の手は薄かった。

十四日は浪士達の亡君、浅野内匠頭《たくみのかみ》の命日だったからであろう。流石に主君の命日に暴挙には出るまい――と、そう考えたものか。そうでなくては彼らのような異形の力士どもなど、道すがら早々に捕まっていた筈である。

その日は両国橋や永代橋の見張り番も夕刻には引き上げ、昼間催《もよお》された茶会の名残りに細《ささ》やかな酒宴までが催されたのであった。

だからその時分、大方の者は――。

眠っていた。

吉良家用人清水一学《しみずいちがく》も勿論寝ていた。

一学は最近、太鼓の音が鳴る夢を見て飛び起きることがある。実に強迫神経症じみている。起きる時はヒステリックに、きいなどと叫んで飛び起きるらしい。

勿論一学は山鹿《やまが》流《りゅう》兵法を極めたという大石内蔵助《おおいしくらのすけ》の来襲を恐れているのだ。変事に備え山鹿流陣太鼓のリズムをわざわざ覚えたりもした。そのお蔭の幻聴である。

一学は剣がたつと評判で、実際やっとうは強かったが、現実に斬り合うのはどうかと考えている。しかし現在、屋敷には上杉家の家臣を始めとして用心棒がごろごろといる。有事の際には己が先陣を切らぬ訳には行かぬという逼迫《ひっぱく》した状態である。

そのことを考えると胃の辺りがしくしくと痛む。師走に入ってからはもっぱら下痢ぎみである。いかんせん待ちが長過ぎる。それでも来るなら来い！　という捨て鉢な気分にも一学はなれない。加えて護るべき爺様は皺《しわ》の上に渋《じゅう》面《めん》を作って不平ばかり垂れる。上杉の家老なぞはことあるごとに何だかんだとプレッシャーをかける。

太鼓の幻聴が聞こえても仕方がない。

ただ——本当に大石が来たとして、太鼓など打ち鳴らす訳はないと、一学はそうも思っている。自分なら——忍び込んでこっそり殺す。正正堂堂も武士道もあったものではない。そもそも浪浪《ろうろう》の身でこんな偉い爺様に喧嘩を売ること自体がまず卑怯《ひきょう》なのである。喧嘩とは同等の位の者同士が行うものであるから、この屋敷を襲撃すればどんな大義名分があったってそれは暴徒の夜襲なのである。ならば普通は成功率の高い方を選択する。正正堂堂の夜襲なぞ、やはり一学は聞いたことがないのだ。

——堂堂来るなら昼に来い。

そう思う。

幻聴が聞こえた。

どんどん。

「ひい！」

一学は飛び起きた。他の者はまるで相手にしてくれない。如何《いかが》なされた清水殿——という台詞を聞いたのは随分前のことである。最近ではいくら騒いでも起きる者すらいないのだ。無視である。一学は眼を擦《こす》り、周囲を見渡してから大きな生欠伸《なまあくび》をした。

どんどん。

「ひいい！」

幻聴ではない。

「おい、ご一同、これは何事——」

「貴君の悲鳴にござる」

「ええい違うわ」

どんどんどか。ばき。

「ひいいい！」

「いい加減にして欲しいものですな、清水殿。貴君がひいひいいうのでついつい猥雑《わいざつ》な夢を見申す」

「たわけ。あれが聞こえぬか。あれぞ山鹿流の陣太鼓——」

七・七・七・五。

——変だ。

「気の抜けた拍子でござるな。しかも歌まで歌うてござる」

「歌だぁ？」

確かに歌が聞こえる。

「す、すると山鹿流の歌——？」

「そのようなものは聞きませんな」

そんなものはない。

※

それは——相撲取節であった。

そう、後の世にいう、相撲甚句《じんく》の原形である。

その時喉《のど》も自慢の大石山と大関、関脇ら六人は円陣を組み、相撲取節を歌っていたのだ。

歌いつつ四十八手を象徴する格好をする。これは相撲の型を見せる踊りでもある。

その直前。

張り手で門を打ち破った力士の一団は吉良邸になだれ込んだ。行司の軍配に従って、まず幕下の力士が邸内に駆け込んだ。半分は裏口に回って同じようにしているだろう。

大石山は思い切り気張って立ちはだかった。横綱には威厳が肝要である。

相撲の取組というのは番付の下の方から当たっていくのが普通である。だから大石山などの出番はずっと先のことだろうと思われた。もしかしたら夜明け近くになるかもしれない。しかし——行進中は気にならなかったが、ただ立っていると——。

相撲取りでも寒かった。

相撲取り裸で風邪ひかん、などと余人はいうがそれは嘘だ。

大石山は慥《たし》か一昨昨年《さきおととし》の正月に一度ひいた。その時は流石に頭がぼうっとして二敗もしてしまったのだ。だからこのまま立っていて風邪でもひいたら一大事だと、そう考えたのである。それ故の歌舞なのだ。躰は動かしていたい。

例えば力士側が全勝して、最後の大一番で己が負けたら、これはもう引退するしかない——勝っても死なければならぬと肚を括っている癖に、大石山はそんなことを考えている。そして技の型を倣《なら》いながら、どの手でいこうかを考えている。

暫《しばら》くすると行司の寺坂吉大夫《てらさかきちだゆう》が中間報告に戻って来た。

「今のところ勝ち星続き、全勝でござる」

「して、決まり手は?」

「木村山《きむらやま》上手投げ、潮田《うしおだ》外掛け、大赤埴《おおあかはに》は摑み投げ」

——やられた。

「儂も入るぞ」

黙ってはいられなかった。

一方吉良上杉連合軍は顕《あきら》かに混乱していた。寝込みを襲われた所為も勿論あるのだろうが、それよりも何よりも——。

多くを語るまでもないことである。

「く、く、曲者《くせもの》」

その通りである。曲者以外の何者でもない。

こうなると化粧立ちの段階で侍は負けている。立ち遅れてしまえば抜刀《ばっとう》する前に前褌《まえみつ》を取られて——後は推《お》して知るべしである。居合いにも似た相撲の気迫に圧《お》されて侍達はどんどん後退していった。

力士側に殺すつもりはない。ただ大方の侍は死んでいた。気合いの籠《こも》った一番は、やはりそのために鍛えられた肉体を持つ者にしか愉《たの》しむことを許してくれないのだ。力士同士の一番ならこの程度の技で死んだりしない。所詮、平静の世に惰眠《だみん》を貪《むさぼ》るなまくら武士などは、太古より武神の祝福を一身に得て来た角力どもの相手ではなかった。

武士の一人が初めて抜刀した。

構えがなってない。及び腰だ。

睨《にら》み合いの段階で負けている。

向き合うは——上《じょう》の口《くち》の矢頭《やがしら》である。

「抜きましたぞ」

寺坂行司が慌てていった。

「いずれは——抜くと思うておった」

大石山がそれに応えて厳《おごそ》かにいった。

当ッたり前である。

武士相手に闘っていて何をかいわんやである。初めから抜いているのが本当だ。

「矢頭に——勝てましょうや」

「そんなことより。早う仕切りを」

寺坂行司は軍配を握り締め、悲壮な表情で間に入った。

矢頭は弱い。幾ら稽古をつけてやっても伸びない。食も細い。しかし先輩力士の子である
矢頭に、大石山は人一倍目をかけて来たのである。

——最後の一番じゃ。勝て。

心の中でそう叫ぶ。しかし顔に出さぬのが横綱の作法である。

一方侍の方はそれでなくてもまず現状認識が出来ていない。元より本能的な恐怖感から抜刀しただけで、太刀筋など全く考えていなかった。ただ、相手は丸腰だし、身を低くして両手を地面につけ、こちらを睨んでいるだけだ。大上段に振り翳《かざ》しているその太刀をそのまま振り下ろせば——勝てる。

顔面真っ二つである。

——そりゃあ気持ち悪い。

想像したらしい。怖じ気づいている。

怖じ気づいたところにいきなり訳の判らない小男が傍《そば》にやって来て、叫んだ。

「のこったのこった」

構えが崩れた。

その瞬間。

若い力士が飛び出した。侍は下方から胸を突き上げられ、そのまま一間程飛ばされて柱に頭を強打し、息絶えた。

「突き出し。矢頭」

軍配が翳されて、矢頭は蹲踞《そんきょ》の姿勢のまま首だけで一礼した。

——あの矢頭が勝った。

大石山は声のひとつもかけてやりたかったが、そこはぐっと堪えて奥に進んだ。

横綱だからである。

そこここで取組は行われていた。

力士側は圧倒的に強かった。

中には斬られた力士もいたが、多少斬られても平気そうだから怖い。

——小手投げ。寄り切り。浴びせ倒し。

大石山は決まり手を厳しくチェックしている。面白いことに今のところ決まり手の重複はないようだった。

納戸の戸を開ける。

女が三人ばかり隠れていた。大石山の顔を見るなりきゃあお化けだとか気持ち悪いだとか、命ばかりは御助けをぉとか、お許しくださいぃとか、食べないでェとかいった。

食べないよ。

「女子供は神聖なる土俵から出え！」

大石山はそれだけいって立ち去った。

横綱の目が光っているからか禁じ手を使う者はいないようである。ひとりで何番も取り組んでいる力士も、巧く四十八手のヴァリエーションで侍を倒している。

――よし。だが。

吉良はいなかった。

大石山は内心焦《あせ》りを感じ始めている。

それは、もしや逃がしたかとか、吉良を討ち洩《も》らしたらどうなるかとかいう理由から来る焦りではない。

――不戦勝は嫌だ。

そう思っているのだ。取組のない勝ちは勝ちではない。大石山の信念である。

邸内には様様な仕掛けが施されていた。しかし所詮そんなからくりは武器を使う者の障害にこそなれ、相撲取りにとっては別段どうというものではなかった。

板仕切りなど稽古の要領で簡単に破れた。

大石山はウォーミングアップのつもりで張り手を繰り出し、雨戸を粉砕した。

風雅な庭では見事な一番が繰り広げられていた。

美男力士の堀部錦が坊主頭の男とがっぷり四つに組んでいる。

なる程坊主は刀を持たぬから、闘うなら最初《はな》から組むしかないのである。

※

堀部錦の相手は牧野《まきの》春斎《しゅんさい》であった。

牧野は何ともいえぬ陶酔感《とうすいかん》の只中にいた。

あの松の廊下の一件以来、ずっと続いていた緊張の日日が今、とんでもない状況のうちに幕引きを迎えようとしているのだ。多分――こいつらは何の関係もないただの相撲取りだろう。ならば相撲を取ってやる。牧野はそう思って何と四股《しこ》まで踏んだ。

そして組み合った。

肌と肌が密着する。やけに美男の力士は牧野の耳許にムンムンと吐息を吹きつけてくる。

――ああもうどうなってもいい。

でも――一旦組んでおいて勝負を捨てるのも何となく嫌だった。それにもう好きにしろと身を委ねた後、どうなるのかも判らない。加えて、仮令《たとえ》何かの拍子に牧野がこの美男に勝ったとしても、次次控えている力士をなぎ倒して勝ち残ることは不可能である。

それでも――。

躰が相撲を欲していた。

——南無三！

牧野はうんと躰を前に倒しぐいぐいと押した。密着度が増す。所謂寄り切りの体勢である。

意外にこの力士は腰が弱い。

——勝てる！

職業力士に勝ったなら、それで死んでも本望である。

訳の判らぬ思いが牧野を奮い立たせた。しかし。

この庭には土俵がなかった。

外に出すといっても外内の境界がない。

——よ、寄り切りは無効か！

ぐい、と腰が浮いた。力士の膝が内股に割って入る。おう、何をするうふふ。

次の瞬間。

牧野は宙に舞い、池の淵に落下した。

「櫓投《やぐらな》げ。堀部錦！」

「見事」

そんな声の中、牧野は薄れ行く意識の中で幽《かす》かに思った。

——池に寄り切れば——良かった。

※

さて清水一学である。

一学はもう、部屋にいるうちから抜き身を携えて敵の来襲に備えていた。

——き、斬り殺してやる。

防衛本能を剝き出しにする。忠義だとかお家のためだとか、そういうことはまず捨てる。己が生き残ること、それがすなわち忠義なのである。そう思い込む。

——来る。

物凄い足音だ。どすどすどす。べし。

——床が——抜けた？

障子を思い切り強く開ける。廊下に躍り出る。そして——絶句する。

海驢《あしか》。胡獱《とど》。海象《せいうち》。海豹《あざらし》。膃肭臍《おっとせい》。勿論一学がそういう海獣の名を知っている訳がない。ただ名前を知らないまでも、一学はまずその類のものだろう——と思った。

海獣は廊下からゆっくりと足を抜いた。

——足がある！　人だ！

相撲取りだとは思わない。

一学は抜き身をぶら下げたまま近寄り、手を貸した。

じっとり汗ばんだ大きな掌はむっちりとしていて人のものとは思えなかった。

海獣は——口を利いた。

「ごっつあんです」

「うわああああ！」

一学は恐怖にうち震え、手を振り離して全速力で駆け出した。海獣は再びバランスを崩し、廊下をぶち抜いて床下に転落したようだった。

——なんだ！　何が来た？

あちこちに死骸の山が出来ていた。

赤穂ではないのか？

——吉良様は？

一学は庭に出た。

「おわああ」

庭には先程のあれと同じ種類の生き物がうようよといた。

——味方は？

植え込みに頭を突っ込んでいる者、縁側を打ち抜いている者。池の端には牧野春斎が、飯を喰い損ねたかのような間抜け面のまま絶命していた。

「お、お、おのれ、な、な、何者——」

「力士にごわす」

実際にこんな言葉遣いをする力士は絶対にいない。しかし、彼らぐらいにはして貰わねば困る。

「一番お相手願いもっそ」

もはやどこの方言だかすら判らないが、どことなくそれでいいような気がするからやはりそれでいい。

力士達は敏捷だった。外見から受ける緩慢なイメージとその猛烈なスピードとの落差に一学は狼狽した。

「どすこい」

「ひゃああ」

一学は刀を振り回した。怖かったのだ。何も考えていなかった。頭の中から吉良も浅野も上杉も生類憐《しょうるい》れみの令も松の廊下も消えていた。

切っ先がひとりの力士に当たった。

さくっ。

力士は切れた。

ぱっくり傷口が開く。

その傷口を見て一学は敗北を察知した。

うっすらと血は滲《にじ》んでいるものの、傷口の中は白い。力士も平気そうである。

——脂肪が切れただけだ。

人脂は刃を駄目にする。そう何人もは斬れない。それでも多分、一般の人間なら三人は斬れる。後は突く。まるで斬れなくなっても、撲るという手がある。刀は、刃が駄目になっても鉄の棒ではある。有効だ。

——どれもいい、効かない。

例えば力士をひとり何とか斬り殺す。それでももう刀は使えなくなる。多分曲がるか折れるかするだろう。撲ったところで痛くなさそうだ。

それが三十人以上はいる。

一学は刀を放り、逃げた。

池の端のところに人一倍でかいのが塗壁《ぬりかべ》のように立ちはだかっている。相当怖い。已むを得ずそれを避けて石橋に乗る。

その判断が拙かった。石橋の上に、もうひとりの力士が屈んでいたのだ。いや、屈んでいたのではない。それは身を低く取った仕切りの体勢だった。逃げ場のない橋の上で、臨戦状態の力士が待機していた——訳である。

「はっけようい、のこった」

強行突破しか道はない。

武士などこんなものだ。刀や忠義を捨ててしまえば弱いものである。ならば己はいったい何者だ。この裸の男達には捨てるものがないのか！

大いなる疑問を胸に抱いたまま、一学は玉砕した。

単なる押し出し——比較的ダメージの少ない技ではあったが、これは場所が悪かった。一学は薄氷の張った池に落下して——果てた。心臓麻痺である。夏場だったら命を落とすことはなかったであろう。

こうして——。

あらかた侍は片付いた。しかし吉良は見つからなかった。

そこに——関脇不破《ふわ》ノ海《うみ》が息急《いきせ》き切って大石山の許に駆けて来た。

「おりました！　炭小屋におったでごわす」

「承知」

地響きがした。全員が歩調を合わせて移動を開始したのだ。邸内でおののいていた女どもはこの世の終わりを感じていた。柱といわず梁といわず、屋敷ごと振動していたからである。

※

ちっぽけな炭小屋など屈強な力士達の前にはまるで紙の工作のようなものだった。壁はあっという間に解体され、四本柱と屋根だけが残った。

積まれた炭俵の天辺《てっぺん》にちょこんと乗った老人は目玉が落ちそうな程眼を剝いて、ただ周囲の異形どもを眺め回した。

「ごわす？　き、吉良である。そ、そち達は、あ、赤穂の浪人か？」

「吉良殿でごわすか」

「力士にごわす」

「り、力士？　そんな藩は儂は――」

家臣用心棒　悉《ことごと》くやられている。

「――こ、これは何故の所業であるか！　うぬら、この上野介に如何なる遺恨ありや！　申されよ！　申されよ」

「遺恨？　遺恨などござらぬ。怨み晴らさんがために闘うは愚か。仇を討てば仇が残り、切りがござらぬ。これは意趣《いしゅ》遺恨なき純粋な闘いにごわす」

「純粋な――闘い？」

上野介は流石に他の侍とはひと味もふた味も違う。

名君と呼ばれ、要職を勤めた老人は、老獪《ろうかい》且つ賢明、博学でもあった。

だから――大石山の言葉の意味を瞬時にして呑み込んだ。

つまりこれは契約上の諍《いさか》いなのだ。

憎しみとか、怨みとか、恐怖とか、そういうものとは無関係の闘いなのだ。それが読み取れなかった愚か者こそが、そこら辺に死んでいるのだろう。

上野介は問うた。

「これは総当たり戦ではないのだね？」

「左様」

「勝ち抜き戦でもないな？」

「如何にも」

「相判った」

上野介は立ち上がった。呑み込んだのだ。

どさどさと炭俵が四方に崩れる。

炭小屋の四本柱の中に即席の土俵が出来上がった。

つまり――。

当たった相手と一番相撲さえ取れば、それでいいのだ。勝つなら一度だけ勝ちさえすればいい。全員を倒す必要などない。元より互いに遺恨などないのだ。

そして――。

仮令負けてもとどめを刺されることなどない。土がつけばそれで終《しま》いである。

この男達はそうした契約の上で闘っているのである。

上野介はそこを見切った。更に。

自分は小柄な老人である。だから強い奴は来ないだろう。幾らなんでもそんな無体なことはするまい。小僧のような奴が当たるに決まっている。結果が判っている勝負など――。

――甘かった。

確かに上野介の洞察は卓見だった。

しかし彼らが、必要以上に礼を尽くす者達であること——そして勝負はやってみるまで判らないという哲学を持っていること——更に土俵に上がった以上はどんな相手にでも全力を出す者達であること——。

そこまでは見切れなかった。

一番偉い上野介には当然のように一番強い横綱が当たるのが礼儀である。しかも躰が小さいからといって相撲が弱いとは限らないのだ。大石山は当初からの思い込みもあり、かなり本気だったのである。

正直いって上野介は戦慄した。しかし状況は既に彼を許してはくれなかった。

行司が尋《き》いた。

「しこ名は如何致しましょう」

「み、三河山とでも」

咄嗟《とっさ》に領地が頭を過《よぎ》ったのである。

「ひがあし、みかわぁやあぁまあ、にいし、だいせきざぁあんん」

——呼び出されなくてもここに居る。

上野介はそう思った。

※

一方。大石山は究極に迷っていた。

横綱とは綱《しめなわ》を張る者、元は地鎮祭《じちんさい》の地固め作法の免許のことである。それが転じて、綱を張ってひとりで土俵入りできる力士のことを横綱と呼ぶようになったのだ。それは神聖なる呼称であって、誰にでも与えられる肩書きではない。

横綱とは、謂わば名誉の称号。強いだけでは駄目なのだ。だから――。

その名に恥じぬ一番を。

――四十八手で残る技は、二つ。

結局まだそこにこだわっている。

禁じ手こそ誰も使わなかったが、何だかんだと力士達は四十八手に準ずるものを含めて八十手程の技を使った。しかし、まだ四十八手の技が二つだけ残っていた。

――頭捻《ずぶね》りと下手投げ。

下手投げの方がシンプルだが絵になる。ただ決めにくい。しかし相手の体型からいって、頭捻りは更に難しい。敵が小柄過ぎる。

――ええい。ままよ。

邪念迷いを吹っ切る。

そして――四股を踏む。

力水はない。

塩の代わりに雪を撒《ま》いた。

ちりを切る。

上野介も見様見真似で同じようにした。流石は高家筆頭。作法の呑み込みは早い。

「結びの一番。待ったなし」

しゃがむ。

「はっけよい――」

睨みつける。

「――のこった！」

瞬間。

見事な下手投げが一瞬で決まった。

上野介は炭の土俵に沈んだ。

「大石山！」

軍配は上がった。

行司寺坂は感動していた。

綺麗な技だった。

「横綱！　よこづなあ」

「よ、こ、づ、なぁ！」

口々に叫びながら力士達が駆け寄って来た。

男達の眼が潤んでいる。

胸や腹の肉がふるふると揺れる様が、まるでスローモーションのように見えて（いいたくはないが）ファンタスティックに美しかった。

力士達は皆、実に充実した顔をしている。

闘いを知る者のみが到達できる陶酔境に、今——力士達はいた。

勝ったのだ。吉良に。おすもうさんが。

寺坂が涙声でいう。

「お見事。お見事でございましたぞ。大石山関！」

「はあはあはあはあ」

「本懐でございます。大金星でございます！」

「はあはあはあはあ」

「はて、どうかなさいましたかな？」

「はあはあはあ」

——勝った。

だがしかし。

——否。

大石山は心に一点の曇りを持っていた。

拭っても拭い切れない、悔い。

晴れやかには装えない。

——頭捻りだけが残るなんて。

三つ四つなら構わない。四十八手のうち、ひとつだけ残ったというところが几帳面な大石山には目茶苦茶気持ち悪かったのだ。

「いったいどうしたのです横綱！」

「はあ、はあ、はあ」

——頭捻りだけが残るなんて。

「はあ、はあ、はあ、もうひとり」

——頭捻りだけが残るなんて。

「は？」

聴き取りにくい荒い息遣いの中、大石山は何とかそれをいった。

「い、い、い、もうひとり連れてくれば良かった！」

その言葉を聞いて四十七人の力士とひとりの行司は、意味の判らぬまま涙した。

これは、それだけの話なのである。

だから——怒らないで貰いたい。

パラサイト・デブ
南極夏彦

南極夏彦（なんきょくなつひこ）一九四二年島根県生まれ。受賞歴なし。通称簾禿げ。主な作品に『種馬の長い尿意』『肉牛のサンバ』『土佐犬の吐息』などがある。実はN極改め月極夏彦『すべてがデブになる』の作中人物である。

パラサイト・イヴ
瀬名秀明
一九九五年／角川書店刊
一九九六年／角川ホラー文庫
第一回日本ホラー小説大賞を受賞した、空前のベストセラー。映画、コミック、ゲームなどジャンルを越えて評判に。

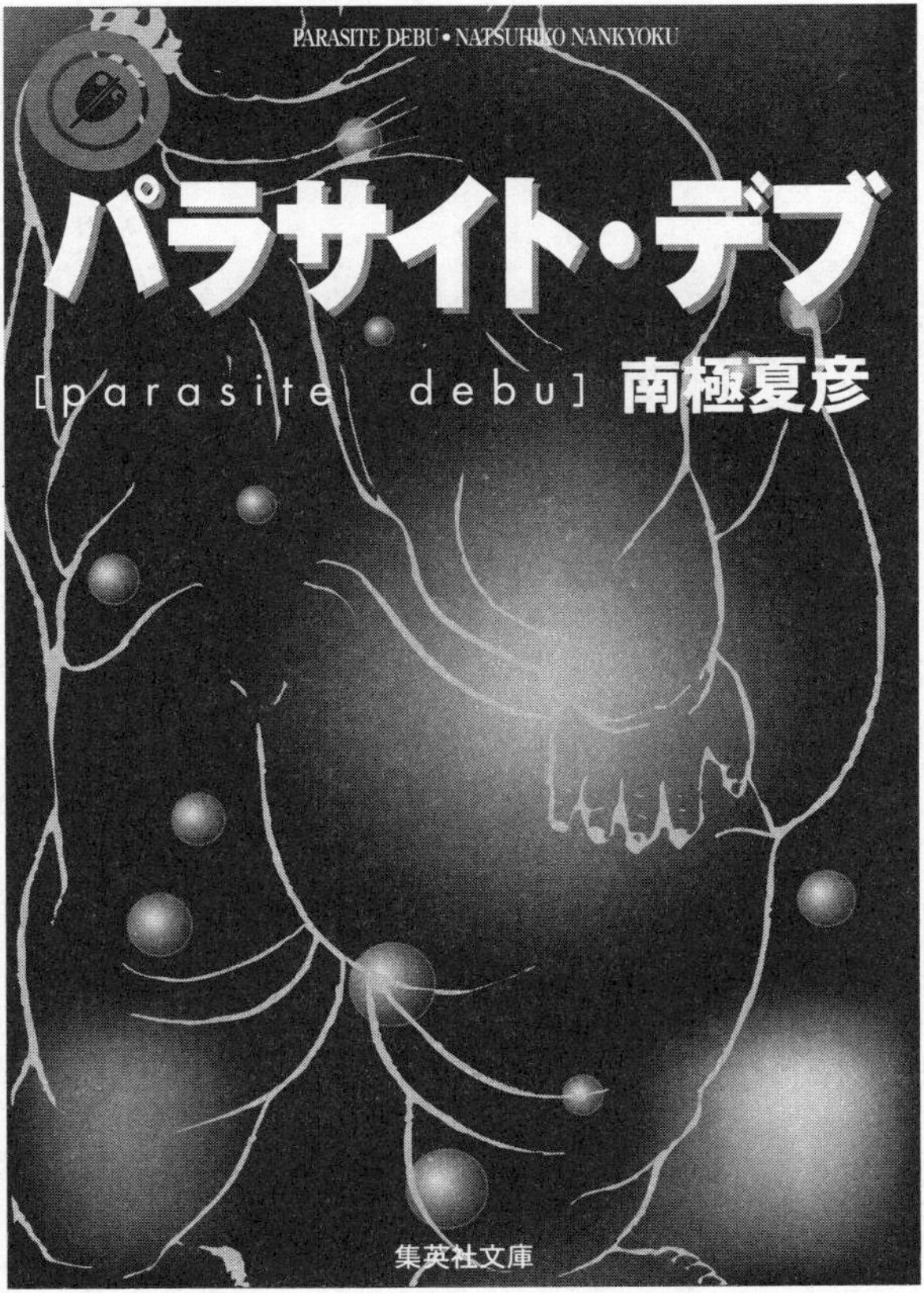
PARASITE DEBU • NATSUHIKO NANKYOKU
パラサイト・デブ
[parasite debu]
南極夏彦
集英社文庫

――馬鹿タイトルを笑って許してくれた瀬名秀明氏に心から感謝致します。

1

どすん。


地響きがする——と思って戴きたい。

地震ではない。

これは〈奴〉の足音だ。


どすん。


〈奴〉が来る。

〈奴〉は人間じゃない。〈奴〉は殺戮《さつりく》の武神だ。

今の状況が冗談めいた状況であることは認めよう。いや、こんなのは普通冗談である。はっきりいってこんな話を真に受ける人間はいないし、いたとしたらそれはそれで問題だと思う。

最初〈奴〉を見た時はわが目を疑った。そして——。

なぜ私がこの研究所に呼ばれたのかも、私は即座に理解した。

でも。


どすん。


そんな馬鹿なことがあるものか。

確かに〈奴〉は異常だ。

〈奴〉はでかい。それに二次性徴も見られないようである。

だからといって――やはりそれは考えられることではなかった。

〈奴〉は魚類ではないのだ。

勿論両生類でも爬虫類でもない。原虫類でも甲殻類でもない頭足類でもない。

あれは――。

哺乳類だ。

哺乳類の三倍体が自然界に存在することはやはり考え難《にく》い。

いや、あり得ないだろう。調査するまでもない。　**どすん。**

そもそもヒトの三倍体などあってたまるものか。

古代に染色体を操作する技術があったとでもいうのか。

私は要らぬ興味を持った。それが命取りだった。　**どすん。**

調査の結果、〈奴〉の染色体はXXXでもXXYでもない――つまり三倍体ではないことが判明したのだ。

〈奴〉はXXだった。　**どすん。**

その段階で引き上げるべきだったのだ。

私の専門は染色体工学である。新種か、突然変異か――いずれにしても〈奴〉は、最早私の分野で扱える代物ではなかった。それはその段階で瞭然《はっきり》していたことなのである。しかし私はここを去ることをしなかった。　**どすん。**

見届けたかったのである。

染色体の調査が終わった丁度その頃、〈奴〉は――復活の兆候を示し始めたのだ。

考えられないことだった。

我我は混乱した。

総ての常識は覆《くつがえ》されつつあった。

もう専門分野など関係なかった。　　　　　　　　　　　　**どすん。**

そうした状況下において、そんなことは些細な問題である。　**どすん。**

科学者の端くれとして、身を引くことはできなかった。　**どすん。**

今は後悔している。所員は次次と殺《や》られた。　**どすん。**

たぶんもう、私が最後のひとりなのだろう。**どすん。**

いや、確かゲストルームに東京から来たという雑誌の女性編集者とサイエンスライターを
名乗る男が泊まっているはずだ。　**どすん。**

無事だろうか。　　　**どす。**

足音が部屋の前で止まった。

もう――時間がない。

この記録もここまでかもしれ　**ばん。**

来た。

殺られる前に。

殺られる前に私の見解を**ばんばんばん。**

や、〈奴〉がでかいのは、奴が物凄いエネルギーを持っているのは、**ばんごんばん。**

すべて〈寄生虫《パラサイト》〉の所為《せい》なんだ**ばばんばん。**

つまり〈奴〉は——**どすんどすぼかばき。**

べしゃ。

2

——脱色した鰻《うなぎ》のようだ。

猫塚留美子《ねこづかるみこ》はそう思った。真っ白い鰻が脳裏でぬるぬると身を捩《よじ》っている。白魚《しらうお》か、あるいは鰐《わに》の腹のような色をした鰻だ。その妄想はこの男に初めて会った時に瞬間的に脳内で映像化された。以来会う度、常に像を結ぶ。凄く似ていると思う。とはいうものの留美子は本物の脱色鰻とは面会したことがないから、似ているかどうかなど本当は判ったものではないのだが、それでも会う度にそう思うのは、

——こいつが柔らかいせいだ。

太っている訳ではない。寧《むし》ろ痩せているのに、どことなく柔らかい。無論触《さわ》ってみたことなどないのだけれど、どうにも柔らかそうに見える。いや、柔らかいに違いない。

そして——思わず男の頬を見る。男だというのにきめの細かい、しっとりした皮膚だ。つるつるもちもちの餅肌だ。弾力もありそうだ。その上静脈が透ける程色が白い。小さな唇などは綺麗《きれい》な薔薇色《ばらいろ》に染まっている。

——その表現はなんか嫌だ。

その部分だけを抽出して描写すると何だか美少年の如く聞こえてしまう。そこが嫌だ。それはとんでもない誤解なのである。

生憎《あいにく》、目の前の鰻こと松野《まつの》秀輔《ひですけ》は決して若くはない。いや、若くないどころか中年真っ只中の脂《あぶら》の乗った親爺《おやじ》である。いや、親爺だというだけに止《とど》まらず、造作が全体に不細工ときている。だから妙に艶《なま》めかしい華奢《きやしや》なパーツは親爺としてのバランスを欠くいやらしい要素となるに過ぎず、結果薄気味悪さを助長しているだけなのである。

——表面の質感よりも形かな。

留美子はそう思い直す。松野が柔らかく見えるのは寧ろこの男に尖《とが》った部分がない所為なのかもしれない。まず顎《あご》がない。肩も撫《な》で肩《がた》で、おまけに鼻も低い。全体に引っ掛かりというものがない。流線型で空気抵抗がない。脱力したように椅子に躰《からだ》を投げ出している姿はどうにもだらしがない。

——後は性質か。

松野は粘着質で少し下品だ。

——粘着質から粘膜を連想したかな?

粘膜。脂。引っ掛かりなし。つるつる。

——それで鰻なのかな?

こんなところで自己分析をしても始まらないと、留美子はそこで思索を中断した。とにかく理由はどうあれ鰻は鰻なのだ。しかも脱色している。取り分け嫌いではないが、取り立てて好きになれるタイプの人間でないことは確実である。これが仕事でなければ金輪際《こんりんざい》こうして会ったりはしない。

留美子は中間小説誌の編集者である。そして鰻──松野は一応作家なのだ。

但し、作家といっても松野は小説家ではない。世にいうノンフィクションライターという奴である。『特捜科学最前線』という大昔の刑事ドラマのようなタイトルの連載を持っている。少し恥ずかしいタイトルだから担当としては連載開始時から変更したいと思い続けているのだが、松野本人はそのタイトルがいたく気に入っているようなのである。

──どこがいいんだ特捜科学最前線。

タイトルの文字を目にする度に、夕日のタイトルバックや傘を差した大滝秀治《おおたきひでじ》や藤岡弘《ふじおかひろし》の眉毛や二谷英明《にたにひであき》の白髪を思い出してしまう。勿論そんなことは誰にも言わない。年齢が知れてしまうからである。

編集部内の評判はどうかというと、そもそも目立たない企画だから編集会議では話題にも上らないというのが現状である。切り出せずにいるうちに一年半も過ぎてしまった。今更タイトルを変えるくらいならいっそ打ち切って欲しいとまで思うこともあるが──というか一刻も早く打ち切って欲しいと四六時中念じているようなものなのではあるが──どういう訳か終わる気配もない。

回想の波に身を委ねて留美子は少し憂鬱《ゆううつ》になった。

その時。

凹凸のないぬるりとしたシルエットがくにゃりと蠕動《ぜんどう》した。脱色鰻が顔を上げたのだ。

先月号を手にしている。読んでいたらしい。

「Cちゃんこりゃ拙《まず》いね」

「まづい？」

松野は留美子を『Cちゃん』と呼ぶ。

以前——某作家が『編集のC女史』として留美子を誌面に登場させて以来、留美子は誌上ではまま『C』と表記される。

でも面と向かってCと呼ぶ奴はいない。ただ、Cという略し方自体は留美子も割と気に入っている。CはキャットのCである。何のことはない猫塚の猫に由来している訳だが、単にNとされるよりずっと良いと思う。だから百歩譲ってCまではいいとしても、それにしてもちゃんづけというのは如何《いか》にもセンスが悪い。そう呼ぶなとも言えないから黙って返事をするが、内心穏やかではない。結構嫌だ。

「拙いって、誤植でもありました？」

「違うよ。これこれ。読んだよう。『四十七人の力士』とかいうの」

「ああ、新京極《しんきようごく》さんの」

「まさか君担当じゃないだろうね」

「担当です」

「ああ——」

松野は大袈裟《おおげさ》に肩を窄《すぼ》めたが、元元肩がないから蝙蝠傘《こうもりがさ》を七分に開いたような変なフォルムになった。

「――何でこんなもの載せるのかな。こりゃ君冒瀆《ぼうとく》だよ。冒瀆。力士を揶揄《やゆ》するような小説を載せちゃいかん。いかんいかん」

「はあ」

「新京極だか新越谷《しんこしがや》だか知らないがね、こりゃ君、受け取りようによっては力士差別じゃないか。力士さん達の身にもなれ」

「りきしさべつ？」

松野が話題にしているのは前号に掲載した駆け出し作家の短編小説のことである。元禄十五年十二月十四日、相撲取りが理由もなく吉良邸に討ち入るという実際訳の解らない作品で、まあ無意味な埋め草である。担当編集者は留美子だった。

「そういう意識はないと思いますが」

「意識していなければいいというもんではない。無意識でも笑いをとっている。力士は雄雄しい人であり、滑稽な人じゃない」

松野は食い下がった。

「大体元禄時代に横綱はないでしょ。それにどすこいってのは何？　どすこいという台詞が許せないよ僕は。相撲は国技だよ国技。国技を誹謗《ひぼう》するってことは国家権力に唾するようなものでしょ」

「そ、そうっすか？」

「そうだな。そうだよ。そうじゃないか」

どうやら松野は相当相撲が好きらしい。

「相撲、お好きなんですか？」

「え？　好き嫌いは関係ないよ。だから、いや、お相撲さんのことをこんな風に書いちゃ駄目だと、そういうことだ」

松野は小さな眼を潤ませていた。

「お・す・も・う・さん？」

——違う。

留美子は敏感に松野の言葉尻を捕えた。

——この人は相撲が好きなのではなく、
相撲取り自体が好きなのだ。

——つまり。

途端に留美子はうち沈んだ最悪の気分になった。これから先の、この男との道中が豪《えら》く不気味なものになるように思えてならなかったからである。

窓の外は仄暗《ほのぐら》い雪景色だった。細かい雪片が車窓を次次と横切る。雪は朝から降り続き、止む気配はない。

松野との取材旅行は五度目になる。

留美子は陰鬱な風景を眺めながら一年半前のことを回想していた。あれは——夏だった。暑い日だったと思う。連載開始に当たっての最初の打ち合わせの時のことだ。

松野は開口一番、大声で尋《き》いた。

——おい君、ＤＮＡって何だ？

それを聞いた時留美子は心底落胆し、戦慄さえ覚えたものである。松野は科学的素養が見事に欠落した無知親爺だったのだ。

その名の通り『特捜科学最前線』は最先端の科学技術や最新の科学理論を解り易く紹介するという趣旨の企画である。ＤＮＡくらい今日《きょう》び小学生でも知っている。小学生以下の鰻親爺に果たして科学記事などが書けるものだろうか。実際、当時の松野は遺伝子と染色体の区別すらつかない蒙昧中年だったのだ。

しかし、趣旨にある〈解り易く〉というくだりが曲者《くせもの》だった。松野の文章は、解り易いというだけなら物凄く解り易かったのだ。馬鹿さ加減が功を奏した訳である。

科学用語・専門用語を一切使わず——本当は使えないのだが——親爺ならではのけったいな比喩を多用する。文章は癖がなく単調で、息切れすると駄洒落を挟む。直しようがない。

最新の科学論文は原形をとどめぬ程咀嚼《そしゃく》されて——咀嚼しているのか当てずっぽうなのかも怪しいところなのだが——頭の悪そうな身辺雑記《エッセイ》に姿を変える。

それでも最前線と銘打ってあるし、一応それなりに最先端を扱っていることには違いない。だがたったそれだけのことでも読む方はその気になるものらしく——いや、逆に最先端とはこんなものかと高《たか》を括《くく》れて安心できるという効果があったのかもしれないが——松野の記事は非難されずに褒められてしまった。悲しい現実である。

そして松野は鰻ならぬ天狗になった。

今では名刺の肩書きもサイエンスライターである。もし本当にそうだったのだとしても、名刺にそんな肩書きを印刷する神経が留美子には理解できない。理解したくない。馬鹿としか思えない。馬鹿である。

以来、松野はその名刺を撒《ま》きたいが故に旺盛に取材をするようになった。

執筆に当たって実際に科学の現場に赴き技術者や研究者に直接面会する——建前はそうなっている。だが、どのみち会って話しても松野が理解している気配はまるでないから心底経費の無駄遣いである。話が咬《か》まない。鰻は頷《うなず》いて、偶《たま》にへらへらと笑うだけだ。鰻は結局、ぬるぬると温泉に入ってぺろぺろと料理を喰うだけなのだ。当然書けない。この場合原稿が落ちて困るのは留美子の方である。金を使って漫遊させて誌面に穴が空《あ》いては担当の立場がない。

今度こそは、といつも思う。それでも結局毎回やっぱりさっぱり書けない。大抵は締め切り間際に救援を懇願されて、留美子は資料集めを余儀なくされる。時間もないから手に入るのは市販されている雑誌の類ばかりである。松野は留美子が簡潔に纏《まと》めた子供騙しの資料を下敷きに、ただだらだらと書き飛ばすだけなのだ。つまり、取材などしようがしまいが同じことなのである。本当は電話取材すら必要ない。徹底的に、徹頭徹尾無駄なのである。

それを思うと一層うんざりする。

その上力士フェチときては余計である。

——ＤＮＡも知らなかった癖に。

「あ」

留美子はつい声を立ててしまった。ある情景がふと脳裏を過《よぎ》ったのだ。

あれは——。

「なあに？」

「い、いえ、別に何でも」

あれは——蟬《せみ》の声。強い陽射し。松野と初めて会った——あの夏の暑い日は——。

——土用の丑《うし》の日だったのね。

思い出した。松野はその時、がつがつと鰻の白焼きを喰っていたのだ。

「謎はすべて解けた！」

「謎って何よ。Ｃちゃん」

「謎は謎です。せ、先生には関係ないことですわぁ。あはははは」

——お前が謎だろうに。

留美子は軽やかに笑った。肚《はら》の中と顔面の筋肉の動きをシンクロさせないことが編集者の心得というものである。松野はそんな留美子の健気《けなげ》な努力に気がつくこともなく、単につられたのか無意味に笑った。そして嚙んでいたガムを紙に出しつつ、

「今回はちょっと力入っているよ」

と輪をかけて軽やかにいった。

「ちから？　力ですか？」

「力ね。何たってこれ、スクープに近いから。どこも取り上げてない。新聞にも小さくしか出てなかったでしょ」

たとえ小さくとも新聞に載っていたのなら既にスクープではない。大体記事が小さいのは内容がつまらないからだと留美子は思う。思うがいわない。そもそも詳しく知らなかった。どうせ後で調べるのだ。

「確か——ミイラでしたよね」

「ミイラというより屍蠟《しろう》ね。日本じゃまずないからね」

「しろうですか」

四郎でも五郎でもいい。松野は続ける。

「即身仏とかエジプトのミイラとか、そういうんじゃないから。中国とかで偶に見つかるでしょ。あれ。そうそう、マンモスの氷づけってあったでしょ。ああいうの」

「あー。そうですよね」

素っ気ない返事だと我ながら思う。

それにしても、いみじくもサイエンスライターが、マンモスの氷づけはないと思う。まるで地方の名産品である。かわいいマンモスキャラの描かれた『名産マンモス氷漬け』の丸い折り詰めを思い浮かべて、留美子は少し笑った。

そして思う。

――凍結ミイラのことね。

それなら留美子はよく知っている。

以前、さる伝奇小説家と仕事をした際に資料を読み込んだことがあるのだ。

読んだのはヨーロッパ・アルプスで発見された凍結ミイラ『エッツィ』の資料だった。発見当時はセンセーショナルに報じられたから結構有名だと思う。だから松野だって詳しくはなくとも聞いたことくらいは――。

――知らないんだろうな。こいつは。

一九九一年、オーストリアのエッツ渓谷の奥地、フィナル峰で凍った遺体が発掘された。その年は例年にない氷河遺体発見の当たり年だったらしく、だからそれも最初は不幸な遭難登山者の骸《むくろ》だと考えられた。しかし調査の結果、その遺体は法医学者から考古学者の手に託されることになる。学会は騒然とした。『エッツ渓谷の雪男』《エッツィ》の愛称で呼ばれたその凍結ミイラは、約五千年前の遭難者だったからである。

――ロマンよ。

留美子は柄になくそう思った。思ったからアカデミックな資料まで丹念に読んだ。しかしその意に反して、出来上がった小説は『恐怖のフリーズミイラ五千年の呪い』という愉快なものだった。ふ、

「ふざけるな！」

また口に出してしまった。

「何だよCちゃんさっきから」

「今度こそ――先生には関係ないことなんですけどね」

――それでもやっぱりお前も悪いわい。

松野といると嫌なことばかり思い出す。さっきから阿呆な回想の目白押しである。このままでは連鎖反応で幼年期の忌まわしい記憶まで掘り起こされ兼ねない。

「それより先生、何でしたっけ」

「いやだなあ。人間の氷づけだってば」

「名物？」

「何いってんの君？　だから発見されたんだってば。何も知らんでついて来たんか君は。ただの温泉旅行とは違うのだよ」

「是非違っていて欲しいです」

「いうことがいちいち解らんな。説明したじゃないか。万年氷の中から大昔の人が見つかったって、あれだよ。新聞出てたろ」

「それ、古い遺体なんでしたっけ？」

「古いね。新聞発表時は年代が特定されてなかったがね。どうも縄文時代らしいね」

「じょ縄文!?」

それは古い。縄文晩期だとしても確か三千年も四千年も前のはずである。中期、いやまかり間違えて早期だったりしたら――。

「一万年近く前の――遺体？」

五千年前どころの騒ぎではない。

「そうだ。古いぞ。凄いだろう。縄文時代の人体がそっくり残っていたというだけでこりゃ大発見だよ。しかもどうやらただの人間じゃないんだな」

「角でもありました？」

「馬鹿。鬼じゃないんだから角があるか。巨人だよ巨人。大男だったのだ」

「はあ？」

鬼も巨人も五十歩百歩だ。いや五十歩五十一歩くらいだ。松野は自慢気に続けた。

「大きいんだなあ。これが」

「大きいってどのくらいなんです？」

「身長二メーター以上だそうだよ」

「にめえたあ？」

でかい。思いもよらなかった。そんな素《す》っ頓狂《とんきょう》な話だったのか。

嘘に違いない。

「嘘」

嘘だ。

「嘘じゃないよ」

「信じられません」

「信じろ。大発見だ。しかも身長二メーターだ。少しでかいだけならともかく、2メーターとなればこれは話が違ってくる」

「何とどう話が違ってくるんです？　違う前の話というのがまず見えないです」

「いいかね、その巨人さんは縄文時代の人と推定されとるんだ。しかしそいつは縄文時代の日本人の体格じゃない。縄文人も骨だけならいっぱい出土しとるからねえ。でもそんな体格のいい奴はいない。みな貧弱だ。チビだ。つまりね、これは考古学上の発見というよりだね、生物学上の大発見と、こう話が違って――」

「解りました」

留美子は手で押しやるように松野の話を制した。馬鹿の無駄話を聞くと解るものも解らなくなる。つまりそいつは縄文人でも弥生人でもなかったりするような――いや人類の発見されていない祖先であったりする可能性まであったりするというような――。

「まさか」

「わははは驚いたかCちゃん。この件は黙っていたからねえ。どうだ、スクープだろうが。新聞にはそんなこと書いてなかったからなあ。縄文の巨人。しかも氷づけ！」

咄嗟《とっさ》にタイトルが浮かんだ。『フリーズジャイアント縄文の呪い』――愉快だ。振りきる。

「本当なんですかぁ？　でもそんな凄い発見なら、なぜ誰も大騒ぎしないんです？　もしかして、いやもしかしなくても、とんでもない世界的な大発見じゃないですか」

「わははは。騒がないのは秘密だからだ。僕が嗅ぎつけて独自のルートで探り出したのだ。サイエンスライター松野秀輔の恐るべき洞察力と行動力にひれ伏すがいい」

「はあ。でも——なぜ」

何で秘密なのだろう。

「くくっ。君は今、なぜ秘密なのかと思っているね？　図星だろ。顔に書いてある」

たとえ本当にマジックインキでがしがし書いてあったとしたって貴様にだけは読まれたくなかった——と、留美子は心底思った。

しかし松野は勝ち誇ったように言った。

「教えてやろうじゃないか。その巨人は非常に良い状態で保存されていたのね。それが味噌だな。そこでね、今恐ろしい計画が着着と進行している。だから秘密なのだ」

「恐ろしい計画？」

「うふふ。そう。これは多分過去発見されてるナントカ原人とかナントカ古代人とは違う種類のもんでしょ。それで、普通は骨しかないけど、こいつは組織が残ってた訳だ。遺伝子とか調べられるのね」

遺伝子とか。そのとかが馬鹿っぽい。

いでんしとか。実に頭の悪そうな物言いである。これでもたとえば〈遺伝子〉という単語が混じるようになっただけ一年半前よりはマシになったのだから悲しい。

「それでね、その何ていうの？　ウーロンだっけ？　クーロン？　それはお茶か？」

「九龍茶《クーロン》？　ああ、クローン」

「そう。そのウローンだ。きっと」

――胡乱《うろん》はお前だ。

SF小説じゃあるまいし、現代の科学技術で遺体の細胞からクローンの生体を造るなど不可能に決まっている。DNAの塩基配列を読み取るだけでも何年もかかる世の中に凍結ミイラから簡単にクローンなど造られた暁にはそれだけで大事件だ。そもそも、そんな馬鹿なプロジェクトがあること自体考え難い。せいぜい新種かどうかを特定する判断材料にするため、警察がやるようなDNA鑑定でも行ったというだけの話だろう。何が恐ろしい計画だ。こいつはこれでも科学ライターなのだろうか。

留美子は急速に意気消沈した。

「巨人の遺伝子のウローンの、天をも恐れぬ非人道的実験だから秘密なんだな」

最早譫言《うわごと》みたいで意味が通じない。絶対嘘だ。百歩譲って本当に何らかの秘密のプロジェクトがあるのだとしても、まずこんな男に秘密が暴ける訳がない。こいつに情報をリークするくらいならボウフラにでも教えた方が世のためである。ならこの馬鹿はどうやってその秘密を知ったのだ？

問い質《ただ》すまでもなく松野は自白した。

「うひひひ。尊敬したか。何を隠そう発見された場所は僕の田舎で、発見したのは僕の兄だ。研究しているのは幼馴染みなんだぞ。凄かろう。写真も貰ったぞ」

独自のルートが聞いて呆れる。そういうのは親類縁者というのだ。しかしこいつのネットワークなど所詮そんなものだろう。それに力が入るのも当然で——つまりこの取材は単なる鰻の帰省なのである。

松野は鞄から写真らしきものを出した。

ふにゃりと笑う。ぽつりとできる片えくぼが愛くるしくも見苦しい。

「写真だ。これがさ、いいんだなあ」

「いいって何がです？」

「形だよかたち。干からびてないの」

それはそうだろう。人工的なミイラと違って凍結ミイラは乾燥させて作るものではない。要するに石鹸状態なのだから瑞瑞《みずみず》しいといえば瑞瑞しい。UVカットし忘れた秋口の中堅OLなどよりつるりとしているものなのである。そう言おうとして留美子が視線を上げると、松野は蕩《とろ》けた眼で写真を見つめ、だらしなく相好を崩していた。

「いいラインだよなあ」

「らいん？」

「ボディのね」

「は？」

「むっちりとしてさあ」

「む、むっちりってのは何です」

「そりゃお肉がついているのさ」

「に――」

――肉だぁ？

普通の凍結ミイラではないのだろうか。

資料写真で見た『エッツィ』は、燻製《くんせい》にされたホッケみたいな飴色《あめいろ》に変色して萎《しぼ》んでいた。乾燥こそしていないまでも、凍結ミイラとてやはりミイラはミイラなのだ。むっちりした凍結ミイラなど留美子は想像ができなかった。それなのに松野は――どうやらその想像を絶するものを見て、ひとり悦に入っているようである。

「うへへ凄いなあ。むっちりむちむち蘇る縄文の巨人」

「なんか――ハリウッド映画みたいですよ」

そういうと、鰻は怒った。

「馬鹿。SMXじゃないんだよ。現実だ」

「エスエム？」

敢えて正すまい。むちむちなんだったらそっちの方が近い。

「全く現状認識が甘いな君も。これは、大事件なんだ。だいたい映画のあれは恐竜だろうが。それにあっちは化石でこっちはナマだ。そもそも、お相撲さんと恐竜を一緒にするなよ」

「お・す・も・う・さんだぁ？」

これは聞き捨てならなかった。留美子は咄嗟に鰻の指から写真を取り上げた。

そこには――。

片手に稲穂を握りしめ、張り手の姿勢に身構えた、氷づけの――。

巨大な――。

アンコ型が写っていた。

3

走る交通博物館のようなローカル線から走る明治風俗図絵のようなバスに乗り継いで、いい加減げっそりした頃、留美子と松野は目的地に着いた。

陽も傾いてきた頃である。

停車場の、錆びついた時代錯誤の丸い標識には『田《た》力《ぢから》村』という筆文字が読める。いい加減ド田舎のド山奥である。その上ただでさえ雪深いところにまだ雪は降り続いている。これ以上積もろうったって積もる場所はないと思う。これではマイクル・クライトンというより横溝正史だ。おどろおどろしい。

忌まわしい伝説のひとつもあるはずだ。

松野が振り向いた。

「ここにはね――」

――ほら来た。

きっと、三百年前に婆さんが六十六人殺されたとか、五百年前に爺さんが百八人打ち首になったとか、そういう因縁話があるのに違いない。落ち武者の線もある。

「――褌《ふんどし》祭という壮大な祭が伝わる」

「フンドシ――まつりですかぁ？」

「そう。村の若人が褌ひとつで組んずほぐれつする勇猛果敢な祭だ。現在は残念ながら途絶えてしまっているがな。若者がここ十数年一人もいないの。僕の若い頃なんかそれでも三人はいたんだが——まあ一応三人でもね」

「やったんですか？」

「そりゃやったさ。年中行事は大事にしなくっちゃ。地域の振興のためにも」

若者三人が裸で組んずほぐれつ。

忌まわしいといえば忌まわしいか。

「それで村は——」

「あの頃は全村で九十人はいたな」

——そうじゃなくて。

「村はどこなんです！」

それから雪道を三キロばかり登った。

途中、腰の曲がった頬被《ほおかむ》りの老婆と擦れ違ったり、ゴムの面をつけた男が逆立ちで死んでいたり——しなかったのが不思議なくらい、怪しげで寂しげな道行きだった。猥雑《わいざつ》で滑稽なフンドシ祭のイメージ(何と阿呆な絵面《えづら》！)が瞼《まぶた》の裏にちらついていたことは却って幸いだったかもしれない。

もはや日本の領土であるかどうかすら怪しい寂寞荒涼《せきばくこうりょう》とした景色の中に、心細い明かりが燈《とも》っていた。村落らしかった。

「おお。あれが我が故郷、田力村だ」

「たぢから？　でも下の村のバス停にもそう書いてあったじゃないですか先生」

「あれがこの村のバス停だもの」

「だってすんごい遠いでしょうが」

「だってあそこはもううちの村なんだよ。ただずうううっと人家がないだけだよ」

もう辺りは暗い。

後戻りはできない。

松野の生家だという旧家は、まんが日本昔ばなしに実写で出て来てもおかしくない程にデフォルメが効いていた。鬼のように積もった雪でひしゃげているのだ。

松野が入口から声をかけると、ガタガタと音をたてて戸が開き、中からはやはりデフォルメの効いた山姥《やまうば》が巨大な顔を突き出した。

「お。蔵之輔《くらのすけ》。おめ、何しに帰《けえ》った」

「おっかあ。おら、兄《あに》さんとクロちゃんに用があっだよ。長旅で疲れたけぇ、茶ッコ一ぺえくんねが」

「やなこった」

取りつく島がない。老婆はぴしゃりと戸を閉めた——つもりが建付けが悪いので中中閉まらなかった。その間、冷たくされた息子はどうしてよいか解らぬバツの悪い間を堪《た》えた。留美子もまた堪えた。やっと戸が閉まったので留美子は声をかけた。

「あのう」

「おっかあ。休ませてくれだってバチはあたんネェべよ。おかあ、おっかあ」

松野は戸を叩いた。閉まってから叩くくらいなら閉めるのを阻止すればよかろうとも思うのだが、この鰻、妙に律儀なところがあるようだ。十二回叩いて松野は諦めた。

「駄目だな。田舎者は。科学の素晴らしさが解っていない。母ちゃんは研究所のことを快く思っていないんだなあ」

「あのう先生」

「いくら男手が取られたからって、元元産業がない村なんだから、寧《むし》ろ良かった訳だよ。鮎《あゆ》で儲けたんだから。長い目で見ればミイラだって村おこしになるんだよなあ。若者が帰ってくれば褌祭だって」

「そうじゃなくて」

「何だ五月蠅《うるさ》いな。褌祭のどこが悪い」

「いや、その、先生、くらのすけって？」

「え？　本名だ。田力蔵之輔。あんまりセンスが悪いからペンネームにしたんだ」

「松野秀輔ってぇのはペンネームで!?」

本名ならともかく、わざわざつけるような名前か？　留美子はずっと、なぜ松野はペンネームにしなかったのか尋いてみようと思っていたくらいなのだ。田力蔵之輔から松野秀輔。ややや悪くなってないか？

「田力って——何ていうの？　ダサい？　ダサいじゃんか」

「そ、そう？」

別に田力がひと際ダサいとは思えない。縦んばそう思えるセンスがあるのだとしても、じゃあそのセンスに照らせば松野はダサくないのかといえば、そんな根拠はどこにもない。

「この村は半分が田力姓だ。残りは当麻《とうま》」

「ははあ。それでその研究所というのは」

「ここから一キロ半ばかり行った山の中」

「こ」

ここは——。

「ここは山の中とは違うですか」

「そうさ。ここは山の中の村さ。研究所は村の中の山にあるんだよ、君。君も呑み込みが悪いなあ」

松野は雪を漕いで歩き出していた。

この調子では研究所といっても藁葺きだったり土間があったりするのだろう。

物凄く寒かった。

しかし——そこはそれまでの展開を見事に裏切る、近代的な外観の建物だった。

プレートには『当麻生物研究所』と記されている。意外だった。留美子は今回は考古学なのだと勝手に思い込んでいたのだ。

近年考古学の世界は活況を呈している。遺跡や遺構の発見・発掘が相継ぎ（乱開発の副産物なのだろうが）、また、それに対応するべくテクノロジーも飛躍的に進歩している。年代測定も材質調査も——今や虫眼鏡の活躍する場は少ないし、勘や経験に頼ることもない。『科学最前線』に考古学は馴染まぬかとも思ったが、その辺りで攻めていけば——。

——ほとんど構成まで考えてたのに。

資料を集める手前もある。概略《アウトライン》は留美子が書くようなものなのだ。でもどうやらヤマははずれて、今回は生物学らしい。

まあ松野の持っていたデブな写真が本物だとすればそれも頷ける。あれは考古学の研究対象ではない。いや、生物学歴史学を問わず、いずれかひとつの学問の枠内に収まるような代物ではない。本当ならだが。

しかしこの期《ご》に及んで留美子はその実在を信用するに到っていない。奇態なシチュエーションに惑わされてはならぬ。己が確《しっか》りしていなければ

——誌面に穴が空くのよ。

敏腕編集者の意地に賭けてもそれだけは避けたい。

「こんなところに——失礼ですが、こんな山深い場所に生物学の研究所があるんですね。何かその、環境的にここでなければいけないという事情でもあったんですか」

「変なこと尋《き》くね。これはここでなくてはいけないの」

「なぜ？」

「養殖場がこの裏なのね。もう少し行くと沢があってそこから水を引いているの」

意味不明である。

「養殖場？　何の」

「だから鮎だよ。美味《おい》しいぞぅ」

「鮎ですか？」

「養殖してるのね。でも昔は小さかった。喰いでがなかったんだな。そこでね、大きくしたのだ。三倍だもの。満腹になる」

「わかりません」

「ホントに呑み込みが悪いなぁ。だからバイオだよバイオ。ハイテクね」

松野は誇らしげに説明を始めた。

「ここは元元バイヨテクノロヂイを駆使してでっかい魚を造るために造られたところだったのだ。バイヨ――でいいんだよな？　バイオ？　ヴァイヨか？」

「はあ？」

「これがでっかいんだなあ。普通の三倍にもなるから。凄い技術だよなあ」

呑み込みが悪いと松野はいうが、決してそんなことはない。留美子は綱を外した鵜飼《うか》いの鵜のように呑み込みが良いのだ。留美子はすぐに呑み込んだ。

多分、別にそんなには凄くないのだ。

松野のいうのは多分三倍体魚のことだろう。

三倍体魚というのは躰が三倍なのではなく、通常二組であるべき染色体を三組に増やした魚という意味である。これは普通の成魚の二割増しから五割増しの大きさに育つらしい。味も良い。既に市場にも出回っている。

勿論遺伝子を操作して造ることには違いないのだが、三倍体魚はそれ程複雑かつ高等な技術を用いなければできぬ類のものではない。DNAのレベルまで行き着くことなく、その塊である染色体を操作するだけでできてしまうものである。理屈はよく知らないが、簡単にいえば卵に高圧処理や温度処理を施せばできてしまうはずだ。

だから三倍体魚を造るような技術は遺伝子工学とは呼ばず、染色体工学と呼ぶ。

しかし三倍体魚の製法はとっくのとんまに確立されているはずだ。今更山奥にこんな大仰な建物を建ててまで研究する程のこともないと思う。

——尋いても無駄かな。

建物の背後には雪山が迫っている。まるで子供向け特撮番組に登場する、悪の結社の秘密基地みたいだ。巨大ロボットでも出てきそうだった。

「すごいですねー」

留美子は無感動にそう言った。松野は凄かろうと一度威張り、例によってへらへらしながら軟体動物のようにくにゃりと躰を曲げ、インターフォンに向けて告げた。

「蔵之輔だけんども」

応答は——研究所のインターフォンから発せられるに相応《ふさわ》しい台詞ではなかった。

「おう。へえれや。戸ォは開いてるで」

——戸。

自動ドアなのだが——この場合は自動戸といううんかいと留美子は突っ込みかけて、踏み止まった。考えてみれば扉も戸も大差ないし、間違っているということもない。

一歩中に入ると外のおどろおどろしさは微塵もなくなってしまった。設備の整った新築の病院といった感じで、研究所然としている。違和感こそかなりあったが、留美子は少しほっとした。囲炉裏でもあったらどうしようかと思っていたのだ。

「おう、五助《ごすけ》。達者か」

松野に五助と呼ばれた白衣を着た中年の男は、黄ばんだ歯を剝き出して満面で笑った。顔中が皺《しわ》だらけになった。

「まあ達者だぁ。おめぇ程ではねえがな。おう、その娘っコが編集たらいう人かね。しっかし細っこい娘っコだなす。吃驚《びっくり》したナもう。都会の娘は細《ほせ》エだな。栄養が悪《わり》ィのが。あっはっはそんなこたねえが。それにしてもあんた、その躰でよくもまあこんだら山さ来だもんだ。ちかれたか？」

「は？　いえ平気です」

方言なのだろうが、どうにもふざけているように聞こえる。コメディアンがわざと訛《なま》っているような、そんな口調なのだ。環境と設備、そして白衣と方言のギャップがそう思わせたのかもしれない。

それにしても、確かに留美子は太ってはいないのだが、驚かれる程スリムでもない。標準だと思う。

「そうか。こりゃあ丈夫な娘っコだ。ほれ蔵坊、客間で所長と先生方が待っとるが」

客間とは応接室のことだろうか。五助は笑い顔のまま向きを変えてつかつかと歩き始めた。白衣を着ていなければ樵《きこり》系であることは間違いなしである。

部屋には四人の男が待っていた。

「あんちゃん、帰ったで！」

松野はドアを開けるなり、その中のひとりに駆け寄った。

たぶん松野の兄——発見者——なのだろう。

「おどどよ。帰《け》ったが！」

男はすっくと立ち上がり、二人はひし、と抱き合った。

ぬるぬるぬるぬる——留美子の頭の中に鳴っている擬音である。

えらく太った男がのそりと立ち上がって、抱き合う二人の肩をぽんぽんと叩いた。

「よしよし。えがったえがった。涙の再会だァ。ああえがった。しかしほれ、あのご婦人が怯《おび》えちょる。やめれ」

松野はそれでも暫《しばら》く抱擁——というより四つに組んでこれから一、番とるといった体勢——のままでいたが、やがて涙の滲《にじ》んだ汚い顔のまま留美子の方に向き直った。

「Cちゃん——」

――こんなところまで来てそう呼ぶか。

「――これが兄貴の田力石之輔《いしのすけ》。こちらが幼馴染みの当麻九郎兵衛《くろべえ》。ここの所長だ」

松野の兄・石之輔はやはり鰻の一種だった。但しこちらは脱色していない。

そして。

太った幼馴染みの方は――亀だ。

団亀《どんがめ》だ。

留美子の頬が緩んだ。可笑《おか》しい。

――ウナギとカメ。

無意味なフレーズだが、浮かんだものは仕様がない。

浮かんだのだ。

それが。

4

田力村は小さな山村である。交通の便も悪いし目立った産業もない。実に地味な村である。

電力が供給され始めたのも戦後のことなのだそうだ。何しろ結構長い間、この村は地図にも記載されていなかったのである。

それでいて、田力村に関する怪しげな風聞は多い。ただそれらの噂は悉《ことごと》く嘘である。田力には平家の落人など来てないし、源義朝が訪れたこともない。村人は隠れキリシタンでもないし、ユダヤ人でも大和朝廷に盾突《たてつ》くまつろわぬ民でもないのである。

ただ、あまりに山奥なので他所《よそ》との交流が頻繁にできなかったというだけである。

どれでもいい。ひとつでも本当だったら逆に観光地になっていたとも思える。

そもそも過酷な生活条件のわりにこの村は開放的な村なのだそうだ。必要以上に閉鎖的だとか、排他的だとかいう風潮もないようである。余所者《よそもの》との婚儀はあいならぬとかいう禁忌《タブー》の類も一切ない。旧来、他村との婚姻はごく普通に行われている。

ただ、昔から嫁のなり手はあまりいなかったという。如何《いかん》せん遠過ぎたのだ。

代わりに村を捨てる者は多かった。娘は皆他所に嫁に行きたがる。田力の娘は〈気立てがよくて頑丈〉だからと、近隣の農家などからの引き合いは多かったらしい。

ただ難点がひとつだけあった。

田力女は〈図体《ずうたい》がでかくてよく喰《く》う〉のだそうだ。喰い過ぎて離縁される娘は殊《こと》の外《ほか》多かったのだと伝えられている。

確かに――先程会った松野の母《やまんば》も大柄だったことは事実である。しかし先祖伝来、全村こぞって女が巨体で大食だというのも考え難《にく》い。科学的根拠は皆無だろうし、到底事実とは思えない。だからこれは俗信の類なのであろう。つまり、留美子を見た時に五助がとったあのリアクションも、その俗信に基づいたものなのである。村外の女は皆痩せているもの、というのがこの村では常識になっているのかもしれない。

いずれにしろ田力村はいわずもがなで過疎化が進み、廃村寸前まで追い込まれた。

「そこでな、鮎ですわ」

当麻所長はそういって豪快に笑った。

留美子は必死でメモをとっている。後で困るのは自分だからだ。この村のことについて記してある市販の資料などないのだ。況《ま》してやこの研究所について書かれたものとなると一層にない。しかし留美子が纏めなければ松野は一行も書けないのである。

この研究所の創始者は当麻原伍衛門《げんごえもん》――現在の所長のご尊父であるという。聞けば当麻家は村内では名家であり、先祖代々村の神事を司る家柄だったのだそうだ。つまり――例の褌祭の行われる神社の神官だった訳である。

神社の名を『犢鼻褌《とうさぎ》神社』という。

犢鼻褌《とくびこん》と書いてとうさぎと読む。いずれもフンドシのことだそうだ。

現在、犢鼻褌神社の祭神は天手力男命《あめのたぢからおのみこと》とされているのだそうだが、これは古伝ではなく、昭和以降のでっち上げだということだ。実際よく判らなかったらしい。

当麻はこう説明した。

「ここの神さんは、本当は女だなす。しかも助平《しけべい》だな。なぜかって？　褌祭さ。神さんは男の裸が見たいんよ。お嬢さんも年頃だもの、見たかろが？　うっふっふ」

――み、見たくない。

絶対見たくない。いくら好色でも見たがる女はいないと思う。裸の男。フンドシ。滴る汗。尻に腿《もも》。臭い立つよな、目眩《めくるめ》く男の世界。そういうのを見たがるのは寧ろ――。

留美子は松野を見る。鰻は若《にや》けていた。

褌祭は古来より毎年旧暦の元旦に行われた。いつ始まったかは不明だという。

祭の概要はこうである。神社の境内に村の十八歳から二十八歳までの独身男子全員を集めて裸にし、神官のかけ声と共に縺《もつ》れ合いをさせる。おしくらまんじゅうのようなことをするらしい。開始は深夜零時。夜明けまで続く。日の出を迎えてまだ立っていられた猛者《もさ》は〈土つかず〉と呼ばれ、神官から褒美が遣わされる。雨天決行。

実に変梃《へんてこ》な祭だ。留美子にはそれが宗教的にどんな意味を持つものなのか皆目見当がつかないのだけれど、他で行われる裸祭の類とは違うようだ。また、この祭は一種の秘祭であり、女性がそれを見ることは一切禁じられていた。この村で唯一の禁忌である。

もし女性が盗み見たりすると畏《おそ》ろしい災厄《わざわい》が村に降りかかる——と伝えられているのだそうである。

「その昔、祭ィ覗いた娘っコがいでな。江戸の頃だそうだが。覗いた娘ァ、村一番の大女だったそうだが、取り憑かれたようになってな。村人を千切《ちぎ》っては投げ、千切っては投げ次次と殺しちまったそうだ」

「はあ」

「死んだ村人は四十八人と伝わるな」

——忌まわしい言い伝え。

あったじゃないか。少し変だが。

人数だけは八つ墓村より多いし。

「だがらお嬢さん。見だいったって見せらんねえ。おっと、怒ってるんか？　これ以上語るとセクハラとかいう奴が？　うっふっふ。心配ねえって。祭は今やってねえで。最後の奉納試合はわしと、この兄弟でやったがね。もう二十何年前のこった」

何が心配ないのか解らない。

褌祭は昭和五十年に絶えた。祭が絶えて、神職は存在価値を失い、当麻家も現在は社殿の管理以外何もしていないらしい。

何のことはない。この集まりは褌祭の同窓会も兼ねていた訳だ。それから。

——関係ない話だ。

留美子はそこに漸《ようや》く気づいた。

「あの、それがいったい」

「まあ聞けや。そのな、先先代の当麻家の当主、つまりわしの祖父《じい》さんが最後の神主だがね。これが、祭ができないとなってガックリときちゃったんだねぇ」

「がっくりって、その」

「ガックリよ。ポックリ行くんじゃないかって感じだったな。そこでわしの親父、これが息子の口からいうのもなんだが、親孝行を絵に描いたような人でな。その親父が何とかせねばと立ぢ上がったんだぁ」

「体格のいい素敵なオジ様でしたねぇ」

松野がうっとりと口を挟んだ。当麻の父は息子同様太っていたものと思われる。

「わしの祖父さんは裏の沢で獲れる鮎の塩焼きが大好物でのォ。しかしあんた、その頃から鮎がだんだん獲れなぐなってな。麓の方にゴルフ場ができたで、それでどっか具合が悪ぐなったんだなす」

今日的なテーマになって来た。

「そこで親父、村に鮎の養殖場を造った」

「お祖父様だけのために？」

「最初はな」

「凄い――」

「何。親父は麓のゴルフ場でボロ儲けしたんだがね。バブル絶頂期は濡れ手に粟で」

何のこっちゃ、である。

「お祖父様――余程鮎がお好きだったんで？」

「三度の飯より好きだったんだろが？」

「違うわ。三度の飯が鮎だったんだが」

「うんにゃあ三度の鮎が飯だっただよ」

「思い出しますねえ、あの化粧塩――」

当麻所長の祖父は養殖場が出来た翌翌年に鮎をたらふく喰って他界した。

遺言は、

「天然ものにはかなわねえ」

であったという。死因は脳溢血。高血圧が祟ったらしい。塩分の取り過ぎだろう。

朝晩化粧塩では已むを得まい。

返す返すも親孝行な息子であった。

「親父は深く反省してなぁ――」

当然だろう。生態系を破壊したのも自分だし、父親の死期を早めたのも己なのだ。

「――天然ものに負けない鮎を造るべく、再び立ち上がったんだな」

この場合、感想の述べようがない。

とにもかくにも先代当麻氏は奮闘した。

水質や環境の改善。餌の改良。十年以上の試行錯誤の結果——先代当麻氏は三倍体魚に到った。氏は県の水産試験場や県内の大学から技師や研究員を招請して三倍体魚の養殖を成功させた。

「それが四年程前のことだ。こちらの清水《しみず》一郎《いちろう》先生にはそん時に大層世話になった」

三十代半ばの神経質そうな男が軽く頭を下げた。大学の助教授だそうだ。知的階層《インテリ》らしい垢抜けた態度が浮きまくっている。

「しかしな姉ちゃん」

一方当麻所長はどんどん知的という言葉から遠退いて行く。留美子はお嬢さんからねいちゃんになってしまった。

「親父は一昨年おっ死《ち》んだ」

「亡くなった？」

「動脈硬化だ。惜しまれでなぁ。親父を村の恩人という者もおるが——」

気がついてみると、試行錯誤の十年の間に鮎の養殖は立派な村の産業になっていたのだそうだ。三倍体鮎の評判も上上だったという。町に出ていた幾人かの若者も戻って来て養殖を手伝い始め、結果村人のほとんどが養殖場に就職するような形になった。

事業としては取り敢《あ》えず成功だったのだ。

「——慥《たし》がに鮎は村を救っただがね。親父は三倍体魚に満足してた訳じゃねえだよ」

当麻はやや興奮して顔を赤らめ、首を縮めた。益々亀だ。

しかし三倍体魚に飽きたらぬとは、先代の当麻氏は何を求めていたのだろうか。

その先は遺伝子工学の分野である。

「親父の――」

亀は溜めに溜めてからいった。

「親父の好物は鰻とスッポンだっただ！」

「ぶはっ」

留美子は茶を噴き出した。

「わしは鰻と亀の三倍体を造るべく、親父の遺産を元手にこの研究所を建て直した。現代科学のすべてを投入してな」

――ウナギとカメ。ぶわっはっはっは。

勿論顔は笑っていない。編集者の心得である。

「で、でも、確か鰻の方は――もう」

泥鰌《どじょう》の三倍体は既にできているはずだ。

清水が冷静な口調で答えた。

「ええ。鰻は問題ない。ただ亀の方は」

――ウナギとカメ。真顔でいうなよ。

「亀は、まあ理屈ではできるが、その」

意味がない、ということだろう。

「でもできてねえな。先生」

「それは——いや、慥かに牛や豚などの哺乳類でも三倍体は考えられているんです。実用一歩手前まで来ている。しかしですね、遊びじゃないんですから、亀なんかは」

「清水先生よ。誰も遊んでねえだよ」

当麻が睨《にら》んだ。清水は小声でひい、といって押し黙った。当麻はこう結んだ。

「それがこの研究所だ。他に田螺《たにし》の三倍体や蚯蚓《みみず》の三倍体も企画してっだ」

「そこでだ——」

そこで松野の兄が初めて口を開いた。

「——話は去年の秋に遡《さかのぼ》るべい」

漸く本題に入るようだ。

松野の兄、石之輔は研究所に勤めている訳ではないらしい。どうやら石之輔は神社の宮守りのようなことをして当麻から金を貰っているようである。

「お社《やしろ》の裏にな、お止め池があるだよ。そこにな、でっけぃお化け岩魚《いわな》が居《お》るだよ。こりゃ何か研究の参考になっぺと思でな。俺ぁ秋に、そいつをぺろっと獲っただよ」

「でもお止め池なら禁漁なんじゃ？」

「わっはは。迷信だっぺ。今時そんなん信じるんはよっぽどの田舎者だっぺよ。姉ちゃん」

——よっぽどの田舎者じゃないのか。

清水が発言した。

「調べてみるとそれは天然の三倍体イワナだったんです。フナなんかには天然の三倍体魚がよくいます。四倍体もいます。XXの三倍体は性分化しません。雄でも雌でもない。だが、その代わり長生きする」

「つまり池の主だったんだっぺな」

どこがつまりなんだろう。

「まあその時な、俺ァ奥の院の中さ覗いただよ。奥の院覗いた奴ァいないで。奥の院といやあ池の向こうっ岸にある洞穴《ほらあな》のこっだがね、池があるで行ぎ難いだな。そごはおめ、覗いてもいげねっぺ、決して入っちゃなんねえ神聖な穴だっぺといわれてただが、まあ迷信よ。だから中さへえってよ。二十メイターくらい進んだかな。そしたらどん詰まりに――おめぇ、富士の氷穴《ひょうけつ》って知ってっか?」

「知ってますが」

「その氷穴みてえにな、氷がこう――」

兄鰻は両手を出してパントマイムの壁塗りのような動作をした。

「――ビッと張ってただな。ビッと。そらおッ魂《たまげ》消てなぁ。懐中電気で照らすとな、何か中に居るだよ」

それが〈あれ〉だった訳だ。

報《しら》せを聞いた当麻は、どういう訳かやたらと興奮して、日をおかず奥の院の発掘が開始されたのだという。入らずの神域は侵され、村の男総出で万年氷は粉砕された。

罰当《ばちあ》たりな田舎者もいるものである。

案の定罰当たりなモノが出て来た。

罰当たりは慌てて警察を呼んだ。

一応変死体である。しかしどうも古い。いや、えらく古い。そこでそれは法医学者の手から考古学者の手に引き渡された。このあたりの経緯は『エッツィ』と同様である。その段階で新聞発表があったらしい。

「そん時来たんがこの先生様じゃ」

「堀部《ほりべ》安雄《やすお》です」

清水の横に控えていた四人目の男は初老の紳士だった。学者系ファッションに身を固めて知識階級であることを無理矢理周囲に誇示しているようだ。いや、寧ろ己は与作系ではないということを声高に主張しているのか。

どことなく誰かに似ていた。そう、中学時代の地理の教師だ。

あいつ、慥か渾名《あだな》は――。

――インドフンバ、フンバ、ホだ。

フンバホというのは何かのオノマトペアだったと思うが、何だったかは忘れた。

フンバホはいった。

「信じられなかった。いや、私は未だに信じてはいない。何かの間違いか、いやあ、きっと悪い夢でしょうな」

「馬鹿こくでねえ。時代測定したのもあんたでねえか」

「まあそうだが」

「間違いはないんですか？　時代」

「間違いであって欲しいです。放射性炭素測定も十二回やり直して、別の大学から機械を借りて三回行い、結局新しい機械を買ってまた五回やった。しかしどの結果も同じ――ほぼ八千五百年前というものが出た。縄文早期です」

「でもあの、写真で見ただけなんですが、あれは稲穂を持ってたようですが」

「持ってますね」

「稲作は弥生時代からじゃないんですか？」

「現在ではその考え方は捨てられつつあるのです。縄文晩期、いや、後期から稲作は行われていたという考えが主流になりつつある。作っていなくとも持ち込んでいた可能性もある。しかし早期は早い。早過ぎる」

「稲の種類なんかは？」

「まあ大陸のものと一緒ですな。現在種ではない。原種に近いです」

「その、衣服とか――」

「ああ。褌ね。あれも調べた。藤蔓《ふじつる》などの繊維で造られている。当時のものは文献も残っていないから比較の仕様がないです」

「ほれ見ろ。本物だっぺ」

堀部教授は沈痛な表情になった。

「まあ、その昔は——あなたコロボックルというのをご存知ですかな」

「あの、アイヌの伝説に出て来る？」

「そうそう。大正時代初期には縄文文化というのはアイヌの祖先が興した文化ではないかと思われていた。中でも、コロボックルこそ貝塚人種である、なんてことを本気で唱えていた学者もいたんですな。コロボックルといえば白雪姫に出て来るような奴ですよ。いや、今はそれもマズいのかな。ほら、寝てると靴作ってくれるような小振りな人達——妖精みたいなのがいるでしょう。あれと同じようなものです。蕗《ふき》の葉より背が低いんですからね。冗談のような話だが、それが当時は大真面目な話として流通してましてね、縄文人は矮軀《わいく》だと本気で思われていた。現在では完全に否定されてますがね。骨を調べれば解る。アイヌと縄文人は別の種族です。況してやコロボックルなど笑止です。しかしこの——」

教授は深呼吸のような溜め息を吐《つ》いた。

「——でかいですよ」

「本物だっぺ。巨人の伝説は日の本にゃ多かろが」

「まあ『常陸国風土記《ひたちのくにふどき》』や『播磨国風土記《はりまのくにふどき》』を始めとして、古記文献にも巨人伝説は散見しとりますがね。巨人が実在したと思っている道化者は誰もおらんですよ。所長」

「馬鹿たれ。奥の間に実在しとろうが」

教授は暫《しばら》く絶句した後、やがて力なくこういった。

「昔は、縄文以前の日本には人がいなかったというのが定説でした。しかしそれは過去の話でね。今や日本列島には五十万年も前から人が住んでいたのではないかと考える者もいる程ですよ。旧石器時代、確実にこの列島に人は住んでいたんです。しかし、日本は火山灰に覆われた酸性土壌が多いから人骨は残り難い。石器の類は出ますがね。それだって——ほら、捏造《ねつぞう》されたりした訳でしょう。何で捏造なんかしたかといえば、出ないからですよ。そんな昔のものがですね、その辺にぽこぽこ埋まってる訳はないんです。況《まし》てや骨は出ない。人骨は捏造できませんからね。整った形で発掘された一番古い人骨は港川《みなとがわ》人骨だが、せいぜい一万八千年前だ。だから縄文以前の旧石器時代、この国にどんな者が住んでいたのか、本当のところは判ったものじゃないです」

判っとるべえ——と所長はいった。

「巨人さんが住んでいたんだっぺ」

「だ、だから！」

老学徒は（多分柄になく）激昂した。

「しゅ、出土する石器の形状、例えば細石刃《さいせきじん》などの分布から類推することで古代人の行動半径も古代文化の移動の軌跡もおおよそ判るんだ！　に、日本人のルーツは」

「類推は聞きだくねえ。それに今の日本人の先祖が誰だろうが知ったこっちゃねえ」

「そうはいかない！」

続き、若い助教授が敢然と立ち上がった。

「いいですか。考古学だけじゃない。科学が、血液型遺伝子が証明しているんです。アフリカの一女性を祖とする我我人類は、長い年月をかけて分かれ、世界各地に広まったんだ。我我は北方アジア系モンゴロイドの末裔だ！　GMγ調査の結果からも明白なんだ！　今や、あらゆる学問が証明しているんです。人類の進化の過程にあんなものの這入《はい》る隙間はない。断じてない」

「でも奥の間にいるがね」

「あれは——」

「小難しい学問の話は解《わが》んねがナ」

生物研究所所長の発言ではない。

「そもそも実物の前に推測も学説も無意味だっぺよ。どんなに筋が通ってようが、巨人さんの存在を否定することにゃならん」

「だ、だが、もし巨人族が過去にいたんだとして、それならなぜ彼らの化石はどこからも、ただの一体も発見されていないんですか？　世界中見渡したって巨人の骨なんてひとつも出てないでしょうに！」

「だから珍しかっぺよ」

二人の学者は揃って絶句した。

「あのう、すいません」

留美子は半ば哀れむように尋いた。

「先生方は、これを発表することに――」

「反対です」

二人はデュエットで、きっぱりと答えた。

「それはショック――社会的影響力が大き過ぎるという配慮からですか？」

「とんでもない。あ、あんなもの誰も信用しないからです」

「あんなもの？」

「あ、あ、あんなものですよ。私は恥をかくのが嫌なんだ」

「僕もですッ！」

「けっけっけ。謙遜するでねぇ。先生方ぁ歴史に名ぁ残すことになっど。こうして発表してしまったでねえか。なあ姉ちゃん」

「は？」

「雑誌ッコに載せるんだっぺ？　雑誌に載れば研究者も一流だそうでねえか。良がったな。堀部先生。清水さんもよぅ」

二人は死後硬直したみたいな顔で固まってしまった。答えようがない。

留美子の編集している雑誌は単なる中間小説誌であって、科学雑誌でも学会の機関誌でもない。況してや『ネイチャー』じゃない。そういう区別は鰻や亀にはないと見える。

「どうせ発表すんならこの、幼馴染みで褌仲間の蔵之輔に華を持たせてやろうどな。電報を打っただよ。なあ蔵坊」

「ありがたいです。クロちゃん」

「ええが、ええが。蔵坊。おめも今じゃ何だ、サイエンスマッチだっぺ？　ああ、マッチじゃねえ、ライターが。うっしっしマッチでえす、なぁんちゃって」

ハイレヴェルな親爺ギャグの連打である。

真っ白に燃え尽きて、留美子も結局――絶句した。そして絶句した三人と禅祭同窓会の三人は暫し無言で対峙した。

その意味のない沈黙を破ったのは、寿司屋の店員のような若い所員だった。

「所長。ちょこっといいが？」

「おう田吾作《たごさく》どうしただ」

――田っ吾作なんだよな。田吾作。

留美子は訳もなくそう思った。

5

所長の案内で留美子はいよいよその巨人と対面することになった。

褌三人衆は意気揚揚と前を行き、絶句状態の三人はその後を少し離れて続いている。

研究所は広い。廊下を幾度も曲がった。

ガラス張りの部屋を横切る。中には何台もマッキントッシュが並んでいたりする。しかしその前に座っているのは大抵は親爺で、多くは寝ているし、中には鼻に指を入れていたりする者もいる。

——マック使えるのかな。

使えるのだろう。

基本的に最近のコンピュータは幼児でも使えるようにできているのだ。使えるか否かより、要は何に使っているかが問題なのである。

——野放しにしていていいのだろうか。

愚か者が科学力を持つことがどれ程恐ろしいことか、日本人はよく知っているはずなのに。まあ、結構時間が経ったからいろいろ忘れちゃったんだろうけど。

そんなことを考えていると、横を歩いていた清水が話しかけて来た。

「僕はね、一度ここを去ったんです。三倍体魚の養殖が軌道に乗った段階でね」

「はあ」

「遺伝子組み換え植物の問題などがこれだけ取り沙汰されているというのに、ここの人達は自分達がしていることに対する自覚が全くないんです。生物に遺伝子レヴェルで手を加えることについても無頓着で——生物の染色体を操作することも植物の品種改良と同程度の問題としてしか捉えていない。まあ基本は同じなんですがね。でもその、何といいますか——」

「解ります——」

科学技術の進歩に伴う倫理的葛藤というのはある。でも彼らは葛藤とは無縁なのだろう。

「——しかし、なぜお戻りに?」

「ああ。奴の所為《せい》ですよ。当麻氏は単純ですからね。躰の大きいものはみーんな三倍体だと思っている。だからあれも——」

「え? ヒトの三倍体だと?」

それは短絡的過ぎないか?

「そう連絡して来た。まあ、信じませんでしたが。万が一ということはある」

「それで?」

まさかそうだった訳ではあるまい。しかし清水がここにいるということは——。

「勿論違いましたよ」

安心した。

「三倍体の染色体というのはXXXかXXYです。あれはXXだったから」

留美子は三倍体の出来る理屈を尋ねた。

卵子はX、精子はXまたはYの染色体を持っている。これが受精してXXかXYの二倍体となるのが普通の状態である。

ただ、卵子は成熟卵になる前に単独で分裂する。この時卵子の染色体は一時的にXXとなる。だが、このXのうち一個は極体として放出される運命にある。結局分裂しても増えないためこれを減数分裂という。

減数分裂は二回起きる。一回目の分裂の後に受精すると数分で二回目の分裂が起きる。この時受精卵はXXかXYの状態になる訳だが、この場合も通常はX一個は捨てられるから正常な二倍体になる。

しかしこの段階で温度処理や圧力処理を加えると、通常放出されるはずの極体が引き戻されるような格好になる。結果受精卵のXX、XYに極体のXを加えたXXX、XXYの三倍体が出来上がるのである。

何となく解った。

「それで、三倍体でないとすると、清水さんは正直どうお考えなんです?」

「はあ。末端肥大の傾向はないですから成長ホルモン異常でもないでしょう。そう。例えば牛や馬の脳下垂体から成長ホルモンを作るDNAを摂《と》り、ヒトの――ああ無駄ですね。縄文ですからね。土器や黒曜石を使ってできる作業じゃあない。後は完全な新種――かな。実は知人に依頼して色色調べて貰ったんですが――」

「何か判ったんですか？」

「うん。興味深い結果も出ていることは出ている」

「それは？」

「意味はよく解らないんですが。ミトコンドリアが――」

――出た。ミトコンドリア。

彼女は今やホラーには欠かせない。いや、これも忘れちゃったかもしれないけど。

「――ミトコンドリアの形状がまるで違うんだそうです。通常とは。はっきり言うと、ミトコンドリアが太ってるんです」

「太ってる？」

「ご存知でしょうがミトコンドリアはそもそも寄生虫のようなものです。核を持った我我の細胞とはそもそも違う生き物――酸素をエネルギーに変換した最初の生物、シアノバクテリアのなれの果てだ。普通は紐状か粒状のものなんですが、奴のは形が違う。まるで俵《たわら》のような形なんだそうだ」

「たわら？　米俵の？」

「その俵です。もしかしたら奴は――そもそも生物としての発生の段階で、我我とは根本的に違っているのかもしれない」

――寄生虫《パラサイト》がでぶ。パラサイト・デブ。

わははははは。パラサイトデブ。

顔には出さない。わはは。それにしても。

「とんでもないモンですね」

「いずれにしても僕の出る幕じゃない」

「しかし先生はまだここにいらっしゃる」

「それはね」

陰気な顔つきで押し黙っていた堀部教授が、そこで清水の肩を叩いた。

「そこから先は言わない方がいいよ、清水君。科学者としての君の正気が問われる。いずれ、もうすぐ知れることだしね」

清水はシニカルに笑った。

「そうですね。そうします。ああ、それでは僕はここで失礼します。別にあんなもの見たくないですから。日記でもつけます」

清水はそう言って右手の部屋に入った。

「そこが彼の部屋だ。ここは設備だけは整っているから、まあ大学にいるより研究はし易いらしいです。考古学者には関係ないですがね。ああ、あれはその先の部屋だ」

体育館の入口のような扉を半開にして、褌三人衆がにやにやしていた。

「何してっだ。早ぐ来い」

——どうであれ、見たいことは見たい。留美子は小走りになった。松野の裏返った声が聞こえる。感動しているらしい。

「おう！　素晴らしい！　こりゃ素晴らしいぞCちゃん。なんて猛猛しい。なんて美しい。究極の肉体だあ！」

「こっ、これは――」

部屋の中央に巨大なガラスの円筒があった。

円筒の中には写真で見たあのアンコ型が写真で見た通りの形で立っていた。

肌の艶《つや》。パンパンに張った肉。ボンレスハムのような腕。巨木のような股。ビア樽のような腹。今にも動き出しそうだった。とても死んでいるとは思えない。そもそも支えもなしに立っている。チューブが幾本か繋がれているだけだ。まだ凍っているのだろうか。そして。

――超。

ちょー不っ細工な顔。酷《ひど》過ぎる。

それでも松野はガラスに貼りついて嘗《な》めるように見回している。

振り向いたその目には無垢な憧れが宿っていた。

「雄雄しいなあ。触れないのかな？」

「触れねえ。二十四時間コンピューダァ制御で無菌状態に保ってあるだよ。しかも現在、この中は純粋酸素で満たされてるだなす。みだりに開げられるもんでねえ」

――酸素？

高濃度酸素で満たされた空間が凍結遺体の保存環境として適切なものだろうか？　なんとなく違うような気がした。当麻は大いに語った。

「神神《こうごう》しいっぺ姉ちゃん。村の婆ァどもはこれこそが褌神社のご神体だとゆってな、わしら研究所員のことを罰当たり呼ばわりすっだよ――」

奥の院から掘り出したのだから有無をいわさずご神体なんじゃないだろうか。

「――気持ぢは解らねえでもねえ。フンドシつけてるしな。だがらってご神体だってのは、いがにも頭悪ィもの言いでねェが。科学の前《めえ》には迷信は退けられるべきだっぺ。愚かだぁ。アにがご神体だがあの婆どもめ」

「村の女達が怒る理由は別にあるんですよ――」

堀部教授が背後から小声で耳打ちをした。

「――あれが発見されてからこっち、男どもはこの研究所から家に帰らなくなってしまった。ここはCS付きのテレビもあるし冷暖房完備、全室シャワートイレ付きですから。竪穴式みたいな家には帰りたくないんです」

説得力はある。留美子は巨人の肥えた腹を改めて見た。この不細工が――。

――家庭崩壊を招く魔性だってか？

どくん。

その時。

――何だろう。この感じ。

睨《にら》まれている？　いや、見つめられているのだ。誰かがどこかから留美子を凝視している。電車で痴漢の視線を感じてしまった時などの、あの感覚に似ている。しかし視線の先に好色な欲望のたぎりはない。憎しみの視線？　違う。羨望の視線か？

――これは――嫉妬？

巨人と留美子の目と目が合った。

縄文のパラサイト・デブが、瞬間ぴくりと身を捩《よじ》ったような――気がした。

6

「わひゃあああああっ」

雑巾を裂くような鰻の悲鳴で留美子は目覚めた。

一生のうちで迎えるだろう数ある目覚めの中でも、最悪の目覚めといっていいだろう。

「どうしたんですか」

「に、逃げろ。た、大変だ。し、死ぬる」

留美子は松野に腕を摑まれベッドから引きずり下ろされた。まだ深夜である。

「え、えらいことだCちゃん。あの方が」

「あの方？　あの方って誰です」

どすん。

地響きがした。

「地震？」

「違う。とにかくクロちゃんのところへ」

「いったい何があったんですか！」

「ふ、二人も殺《や》られた。危ない。逃げようと思ったらオートロックで玄関も開かないんだ。集中管理室に行ってロックを解除しないと、死ぬる」

訳が解らない。でも大変らしいことだけは解った。留美子は廊下に出て、松野とともにただ走った。ゲストルームと所長室は割と近い。ノックもせずにドアを開けて松野はヨーデルのような声で叫んだ。

「クロちゃん！　大変だぁぁぁ」

「何だ蔵坊。こんだら夜中に。この戯《たわ》け」

「あの方が、あの方が暴れているぅ」

「暴れで？　きょ、巨人さんがか？」

「そ、そうだ。ちょこっと腹に触っただけなのに、お、怒った。短気だ」

「触った？　おめ、あれ開けただか！」

「何、ちょ、ちょこっと尻に接吻を」

「馬鹿たれ！　なんだらことをしてくれただ！　それにしても暴れてるって、どう」

「五助が小股掬《こまたすく》いで絶命した。与作は蹴手繰《けたぐ》りで昇天だ。現在廊下を快進撃中だ」

「何だぁ!?　ほ、本当が？　まあちょごっと部屋さ入《へえ》れ。ここにゃあモニタッこがあるで、所内の様子は逐一見られるだよ」

「ちょ、ちょっと待ってくださいよ。何なんですか。あの、凍結ミイラが動き出したとでも言うんですか？　ツタンカーメンでもあるまいし」

「凍結ミイラ？　アにいってっだよ姉ちゃん。あれは生《ナマ》だ。ちゃんと解凍しただからな。しかもな、あれは生ぎてたんだぁ」

「い・き・て・たあ!? あ」

開いた口が塞《ふさ》がらなくなることとって本当にあるのねえ——留美子は、身を以《もっ》てそれを学習した。不要な経験である。

「細胞にな、何だらとかいう薬ッコかけだら、丸まる肥えたミトコンドリアがひくひくいってよう。復活《ふっかつ》したんだなす。だッから今度は全身にな、行ぎ渡《わだ》るようになぁ。酸素も十分に与《あだ》えでよう。お、映《うつ》った映った。モニタッこ映ったど。ああ、こりゃ田吾作だぁ。蔵坊、廊下で田吾作が一番とっとるぞ!」

18インチモニターには、寿司屋の店員と縄文アンコ型巨人の取組が映っていた。

——げげ。本当だったのね。

あの時。

廊下で清水は多分このことをいいかけたのだ。堀部が止めたのも無理はない。

八千五百年前の凍結遺体が生き返ったなど、科学者なら口に出すことすらも憚《はばか》って当然だ。子供だって俄《にわ》かには信じまい。しかし——どうせここの連中はそれ程不思議に思っていないのに違いない。清水は多分科学者としてこの非常識の顚末を見極めたかったのだろう。だからここに残ったのだ。

この村では自然科学も地球物理学も遺伝子工学も皆、そう効力を持たないようだ。

留美子は半ば自我崩壊しかけた己を無理に奮い立たせて、取り敢えず画面を見た。

田吾作はあっけなく沈んだ。

「河津掛《かわづが》けだ。縄文時代からあっただか」

「若い者はだらしがないな。腰が駄目だ」

そういう問題だろうか。多分そうなのだろう。そう思わねばやり切れぬ。

「おう、次は徳次郎《とくじろう》お爺だ。熊殺しと異名をとった村一番の暴れ爺ィだ」

「期待できる大一番だだな。ほれ、いぎなりがっぷり四つだなす」

「ほれ、押せ、押せ、そこだあ」

――か――観戦すなよ。

「それ行け巨人さま。そこだ。やれ」

――応援してどうする。しかも巨人の。

「おおっ見事な二枚蹴《にまいげ》りだっぺ！」

「かつての栃錦《とちにしき》を彷彿とさせますな」

――解説付きかい！

何なんだこいつら。あの巨体に叩きつけられて生きている者は多分いるまい。

「い、いいんですかこれで？　所長さん」

「ど、どうすればいいだか？　姉ちゃん」

「解りませんよそんなことッ！」

「ヒスを起こすなCちゃん。次は牛殺しの喜三郎《きさぶろう》とっつぁんだぞ。名勝負だ」

「だ、だって死んでますよ。あの人達！」

「ああ大股《おおまた》だ。勇壮だなあ」

「おう今度は褄取《つまど》り」

「うひょう丁斧掛《ちょんが》け」

「どっひゃあ櫓《やぐら》投げ」

「よっしゃあ首投げ」

「ば、馬鹿かおのれらはッ！」

――遂に口に出してしまった！

「Cちゃん。どうしたの」

「どうしたのって、皆死んでますッ。死ぬる死ぬる騒いでたのは誰なんですかッ」

「だってここは安全でしょうが。お、ありゃあ堀部先生だな。逃げてるなあ。あ。腰抜かしたぞ。おお容赦ない巨人さま。どうする。浴びせ倒しだ。いやあホワイトカラーはからきし駄目だな。巨人さま全勝」

――フンバホが――殺られちゃった⁉

でも、所詮はテレビだ。留美子にも緊迫感はない。行く手に立ちはだかる所員達を次次とクリアして巨人は廊下を突き進み、ドアの前で止まった。あのドアは――。

「モニタば切り替えるべい。あれは清水の部屋だっぺ。中も映るだよ。声も聞ぐか」

画面が切り替わった。机に向かって書き物をしていたらしい清水が、何かに怯えて立ち上がったところだった。

スピーカーからひいいという艶めかしい悲鳴が聞こえた。清水の声だ。

「ああ、清水先生は巨人さまが復活してからこっち、ずっと下痢してってだよ。学のある奴は神経が細《ほせ》ェだ。お、扉破られた」

どすどかぼく。

断末魔。留美子は眼を伏せた。流石《さすが》に直視できなかった。悲鳴がやむ。それまで上擦っていた当麻がやけに低い声を発した。

「上手《うわで》捻《ひね》りだ――ん？　おい、蔵坊」

「なんだ？」

「おめ、気がつがねェか？」

「なあんにも。勇姿に見蕩《みと》れてるが」

「観察《かんさつ》力も思考《しこう》力もねえのは童《わらし》ん時と変わらねな。技だよ技。巨人さまの決め技は、今までにひとつも重複《ちょうふく》していねえ」

「ああン？　偶然でしょう」

「偶然なものが。巨人さまは元禄時代に制定《せいでい》されだ相撲の四十八手を忠実《ちゅうずつ》になぞってるだよ。倒された所員は四十六名。決め技も四十六種。こんな偶然はねえ。だからよう、犠牲者は後二人っつう線はあるど」

「つまりクロちゃんはあのお方は四十八手を使い切れば鎮《しず》まるといいたいのか？」

「そう。残り二手だ。残る技は――上手投げと頭捻《ずぶね》りだけだっぺ」

——ずぶねり？

何をいい出すかと思えば。口を開けっぱなしだった留美子が言葉を探しているうちに、松野が大馬鹿の本領を発揮した。

「おい、元禄って縄文の後だったか？」

「この薄ら馬鹿。すげえ後だっぺ。なあ姉ちゃん。何十年も後だよな？」

——何十年だぁ？

「ま、まあ——後は後です」

後には違いないのだ。そう思おう。

「でも後なら変だよクロちゃん。巨人さんが四十八手を知っている訳はないだろ」

「そこだ。つまり四十八手つうのは——」

当麻はそこで凄んだ。というより考えている。期待は持てない。持ってはならぬ。

「四十八手はきっと——人類が遥か昔にあみ出した——いや、遥か昔から知っていた技であるに違ぇねえ。つまり、——解《わが》った」

何を——考えついたんだ？

「四十八手はＤＮＡ《デーイヌイー》に組み込まれた技なんだなッす！」

——なんちゅう結論だ！

馬鹿過ぎて死にそうだ。松野が叫んだ。

「ＤＮＡって何だっけ？」

「阿呆。サイエンス何たらが聞いて呆れるな。ＤＮＡったら、ほれ、何だ。あの細胞にあるだっぺ」

「染色体のことか？」

「似でいるな。それに」

「それなら安心だクロちゃん」

「何が安心か！　まンだ二手残ってるが」

「だってヒトの染色体は確か46本だよ。ええと、そうだよなCちゃん？」

「え」

――もう、もう我慢できない。

「ええい、46は46だが――」

ぶち。音をたてて留美子は切れた。

「Cちゃんと呼ぶなこの脱色ウナギ！」

「ウナギ？　なんだようそれは。とにかく46本であってるよな。クロちゃんよ、染色体は46本なんだから、きっともう技はないよ。巨人さんが知ってる技は打ち止めだって。染色体一本につき技ひとつ」

「そうか。賢いぞ蔵坊。うん？　でもあれは三倍体でねえのか？　躰でかいぞ。三倍体ならええと、暗算出来ねえ」

「百と三十、八――だよクロちゃん！　でもお相撲の技はそんなにないだろ」

「馬鹿。あるんだそんぐらい。おめが送ってくれだ雑誌に出ていたっぺ。ええど、『四十七人の力士』だ。技はな、百種は下らねえそうだ」

ぶちぶち。また切れた。

「い、いい加減に非科学的なことを喋るのはやめろこのカメ親爺！　通常2nで46なんだから三倍体なら3nで69よっ！　それにあれは三倍体なんかじゃないッ！　躰がでかけりゃ三倍体つう発想に肚が立つわ。ああもうそんなことはどうでもいいわッ。いい、現在進行形で次次人が殺害されてるのよ！　早く警察でも自衛隊でも呼んで止めさせてッ」

「そんなん呼んでもここさ来るのは明日だがね。落ち着げや姉ちゃん。三倍体でないなら平気だっぺよ」

「そうだよ。ここに隠れていれば大丈夫だよ。一緒にテレビ見ようよCちゃん」

「ええい、Cちゃんはやめろッ！　ドアが簡単に破られたのを今見ただろうが！　これが落ち着いていられる状況かッ」

留美子は椅子を蹴り倒して右足をその背凭《せもた》れに乗せ、ヒールで少しにじった。

「おい蔵坊、この姉ちゃんはSM《エシイム》の女王様が？　何興奮してっだ？　でえじょぶだって。姉ちゃんのいう通り三倍体でねえのなら、巨人さまは技を全部使い切っただ」

「だ・か・ら。染色体と四十八手に因果関係などないわい！　馬鹿も休み休みいえ。このウナギとカメ！　おのれらたいがいにしないと巨人が来る前にあたしが殺す！」

どすん。

「わあ」

どすん。

「き、来ただ」

どすべしばき。

ドアは張り手で粉砕された。

超不細工。超巨体。荒い息づかい。

巨大な黒い凶器が戸口を塞いでいる。

「はあ、はあ。はあ、はあ」

「きょ、巨人さま、ご機嫌よう」

竦《すく》んだ当麻が間抜けな挨拶をした。

影はそのドン亀の腰のあたりをむんずと摑み、えいや、と投げた。上手投げだ。

当麻は声を出す間もなく、モニターに激突して果てた。モニターは二三度点滅して消えた。巨人の視野に松野が入る。

「わ、わあ、かっこいい。けど怖い」

松野はにょろりと身をかわして留美子の背後に回った。巨人が向き直る。留美子は本当に女王様さながらの仁王立ちでそれと対峙した。鞭《むち》が欲しい。

「なな何とかしてCちゃん」

「ええええい見苦しい、元はといえばおのれが仕出かしたことだろうこのデブ専が！」

「だって」

「だってもクソもないわい！」

ぶちぶちぶち。完全に切れた。

留美子は松野を前に引き出して、巨人に向けて突き飛ばした。

もうどうなっても知るものか。残る技——頭捻りでも何でも喰らって死ね脱色鰻。見事散れ。愛する太めの手で地獄に送られるなら本望だろうが！

——どうせ次はあたしだ。

留美子は覚悟を決めて目を閉じた。

「ひゃあああ、うひょ、うひょひょ」

「ふはッふはッふはッ」

——何？

牛が歓《よろこ》んでいるような鼻息だ。

留美子は一度決めた覚悟を一旦棚に上げて、再び目を開いた。松野は？

縄文巨人は脱色鰻を抱きしめて、愛《いと》おしげに激しく頬擦《ほおず》りをしていた。醜悪な面に愉悦《ゆえつ》の相が浮かんでいる。

「や、やめて。うひゃひゃ。嬉しいけど」

巨人は留美子をちらりと見て、笑った。

そして松野を抱いたまま踵《きびす》を返して部屋を出た。

悲鳴とも嬌声《きょうせい》ともつかぬ鰻の声が地響きとともにフェードアウトして、やがて止んだ。
静けさが辺りを支配した。
パチパチとモニターがショートした。
その下に亀が死んでいる。
——ここの神さんは女だなす。
——奴はＸＸだったんです。
「女の子——だったんだ」
留美子は脱力してその場に座り込んだ。
松野も見る目がないな。
女なら趣味じゃなかろうに。
あの二人、幸せになれるんだろうか。
留美子の脳裏に先月号に掲載した短編小説の結文が浮かんだ。
『これは、それだけの話なのである。だから——怒らないで貰いたい』
怒るって。普通。

すべてがデブになる

N極改め月極夏彦

N極改め月極夏彦（えぬきょくあらためつきぎめなつひこ）一九六八年東京都生まれ。性別不詳の覆面作家。本作は祖母が同人誌『太肉』に掲載した作品のリライトであるという。実は京塚昌彦『土俵（リング）』・でぶせん』の作中人物である。

すべてがFになる
森博嗣
一九九六年／講談社刊
一九九八年／講談社文庫
ミステリ界に旋風を巻き起こした大人気作家・森博嗣のデビュー作にして、記念すべき第一回メフィスト賞受賞作。

すべてがデブになる
THE PERFECT DEBU
N極改め
月極夏彦
TSUKIGIME NATSUHIKO
集英社文庫

——馬鹿タイトルを大目に見ていただいた森博嗣氏に謹んでお礼を申し上げます。

1

地響きがする――と思って戴きたい。

言うまでもないだろうが、地殻変動の類《たぐい》ではない。

かといって力士の集団が足並みを揃えて往来を行進しているわけでもないし、暴れ馬ならぬ暴れ巨人が闊歩《かっぽ》しているわけでもない。

定期的に肚《はら》に響くその重低音は、飽くなき生への執着が発する音なのである。必ずや現世に立ち戻らんという、日常に帰還せんという男どもの生き意地の汚さが、どすんどすんという地響きになって『開口部のある密室』を振動させているのだ。

――無駄よ。

ここからは出られない。

絶対に出られないのだ。

虚仮《こけ》の一心だとか一念岩をも通すだとかいうけれど、これだけ堅固《けんご》な建造物を素手で破壊できるわけがないのだ。結局、彼もこうして死んだのだ。

つまり。

あの難解なプログラムも複雑な仕掛けも——いずれ我我を閉じ込めるために用意されたものなどではなかったのだろう。

寧《むし》ろ、我我侵入者の注意を『あれ』から逸《そ》らして、脱出可能な状態に保つために、すべての仕掛けは用意されたのだ。

すべては——侵入者が最深部にある『あれ』に至る前に自発的に引き返すべく仕向けようという、彼の意志なのだ。

何しろ侵入者というのは侵入して来た連中のことなのである。侵入というのは侵し入るという意味なのであるから、例えば『入るな危険』と書いておいても大抵は入る。

だから扉はあんなに大袈裟《おおげさ》に閉じたのだ。

侵入早早に出られないぞとわざわざ告知して、進むことではなく脱出することに注意を絞り込ませようとしたのだろう。これ見よがしな手懸《てが》かりの鏤《ちりば》め方も、すべては自力で仕掛けを解いて恙《つつが》なくここから脱出して欲しいという彼の粋な計らいだ。

あんな仕掛けは普通の人間ならすぐに解けると——天才科学者だった彼はきっとそう考えたのに違いない。ならば、そもそも解くのに時間がかかり過ぎたこと——我我が必要以上に馬鹿だったこと——が、命取りだったのだともいえる。

——もう遅いのよ。

そう、たぶんもう遅い。こうなってしまった以上、ここから出るために必要なのは知力でも体力でもない。

ただひとつ、強靭《きょうじん》な意志の力に頼るしか、我我に残された道はない。

だから堪えている。ひたすら堪えている。

愚かしい男どもは堪えることができずに、こうして地響きを立てている。肚に響くような地響きが絶えた後、たぶんそこには奴らの死骸《むくろ》が横たわるのだ。厭《いや》だ。きっと——。

——腐れば臭うもんな。

2

何だか頭に来たので机の端《はし》を叩いたら、山積みになっていた雑誌がさわさわと静かにスライドして卓上を滑り、愛用のマグカップに厳《おごそ》かにつき当たった。飲みかけの冷《さ》めたコーヒーはすっかり零《こぼ》れて、見る間に校正中のゲラを茶色く染め上げてしまった。

暫《しばら》くはその寝小便の跡のような不定形の液体を眺《なが》めていた。そのうち不定形は一角を崩し、つうと一本の線を引きながら手前に流れて、スカートの上に垂れた。

「くっそおう！」

椎塚有美子《しいづかゆみこ》は声を荒らげて再び机を叩いた。液体は飛沫《ひまつ》を散らして拡散し、手前に流れた分は悉《ことごと》くスカートに吸収された。

「もう厭だァ！」

「なんだどうした何事だ」

「オノレの所為《せい》じゃこの間抜けッ！」

「おう、今回は冒頭から切れている――」

丸顔の同僚は驚くでもなく、実に事務的にティッシュペーパーを抜き取ると、有美子に渡すと思いきや、力一杯洟《はな》をかんだ。

「――その切れ具合だと、さては空腹？」

「オノレと一緒にするなこの悪食《あくじき》。すべてはオノレと、あの南極《なんきよく》の所為だろうが」

「南極先生？　あの簾禿《すだれは》げが何か？」

「何かじゃないだろうが。何であたしがあんなくっだらない小説に登場せにゃあならんのだ。差し戻してよ、こんな原稿は。アナ空けたって載せるべきじゃないだろう。手にした段階で破れ。目にした段階であの爺さんを射殺しろ。殺してトランクに詰めてハイチに空輸しろ。それが良識ある編集者の義務ってものなんじゃないか？」

有美子は叫ぶようにそう言うと三度《みたび》机を叩いた。今度は崩れた雑誌の束が、茶色に染め上がったゲラの上を通り越して次次と落下し、どさどさと膝《ひざ》を連打した。

「おう」

とても痛かった。

苛苛《いらいら》したって損するだけだよ——丸顔の同僚は洟をかんだティッシュペーパーを丸めて屑《くず》籠《かご》に放りつつそう言った。

「全然入らないじゃないか。ちゃんと拾って捨てろよ寺坂《てらさか》。床が汚れるだろう」

有美子は憎憎《にくにく》しくそう言ったが、実際に床を汚しているのは有美子の方であろう。その足下は落下した雑誌とゲラとコーヒーで、最早阿鼻《あび》叫喚《きようかん》の様相を呈《てい》している。

そう。

有美子は中間小説誌の編集者である。

当然この会話はその編集部の一角で行われているものと思って戴きたい。

勿論、出版社の雑誌の編集部の職場の状況――などその業界とは無縁である一般の読者はご存知ないだろうから、少少説明を加えておくと――。

まあ汚いところである。

それでは説明が簡単過ぎると憤慨される諸氏《しょし》のためにもう少し説明を続けるなら、まあ整理整頓という概念を完全に忘却してしまった一団が、山のような雑誌や書類や資料やゴミを抱えてオフィスの一角を占領してしまったような場所とお考え戴けば宜しかろう。丸めた鼻紙のひとつやふたつ――場合によっては三十四十――転がっていても、全く認識されないであろうという見事な惨状であることだけは了解しておいて戴きたい。

しかし。

そういう場所だからこそ、水気のあるものは大変に慎重に扱わねばならない。濡れてしまってはどうしようもないモノしかそこにはないのだ。従って有美子の苛苛はどうしようもない結果を招いてしまったことになる。今更手の施しようもない。有美子は、まあ編集者としてはベテランであるから、通常はそうした所謂《いわゆる》ヘマはしないのであるが、今日はどうにも肚の虫の居所が悪かったものと、そう考えて戴きたい。

苛苛の原因は出来上がったばかりの今月号に掲載されていた『パラサイト・デブ』という巫山戯《ふざけ》た題名の小説にある。

題名からも容易に想像できるように――それは勿論一時期巷《ちまた》を席巻した、あの傑作ベストセラーのパロディなのだ。

題名を目にして有美子は咄嗟《とっさ》にクレームの心配をした。しかし、情けないことにパロディと呼べるのはタイトルだけで、中身は牛が書いた方がまだマシというような、それはそれは酷《ひど》い小説だったのである。読み進めるだに肚が立って肚が立って涙腺が緩み、涙で目が霞《かす》んでしまったためよく覚えていないのだが、何でも縄文時代の巨人が現代に復活して相撲の技を使うとかいうような馬鹿馬鹿しい話だったようだ。どこがパラサイトなのか今となってはよく解らない。

クレームのつけようもなかろう。

しかし——問題は別にあった。

作中に有美子が登場していたのだ。名前は変えてあるが、知る人が読めばあきらかに有美子と知れる形で出ているのである。

——南極のジジィ。

無性に肚が立った。有美子は椎塚という姓のため、多く『椎ちゃん』と呼ばれる。登場するのは『Cちゃん』と呼ばれる中間小説誌の女性編集者で、それが作中、すったもんだと愚《ぐ》劣《れっ》な活躍をするのである。

作者である南極夏彦《なつひこ》は本来は有美子の担当作家である。

南極は筆が遅い。担当して六年になるが、締め切りに間に合ったためしがない。入稿日を遥かに過ぎ、もう穴が空くという頃に、小汚い手書きの原稿を送って来る。

読んでみると鼬《いたち》が書いた方がまだマシというような駄作である。

だから、通常は危なくて頼めない。

適当に依頼しておいて、誰かの原稿が落ちた時に埋め草で使う——それが南極の使用方法である。

先月、北海道在住のさる大物作家が急逝した。有美子はその大物も担当していたから、入稿日だというのに葬式やらなんやらで駆り出されることになった。やむなく留守中の担当分を同僚の（丸顔で悪食の）寺坂吉男《よしお》に任せ、葬式に向かったのだった。

その、ほんの三日の、僅かな隙を狙うようにそれは編集部に届き、そして採用された。

電話口で寺坂はこう言った。

——吉良《きら》先生が落ちるっていうんだけど、南極さんで埋めてもいい？

——な、南極って、あの南極か？　あの腐った団子みたいな南極のことか？

——他に南極はいないよ。今月はミステリ特集だし。あのひと推理作家だろ？

——さて。でも埋めるって寺坂、今から頼んで書けるわけないだろーが。あの男に。

——だって椎ちゃん、四年くらい前に一本頼んでたんでしょ？　上がって来たよ。

——ああ。

完全に忘れていた。

枚数も丁度いいし、南極さんにしてはまあ面白いんじゃないかな——寺坂はそう言った。

ミステリじゃないけど、まあSFかなあ——そうも言った。

確かに言った。

「何が面白いか！　どこがSFか！　このうすらボケが！　寺坂、お前故郷《くに》に帰れよ。これが面白いんだったらプラナリアが用便の合間に書いた小説だって直木賞が獲れるぞ！　これがSFなら武者小路実篤《むしゃのこうじさねあつ》はサイバーパンクホラーだ！」

「それ、いいよね。あれ、読んでて怖くなるかもしんない」

寺坂はそう言いながらもう一度洟をかんだ。有美子はきい、と声を上げて、だから実家《さと》に帰れよ寺坂、讃岐《さぬき》に帰ってうどんを喰えよ——などと悪態をつきながら席を立った。手の施しようのないゲラはさておき、スカートだけでも何とかせねばならない。

「椎塚君」

「は？」

よく響くバリトンの声。寺坂ではない。振り返ると、寺坂の斜め後ろに文芸部の神崎五郎《かんざきごろう》が立っていた。

——か、神崎さま。

神崎は、今でこそ雑誌を離れているが、四年前までは有美子と同じ部署にいた。机も隣だった。女性誌から配属替えされて来た有美子に、文芸誌編集者としての心得を教授してくれたのは、誰あらん彼である。

元ファッションモデルという異色の経歴を持つ神崎は、三十五を過ぎて尚、ホスト系に堕することなく、コギャル（死語！）だのマゴギャル（もっと死語！　つうか通じない！）なんかがきゃーきゃーと黄色い声を出す程の健全な美形である。

笑えば歯は白いし髪の毛はさらさらしているし、何を着ても似合う。

そのうえ仕事も出来るし貯金も多い。

独身で一戸建てに独り暮らし、家族はアロワナだけという身分である。二月の半ばにはどこからとも知れずトラック一杯程のチョコレートが届く。それを一年かけて全部喰って、それでも彼の腹は出ない。

有美子も勿論惚れている。ただ有美子の性質上、こっぱずかしくてチョコなど渡したことはない。完全に一方的な、所謂《いわゆる》純愛である。

神崎は亜目や種の差ではなく、そもそも類が違うような寺坂の横に姿よく佇んで、やはり白い歯を光らせて笑った。

「椎塚君、これ」

手には封筒を持っている。

「な、なんでせうか」

「どうしたの椎ちゃん。いきなり固くなってるじゃないか。言葉が旧仮名だよ」

「だ、だまれ丸顔！　い、いいえ、何でもありませんのよ。ほほほ。そ、それは？」

——その封筒はもしや。

「わ、わたくしに、そのレタアを？」

「ああ。南極さん宛のファンレター」

「へ？」

「へ、じゃなくて。南極先生へのファンレター」

「ななな、なんと仰《おっしゃ》いました？」

「ファンレター、と言ったんです。僕のところに紛《まぎ》れて届いちゃったようなんだ。僕は一昨年南極さんの単行本を出してるでしょう。でも、これはどうやら今回の短編に宛てたファンレターのようだね。『デブ係御中』と書いてあるから」

「で——でぶ係？」

「君の出てる短編のことでしょう。読みました。あれタイトルが確か——」

どっひゃあ。

——か、神崎様も読んだんだ。

作中、有美子は『ＳＭの女王様』と描写されている。言動もエキセントリックで、実に凶暴な女として描かれている。

「あ、あれは」

「作家はよく編集者を作中に出すからね。僕も以前、南極作品には登場しているし」

土佐犬の調教師の役だったなあ、といって神崎は笑った。

それは『土佐犬の吐息《といき》』という阿呆な作品で、有美子も読んでいる。しかし、微かな記憶を辿るに——単に神崎という名前の男がちょろりと出ていただけだったと思う。有美子の場合、名前は違えど有美子自身の役での出演である。待遇が違う。

失語している有美子を尻目に、寺坂が間抜けな声を出した。

「でもなあ。南極センセにファンレターってのは天地開闢《かいびゃく》以来、聞いたことがないなあ僕。アンケートにも一切乗ってこないし、徹底的に反響なしっすからね。誰一人読んでないんじゃないかなあ。たぶん、校正の人だって読んでない可能性があるよ。誤植野放し。そもそも僕だって斜め読みだから」

「読めよ」

有美子は寺坂を睨みつける。

こいつが採用を決めたのだ。適当もいいところである。と――いうか、そんなに読まれていないのなら、読んじゃった有美子の立場はどうなる。

「そ、そんなに怒るなよ椎ちゃん。南極さんならどうせ誰も読まないんだからまーいいかと思ったんだよう。それに――いや、だいたい早過ぎるっすよ神崎さん。これ、まだ出たばかりだもの」

「そうだな。でも速達なんだよね――」

神崎は寺坂に封筒を差し出した。有美子は机を回り込んで覗く。パステル調のファンシーな封筒である。薔薇の花にカエルが戯れているイラストが書かれている。

「おお、こりゃあ大昔に絶滅した丸文字じゃないですか神崎さん！　懐かしいなあ」

寺坂は目を細めて笑った。そして、つまり若い娘じゃないですねえ、といった。

「そりゃ若い娘じゃないよ。差出人の名をよく見たまえ寺坂君」

「片岡《かたおか》――太《ふとし》――？　男ですか」

「たぶんね。その字、他の読み方はないと思うし。書き損じたとしても太恵《ふとえ》とか太子《ふとこ》とかいう名も少ないだろう。それにぬりかべのシールで封がしてある。男だろう」

「ぬりかべ？　あのゲゲゲの鬼太郎のお友達の妖怪？　ああ本当だ。しかし、最近じゃ妖怪は女の子にも人気らしいすからね。でも、ぬりかべって鼻あったかな？」

「貸して」

有美子はぬりかべには少しうるさい。高校の頃つき合っていた男がぬりかべという渾名《あだな》だったのだ。だからというわけではないが、どの時代に描かれたぬりかべかはほぼ見分けがつく。鼻があるぬりかべは一度しか描かれていない筈だ。本当にそんなシールがあれば、水木しげるのマニアに高く売れるだろう。レアなアイテムである。

「こ、これは――」

有美子は息を呑んだ。

「何だい椎ちゃん。腹でも空いたの？」

「違うッ。これはぬりかべじゃない！」

「じゃあ別の妖怪なのか椎塚君！」

「ち、違います。これは、これはたぶん、プリント倶楽部です！」

「何！」

神崎が乗り出した。

それは――写真《プリクラ》だった。

細い眼、潰れた鼻、大きな口。

ぬりかべとは程遠い、チャウチャウのような顔だ。

「こ、これは！」

神崎が絶句する。

「顔面が四角くトリミングされているから四角な顔に見えただけ——だったか」

近寄って撮ったという感じではない。つまりはフレームに収まらぬほどのでかい面《つら》の男なのだろう。三人は——とても大きな溜め息をついた。

「じゃあこのシールは」

「シールじゃないすよ。観光地に僅かに残った旧式のプリクラですよ」

つまり。

「差出人の——顔か」

「何だかなあ」

酷い脱力感が部屋の一角に満ち満ちた。

「こんなことするんだから、悪戯《いたずら》でもないしクレームでもないんでしょうね。ファンレターなんだろうな。純然たる」

「開けます」

有美子はびりびりと封を切った。

「待ちたまえ椎塚君。一応先生に——」

「いわないでください神崎さん。あの人は私に断りなく私を小説に出したんです。私には開ける権利があるんです。こんな変な男があの駄作を読んだかと思うと身の毛がよだちます。許してください」

「じゃあたった今から椎ちゃんがわが社の『でぶ係』なわけだな」

有美子は右手の封筒から目を離さず、左手で座っている寺坂の後頭部をぶった。

3

前略。

このような手紙は書いたことがないもので、さて拝啓の方が良いものですか？

拝啓。

南極先生、お元気ですか。お会いしたことはございませんが、私は元気です。雪のちらつく今日このごろ、とはいうものの東京には雪は降らないのでしたか。行ったことがないのでわかりませんが、降っても晴れても私は元気です。でも先生が元気かどうかは僕にはわかりませんけどね。

さて、お手紙を差し上げましたその理由を書きます。と、いいますか、その理由が手紙の内容です。今までの分は挨拶です。参考までにお断りしておきます。

先生の『パラサイト・デブ』をありがたく拝読させていただいたのはついさっきですが、この手紙をお読みになっている頃のことを考えるとたぶん昨日くらいのことでしょう。これも参考までに書き記しておきます。ちなみにこれは状況説明であって、この手紙はこういうことを書き記すために書いているものではないです。


「なんじゃあこの手紙はあ！」

「まあ椎塚君。そう興奮するものじゃないよ」

「だって神崎様――」

「ほら、だってまだ書き出しじゃないか。きっとこれはギャグなんだよ。これから本題に入るんじゃないか。読んでみよう」


ちなみにこれはギャグではありません。

勘違いされませんように。


「お、おのれ片岡ァ！」

「あ、暴れないで椎ちゃん」

「ま、待ちたまえ。破るんじゃない」


私は三十七歳の猛烈なアニメファンですがオタクではありません。その証拠に、大の相撲ファンでもあります。各相撲部屋の住所、所属力士の体重と誕生日は全部暗記しています。

それに家は資産家で、福島に山を四つほど持っていますから、働かなくても生活には困りません。楽です。


「うー。何が言いたいんですかこいつは？　椎ちゃんでなくても破りたくなりますよ。少し危なくないっすか？」

「こういう手紙は最後まで読んでみなくちゃわからないよ寺坂君。文章なんて普通はこんなものだよ。軽はずみにそんなことを言っちゃいけないよ」

実はうかがいたいことがあるです。先生の書かれた『パラサイト・デブ』は、フィクションですか？　それとも何か実話を下敷きにしていらっしゃるのでござりましょうか。私には、どうも実話であるように思えてなりません。実話なんでしょう？　実話なんですね。実話なんだ。実話だな。


「ううむ」

「ほらね神崎さん。あの馬ッ鹿馬鹿しい小説を実話と思いますか普通？　この男、前世が戦士とか、そういう奴ですよきっと」

「そ、その馬ッ鹿馬鹿しい小説をロクに読みもせずに掲載したのは貴様だろうが寺坂ッ」

「かかか勘弁してッ。顔だけはぶたないでッ」

「待ちたまえ椎塚君。寺坂君を処刑する前に、先を読んでみるんだ。これは——」


私の家の持ち山のひとつに古い神社があるのです。名前もわかりませんが、鳥居があるので神社です。病院や警察署ではないと思います。すごく古いものです。その近くから五年前に古墳が発掘されたです。どうです？　設定が似てますね。友人の浅野君は科学者ですが、その古墳に興味を持って調査を始めたのです。

「嘘です。嘘に決まっています。か、神崎先輩、これ以上こんなもの読んじゃ、その涼しい目が汚れますわッ」

「頼むから破かないでくれ椎塚君。いや、これは——嘘じゃないぞ。思い出したよ」

「深刻な顔して何を思い出したんです神崎さん？　昨日の夕飯のメニューですか？」

「そうじゃないよ寺坂君。椎塚君も。君達は覚えていないかな？　三年前に失踪した天才科学者目《め》方重《かたじゆう》太郎《たろう》博士」

「あの——遺伝子工学の？」

「そう。失踪当時行動を共にしていたと伝えられるのが、弟子の浅野卓郎《たくろう》博士だ」

「それがこの馬鹿野郎の友達の浅野だというんですか？　どうもなあ」

「いや、これはさる筋からの独自の情報で一般には知られていないんだが、彼ら二人は福島県の山奥に五年程前から秘密裏に研究所を建設していたというんだな。そしてそこに立て籠ったというのが真相らしい」

「そんな情報どこから？　さる筋とは？」

「猿の筋ですか？」

「黙れ寺坂。何かもの凄いネットワークをお持ちなのよ。神崎様は」

「研究所を設計したのは僕の兄だ」

「は？」

「都合のいい話ですよ、それ」

「だってそうなんだから仕様がないじゃないか。施工は確か——」

「弟さんですか？　それともオジさんとか」

「違うよ。僕の弟は花巻で畳屋をしているし、伯父は能登でバレエ教室を営んでいるんだから——うん。でもそうだ。やっぱりそうだ。兄は確か、施工業者は片岡建設というんだとか言っていた」

「片岡建設？　じゃあこの馬鹿野郎の」

「先を読もうじゃないか」


さて、その浅野君は調査のために先生とかいう人と二人で古墳に入ってからすっかりおかしくなってしまいました。すごく興奮していて、大金をはたいてその山を私の父から買い取ると、大金をはたいて私の父に地下の秘密基地を造らせました。父は儲かった儲かったと喜んでいましたが、私も少し嬉しかったです。地下の基地なんてまるで悪の組織みたいでカッコよいと思いました。秘密基地は秘密なので電話もありません。電気は私の家から引いています。ただ、私の部屋にあるモニターと繋がっていて、私はそこから指令を受けて、食料や衣類を差し入れていたのです。カッコいいでしょう。

「うー。やっぱり神崎さんのいう通りの展開らしいですがね。でも、これ、どうなんだろうなあ。この男は三十七でしょう？　三十七でこの反応はなあ。小学生ですよ。なァにがカッコいいでしょうだか」

「まあねえ。僕と同い年だが。だが寺坂君。会ったこともない人間のことをそう悪く言うものじゃあないよ。人間性というやつはそう簡単に判断できるものじゃないさ。僕らの判断材料はこの手紙一通しかないんだからね。それに——この気持ちは解るじゃないか。君も子供の頃、秘密のアジトとかを造った口だろう？」

「だから子供の頃にね。こいつはオッサンでしょう。あ。神崎さん、意外に幼児性があるんじゃないですか？　結構赤ちゃんプレイとか好きだったりして」

「それはどんなスポーツ？」

「また。知らないふりして。怪しいなあ」

「そうかな」

「またそうやって恍惚《とぼ》ける。ばぶう、おむちゅがぬれちゃったでちゅう、ばぶう、ミルクがほちいでちゅう——とか言っちゃって。よッ、アフターファイブの幼児退行男。いテッ。痛いなあ椎ちゃん。なんでぶちゅんだよう」

「ぶちゅじゃないだろうがこの妄想男。神崎様がベロかけをするかッ！」

「ばぶう」

「自分が好きなんじゃないのか赤ちゃんプレイ。何がばぶうだ。イクラちゃんかお前は」

「イクラは喰いたいが」

「うるさい寺坂。下品な話をするんじゃない。素敵な男というのはいつもロマンを胸の奥に秘めているものなの。そうですよねえ、神崎先輩。この人だってきっと——」

ただ、浅野君と先生という人は、そこに籠ったきり出てきません。もう三年になります。差し入れ口は中から鍵が掛かってます。モニターにも何も映りません。映らなくなってからも半年たちます。

「――――」

「ナニ絶句してるんだよ椎ちゃん。こいつがなんだって？　ロマンだってぇ？　何がロマンだよ。こりゃ人殺しじゃ――ああ？　神崎さん、こりゃ大変じゃないですか！」

「た――大変だよな。寺坂君」

4

「で、何でわしが同行せにゃならんの？」

まだらに日焼けした肉塊《にくかい》に黒い縦筋が十数本。その不気味な肉質が蛇腹《じゃばら》のように縮んで、にゅう、と眉毛《まゆげ》が八の字になった。

南極夏彦五十六歳。通称簾禿げ。頭頂部から額《ひたい》にかけて、完全にすっかりつるりと禿げ上がっているのに、後頭部に僅《わず》かに残存する毛髪を伸ばして前に回し、前髪に見せかけるべく垂らしている——というより貼りつけている。もちろん額を覆い隠す程の量はないから、それは幾筋かに振り分けられ、結果黒い縦筋となる。見苦しい。簾禿げと異名をとる所以《ゆえん》である。

有美子は目を逸らす。

そして吐《は》き捨てるように答えた。

「まだ事情を呑み込んでないんですかッ。この手紙は先生に届いたもんなんです。差出人の片岡とかいう馬鹿野郎は、南極夏彦、あなたに相談を持ちかけたの。あたし達が同行することの方が変なんです」

そこが解らんのだナあ椎ちゃん、といって南極は弛《たる》んだ頸《くび》を掻《か》いた。

「わし、そんな男知らんし、話聞いても何のことだか解らんもん」

「解らんのはあたしの方ですッ」

片岡の手紙に書かれていた内容と、南極の書いた小説は、まあ、似ていることは似ていた。山奥の謎の神社に古代遺跡、そして秘密の研究所——それらはすべて、かの駄作中の駄作『パラサイト・デブ』にも登場するものだ。駄作だから有美子はよく覚えていないが。しかしその駄作をなぞったような現実というのも、実際どうかとは思う。片岡の手紙もまた、到底真実とは考えにくいのである。ならば——。

「先生。あれはもしや盗作でしょう」

有美子は疑っている。

駄作の本当の作者は片岡太だった——とかいうことはないか。あの馬鹿野郎加減なら、バッタが書いた方がマシという駄作も書けるやもしれぬではないか。もしや片岡は遠回しに抗議——いや脅迫しているのではないのか。

「椎ちゃんもさあ。馬鹿いっちゃ困るよう。あれは三年半かけて書いたんだ。構想から含めると足掛け十五年だよ」

「じゅ、十五年もかけてあんなもの考えとったのかオノレはッ！」

有美子は南極の胸倉を摑んだ。

「法螺《ほら》を吹くのもいい加減にしろッ。あのタイトルも十五年前から考えとったっちゅうんかい！　ありゃあ——思い起こせば、そう、九年前のベストセラーだろうが！」

「た、タイトルだけは後からさぁ」

「フンッ」

突き放す。汚れの首輪がついたよれよれのワイシャツは、摑んだ部分だけ余計皺《しわ》になって、摑んだ形のまま残った。南極は、ぜいぜいしながら繰り言《ごと》を言った。

「そんなこと言うなら——そうだ。椎ちゃん、あれは凶暴な君のことをよく知っている人間でなくては書けないものだろうに。片岡という男には無理だと思うが」

「黙れ簾禿げッ」

「ま、また人の肉体的欠陥を」

「なぁにが欠陥だッ。禿げのどこが欠陥なんだ。頭部の毛がないだけだろう。それは個性というんだッ。被差別意識を持っとるのはオノレ自身だ。だから好き好んでバーコードみたいにしてるんだろうがッ！　そんなもの見せられるこっちが被害者だわい！」

「わ、わあ。酷いこと言うなよ。日本を支えているのはわしら中年なんだぞ。汚物を見るような目で見るなあ」

「日本を支えているのが中年だちゅうことは認めたるわい。それに日本のオヤジどもが不当な差別を受けてるのも事実よ。おじさん達は嫌われながらも懸命に働いているわい。でもあんたは別よ。一緒にしちゃあ他の健全なオヤジが可哀想だわ。あたしはあんたのとこに初めて原稿取りに行った時、奥さんに捕まって六時間も愚痴を聞いたのよッ。あんた三十五で結婚してから正業に就いたことないっていうじゃないの。それで日本を支えてる？　巫山戯《ふざけ》ないでよこの真田虫ッ」

「そ、それは何だい？」

「紐みたいな害虫よ！」

「止《よ》したまえよ椎塚君」

涼しい声が仲裁に入ったので有美子は我に返り、振り上げていた腕を止めた。隣の席の南極は頸にいっぱい皺を作って、亀のように首を竦《すく》めて止まっていた。

「あ——神崎先輩聞いてらしたんですか」

「そりゃあ聞いていたよ。というよりね、電車のボックス席に向かい合って座っているんだから、普通聞こえると思うがなあ」

それもそうである。どうも有美子は南極のこととなると自分の置かれている状況を見失う傾向にあるようである。

「不毛な会話だよ。ねえ先生」

「どうせわしには毛がないが」

「ううん。そうじゃなくて——なあ寺坂君」

「え？　弁当ですか」

「聞いてなかったのか？」

「いやあ、珍しい駅弁が」

神崎は複雑な表情で有美子を見た。

寺坂は、食べてみたいなあ『力士弁当』どんな味かなあ、などと呟《つぶや》いている。

有美子は現在、神崎と寺坂、そして南極を伴って片岡の待つ山奥に向かっている。

片岡の手紙は（文章も変だったが）不思議な終わり方をしていた。

半年間も食料を差し入れていないにも拘《かかわ》らず、どうも地下研究所の二人は生きているようだ——というのである。何故なら（二人が死んでいるなら）無人である筈のそこから、地響きのような物音が聞こえて来たから——なのだそうだ。ついては——何もかもお見通しの御様子の南極先生に御相談申し上げたく筆を執った次第でありますが、それは慣用句でこれは筆書きではなく薬屋の粗品のボールペン書きです敬具——と手紙は結ばれていた。

「何なんですか片岡って奴はいったい。いくら現実と小説の設定が酷似しているからって作家に手紙出しますか？　しかもすぐに来いとか書きますか？　それで、編集者付きで本当に取材に行きますか普通」

「しかし椎塚君。もし本当ならこれは中中のスクープなんだよ。目方博士というのは斯界《しかい》では天才と謳われた、わが国の誇る世界的科学者だからね。それに取材を決定したのは編集長なんだろう？」

小説誌にスクープもないだろうと有美子は思うが、神崎はあくまで真っ当な男なのである。一応自分も南極の担当だからと同行を申し出たのだ。

それに比べて寺坂は担当でもないのに成り行きでくっついて来ている。取材先で美味いものがたらふく喰えると思ったらしい。しかしどうやらその目論見は外れたようだ。車窓を流れる風景からは、最早人家すら消えている。

「編集長はやけくそなんすよ神崎さん。健康診断したらオールCで再検査だったんです」

「それとこれと何が？」

「だから神崎さん、これは腹癒せなんすよ。不幸のお裾分け。こんな取材、腹の足しにもならないっすから。ねえ椎ちゃん」

「あたしに振らないでよ寺坂。お前は何喰ったたって腹が足りることなんか金輪際《こんりんざい》ないじゃないか。どっちにしたって——ごるぁ南極、あんたがあんなムササビが書いた方がマシみたいな小説を書くからこんなことになったんだッ」

「あれはフィクションだよ君。虚構。事実の部分は君の登場する——」

有美子は裏拳で南極をぶった。

南極の悲鳴は、最早日本政府の統治下にあるかどうかすら怪しい寂寞《せきばく》とした荒野に酷く虚しく谺《こだま》した。

荒野をひた走る列車は片岡線と呼ばれる一両編成の単線である。昭和三年に廃線になった貨物専用路線を片岡家が買い取ったものなのだそうだ。山の上には片岡の家しかないし、つまりはほとんど自家用なんだそうだよ——と神崎は説明した。

すべての駅は無人駅で、それも駅だか公衆便所だか区別がつかないような代物である。

寺坂の旺盛な食欲は、その寂れた情景に出くわす度に刺激されるらしく（たぶんろくなものが喰えないという予感が余計にそうさせるのであろうが）停まる度に丸顔はわあわあと騒いだ。

　やけに大柄な運転手しか乗っていない車中には当然アナウンスもなく、うなじまで肥満気味な運転手は停まる寸前に唐突に駅名を呟いた。

「次はネコダマシ。ネコダマシ」

「わあ。また貼ってある。ほら神崎さん」

「何だ寺坂君」

「ほら、半紙に書いた、お習字みたいな。『名物力士弁当』八百円」

「しかし、誰もいないぞ」

「そうなんだよなあ。売り子がいない。でも気になるもんなあ。ねえ運転手さん、力士弁当ってのはどんなの？」

「この辺の名物『力《ちから》どんぶり』を弁当にしたもんであります」

「ちからどんぶり？」

「ご飯に餅が載ってますです」

「は？」

「それを折り詰めにして、周りに団子と焼きそばを配したのが力士弁当であります。腹に溜るので力士の如く力が出ます」

　それは腹がもたれる――と言うのではないか。有美子はそう思う。聞いただけでも胃がもたれた。主食と主食の掛け合わせである。それでも寺坂は喰ってみたいと感じたらしく、わあ、どこに売っているの運転手さぁん、と鼻にかかった声を出した。

「終点のカタオカケマエまで行かねば手に入るものではないのです。とても他では手に入るものではないです」

「カタオ——ケケマ？　どんな字？」

運転手は唐突に言った。

「次は終点カタオカケマエ、片岡家前ぇ」

——片岡家——前。

本当に自家用路線らしい。

ホームに降り立つ。

まあ駅のホームではあるのだが、かなりおかしな情景である。改札の代わりに玄関がある。どうするべきか当惑していると、運転手がのそりと降りてきた。

よく見ると、よく見るまでもなくすぐに判ることではあるのだが、まあ何というか、かなり立派な体格である。と——いうより、簡単にいうならものすごいでぶである。巨漢はすたすたと有美子達を追い越す。啞然とする四人を尻目に、肉塊を思わせる大きな運転手は玄関の前に立って、くるりと踵《きびす》を返し、大袈裟に帽子を取った。

「ようこそいらっしゃいましたねえ。こんにちは！　私が片岡太です」

「な——なんだと？」

「暇だったので運転してみました」

それならそれで、早く言ってくださいよう、と寺坂が泣き声を出した。

「麓なら喰い物屋があったでしょう」

そんな戯言《たわごと》聞く耳持たず、といった様子で、チャウチャウ顔の巨漢はのそりと南極の前に移動した。何だか怒っている。南極は瞬時に青ざめる。簾禿げの色が変わる。そして有美子の背筋も冷たくなる。

それもその筈で、車中の不毛な会話はすべてこの差出人兼運転手に聞かれていたのである。そのうえ神崎を除けば、残りの三人はこの巨漢のことを平然と馬鹿野郎呼ばわりして憚《はばか》らなかったのだ。中でも一番悪口《あっこう》を垂れていたのは有美子である。

有美子は抜き足で、そっと神崎の横に移動した。

「先生。南極先生ですねぇッ」

「わし、わしは違う。わしは」

「よ、よく来てくれましたあ」

——怒ってないの？

片岡は寧ろ喜んでいるようだった。

顔面に肉が溢れているから表情から感情が読み取れないだけだ。こういう場合、観察者の心理状態が観察対象である片岡の機嫌を決定する。有美子には疾《やま》しい気持ちがあったから怒っているように思えたのだろう。

「嬉しいなあ。作家の先生に会えるなんて夢みたいだなあ。先生、出会い頭、ここにサインしてくださあい」

片岡はマジックインキを差し出すと、上着をたくし上げて腹を突き出した。南極は半ば泣きながら、広がり切った白いランニングシャツにおのが名を記した。

有美子の知る限り南極はサイン童貞である。それでも練習だけは怠らずにしていた筈だ。有美子は過去何度か習作を見せられたことがあるのだ。

つまり。

でぶな腹に字を書く禿げ——この滑稽な絵面《えづら》が、彼の生涯での初サインなのだ。

片岡は擽《くすぐ》ったいのか、うひょひょ、などと言って数回身を捩《よじ》った。記念すべき南極の初サインはぶりぶりと左右に振《ぶ》れて、結局ちっとも読めなかった。

そして四人は、改札の外——片岡の自宅——に誘《いざな》われた。

5

「このモニターがそれですか？」

神崎は難しい顔をして覗き込んだ。

画面には、ただ壁のようなものが映し出されている。

「カメラ位置は固定なんです。たぶんその下の方に映っているのが椅子の背ですね。そこに浅野君が座って、こう、丁度バストアップで映るわけですよ。そんで私にやれチュッパチャプスが喰いたいだの『小説すばる』が読みたいだの——ああ御免なさい他誌でしたね。僕はもちろん皆さんの雑誌を読んでますが浅野君は小すばが好きだったんです。とにかくそういうことを語るわけです。そこで僕は早速望みの品を買い揃えて差し入れ口から差し入れる」

「最後が半年前？」

片岡は堅そうな三重顎《あご》を縦に振った。

「警察に知らせるべきでしょう」

「秘密にしてねと。約束したんです」

「あたしらにはこうして話してるじゃないですか。なら」

ちっちっち、と片岡は太短い指を振る。

「みんなはと・く・べ・つ」

有美子の腕を神崎が摑む。

「き、貴様ア——」

「落ち着くんだ椎塚君。ところでその——地下研究所というのはどうなっているのですか。兄の話だと、元元あった坑道のようなものを利用して建造したとか」

「そこです」

何がそこなんだろう。

片岡の話に依れば、片岡の自宅のある山は通称ウチャリ山。元はウタリ山といったのだそうである。アイヌ語だろうか。明治時代初期に片岡家の持ち山になったのだという。手紙にあった通り、当時から山頂近くの南斜面に朽ち果てた神社はあったのだそうだ。ただ誰も気にするものはなかったという。五年前、『インディ・ジョーンズ』のビデオを観た片岡は急にその気になってハリソン・フォードの被っていたのと同じ帽子を被って神社に向かった。

「財宝があるかと思って。ひひひ」

ひひひ、の部分は2オクターブ高い。

財宝はなかったが、片岡はとんでもないもの——古墳の入口——を発見した。

そこで片岡は浅野に連絡をとった。

「浅野君はお盆でたまたま里帰りしてたんですよ。僕達は小学校の同級生」

「しかし片岡さん。浅野さんの専門は遺伝子工学でしょう。古墳なら考古学じゃ？」

「誰でも良かったんですよう」

「誰でも？　何で？」

「だって研究とかそういうんじゃなくて、宝探しだから。ロマンだから」

寺坂が目を細めて有美子を見た。

「男はロマンだよなあ。椎ちゃん」

――マロンみたいな面《つら》しやがって。

「と、盗掘はロマンじゃないわよッ」

「自分の山なんだから盗掘じゃなかろう。寺坂君の言う通りだ。男はいくつになっても胸の奥にロマンを秘めているもんなんじゃ。なあ片岡さ――」

有美子の拳の先に鼻を押さえて身もだえする南極の姿があった。

「何でわしだけぶつ」

「ともかくそれでお友達の浅野さんを呼んだんですね？　一緒に宝探しをしようと」

「一緒というよりも、私は穴に入れないんですわ。家族も誰も入れない」

「何かその――タブーでも？」

「タブーというより」

デブだったのである。

隧道《ずいどう》は狭く、片岡一家は大きかった。無理に入っても詰まるだけだったのである。そこで比較的小柄な浅野に連絡をとったのだそうだ。浅野は古代史にも精通しており、興味もあったらしく喜んで穴に入ったという。

「軽はずみな人だなあ。科学者の癖に」

「寺坂君。科学者というのは時に旺盛な好奇心を持っているものだよ。それに古代史に造詣が深かったのなら——当然さ」

当然サ、という言い方が神崎らしいと有美子は思う。なんか青春ドラマっぽい。

当然サッ。うん、中中いい。

石造りの穴は結構確《しっか》りしたものだったらしいが、それでも五百メートル程進んだところで土砂崩れを起こしていた。危険を感じた浅野は一旦引き返し、次にどこからか技術者を連れてやって来たのだそうだ。

「その気になっちゃったんだね。浅野君」

様様な測定の結果、トンネルの全長はおよそ八百メートル、その先には大きめの空洞があるらしいということが判明した。

「それが玄室——ということですか」

「浅野君はそう思ったようですね。興奮してたからなあ。それでね、彼の測量したところに依ると、その玄室は丁度山頂の真下に位置していた。これでもう、推論大爆発ですよ。彼は、この山はピラミッドだと言い出したです」

——古代史に精通。

——ピラミッド。

——そうか。

浅野が精通していたのは『超』古代史の方だったのだろう。つまり浅野はトンデモな系統の人だったのだ。専門家は専門以外のことは結構馬鹿な話でも鵜呑みにしてしまう。生物学者が相対性理論は間違いだといい張ったり、植木屋がビッグバンはなかったと主張したりすることがままあるように——。

片岡は続いて地図や断面図を出して雄弁に説明を始めたが、有美子はその段階ですでに引いてしまっていた。一度トンデモだと疑ってしまっては聞く気も失せる。しかし、有美子を除く三人は熱心にその説明を聞いた。

神崎はその前向きな姿勢から。

無責任な寺坂は面白半分に。

そして南極は——信じた。

「な、なんと日本にピラミッドがあったとは！　神秘じゃのう。ううむ、するとエジプト人と日本人はその昔、仲が良かったんじゃろうか。日本にもファラオがおったのかもしれんのう。おお、古代世界の定説を塗り替えるような興奮。超古代ウルトラ大神秘。本所七不思議にも勝る日本の奇跡。これは、このウチャリ山は神仏の残した指紋じゃ。おい椎ちゃん。わしは目から鱗が落ちたぞ。おい、聞いて——」

どか。

「なぜ殴るんだよう」

返事もしたくなかった。

どうしてこのオヤジは、日本人はこうなんだろうか。

「それはともかく、片岡さん、そうするとその玄室に向かう横穴の途中に浅野さんは研究所を造ったわけですか？　その辺りの土地を買い取って？」

「買ったのは浅野君の先生とかいうおじいさんですよ。血相変えて飛んできて。山頂部分だけ売ってくれと」

「何でまた遺伝子工学の世界的権威がそんな古墳を買い取ったんですかねえ？」

寺坂の問いに、さあねえ、と片岡は頸を傾げた。ただ頸が元元ないから、躰《からだ》全体が傾いたのと変わりない。

「ただ浅野君は何か見つけたようなこと言ってましたがねえ。ああ、そうだ、古文書があったとか言ってたなあ」

「古文書ねえ。それで研究所が完成したのが三年前なんですね？」

「そうそう。それで二人は中に入っちゃったんですねえ。意気揚揚と。で、それっきり出て来ない」

だから。

「それでその、地響きというのは？」

「そのモニター、何にも映らなくなって半年経ちますがね、音声は届くですよ。そこでボリュームを上げてみた」

「すると物音が？」

「ずうん、ずうんという音ですね。死んでりゃあ音しないでしょう？　半年絶食すれば大抵死ぬでしょう？」

だから。

片岡はリモコンでボリュームを上げた。

「今日は聞こえないなあ。昨日までは聞こえてたんだけどなあ。ああ、皆さん、力士弁当喰います？　腹持ちがいい」

寺坂を除く三人はきっぱりと断った。

有美子も正直言って空腹だったことは事実なのだが、そんな日本の食文化を冒瀆《ぼうとく》するようなものは食べたくなかった。見たくもなかった。寺坂が喰らう、わしわしという音を聞くだけで有美子は胃がもたれた。

そんな有美子の気も知らず、結構うまいっすよう、と信じられないことを言って、丸顔の悪食は牛のようにげっぷをした。

有美子は顔を顰《しか》めてモニターを見た。

その時。

モニターに異変が起きた。

「手。手が」

画面の斜め下方に手が映っていた。

「い、生きてる！」

6

モニターの下からぬう、と黒い物体がせり上がって来た。玄米茶で煮詰めた肉まんのようなものだ。有美子にはそう見えた。

——ごそがさもそ。すりすり。

マイクが摩擦音を拾っている。

——ばほっ。ぶほぶほ。ごご。

風か。違う。これは、吐息か。

——ばふっ**じゃ。やっとここに**べふっ。

「何？　牛？」

「牛じゃないぞ椎塚君。あれは多分、目方博士だ。生きていたんだ」

「あれが博士ですかぁ神崎さん？　何だか知性の感じられない物体だなあ。それに何だか興奮している様子っすね。鼻息が荒くって聞き取れないすよ。これじゃあまるで優勝力士のインタビューですよ」

呑気なことを言うんじゃない寺坂君、そう言って精悍《せいかん》な顔つきのまま神崎はモニターの前に設置してあるマイクを手にした。

「こちらの声も届くのですね？」

片岡は前傾する。頷《うなず》いたつもりらしい。

起き上がり小法師《こぼし》のようなものだ。

神崎はマイクのスウィッチを入れた。

「博士っせっせっせっせぴぃいぃいん」

思わず放る。

片岡がそれを受けた。

「これはカラオケ用のマイマイクですわ。こんなアンプの近くでそんな大声出しちゃ駄目じゃないですか。ハウリング起こしちゃった。吃驚《びっくり》するですよ。マイクはほれ、モニターの横ちょについとるです」

「な」

有美子は片膝を立てた。

「何でそんなものをここに置く！」

「厭だなあ。ここ僕の部屋だもの」

そう。ここはオタクの部屋である。

「レーザーカラオケのモニターも兼ねてるんですぅ。歌いますかあ」

「死ね固太りッ」

片岡太――固太り。良いネーミングだ。

神崎が有美子の腕を摑んだ。

「椎塚君！　乱暴は止すんだ。緊急事態だよ。まあ片岡君もカラオケ本体の電源は落としておきなさい。電力の無駄遣いだし。ええと、じゃあ、ここに向かって喋ればいいのか。博士、目方博士ですね？　御無事ですか？　聞こえますか？」

——ばふッは目ぶほッが、君はふんッ。

「博士、マイクに近い。近過ぎますよ。もっと離れて——」

「神崎さんも近いんですよ。それじゃあ向こうにもばほばほしか聞こえてませんよ。このマイクは精度高いみたいだから、ただ普通に喋ればいいんですよお」

「しまったそうだったか。寺坂君、よく教えてくれた。博士、目方博士」

——はい。目方です。

「本当だ。普通に喋れば良かったんだ。博士、いったいどうなさったのです？　中で何が起きているのです」

——私は子供の頃小太りでね。

「へ？」

——目方が重太郎《おもたろう》と囃《はや》し立てられた。

「それが？」

——悔しかったなあ。クヤシイッ。

「興奮しているようですねこの博士。なんか財津《ざいつ》一郎《いちろう》みたいになってますよ」

「静かにしたまえ寺坂君。博士、それで」

——私は必死でダイエットした。遺伝子工学の道を選んだのもその屈辱があったからだ。

「何で？」

コンプレックスをバネに、という奴か？　なぜ肥満が遺伝子工学に繋がるのか有美子にはよく解らなかった。しかし南極は大いに頷き、浪花節でも唸《うな》るような口調で、

「あんた、目方さんとやら。さては親御さんを、怨んだねェ」

と言った。

博士は涙ぐんで答えた。

——どうやらそちらの禿頭《とくとう》のお方には解って戴けたようですなあ。

「何を隠そう、別に隠しちゃあいないが、わしも怨んだ口じゃ。親父も、その親父も禿げだった。わしの簾禿げはな、遺伝なんだよう。わしの所為じゃないんだ！」

——そう。私の肥満も遺伝だ！　私の父は目方豚也《ぶたや》と呼ばれとった。本名は勿論琢也《たくや》だ。

「そうだろうて。解りますぞ。わしの祖父《じい》さまは五月雨禿《さみだれは》げ、親父は時雨禿《しぐれは》げという渾名だったんだ」

——なるほど！　『れ』の部分が韻《いん》を踏んでいるわけですな。しかしあなた、拝見する限りは簾じゃないなあ。簾は横線でしょう。あんたは縦線だから、いうなれば玉暖簾禿《たまのれんは》げとかじゃないか？

「おう、そんな御指摘は初めて受けたぞ。流石《さすが》は天才科学者」

「なあにが天才かァッ！」

有美子は南極の脇腹にえいやッと正拳を叩き込んだ。あう、と海獣のような声を出して、五十六歳の小説家は玉暖簾の毛束を棚引《たなび》かせて倒れた。

「なんでわしだけ」

「黙っていろこの文壇の恥ッ。博士、過去のことはこの際どうでもいいんです。あなたの現在の状態こそを、こちらの神崎様はお尋ねになっているのですわッ！」

——今の状態？　出られないよ。

「出られない？　出られないって、浅野さんは？　弟子はどうしたのです？」

——浅野はさっき辞世《じせい》の歌を残して死んだよ。風もなく花より団子選ぶ身の、愚かさ染《し》みて花と散るらん——名歌だ。

「し、死んだ？　亡くなったのですか。その、餓死ですか」

——餓死ィ？　何ともいい言葉だなあ。餓死か。餓死。餓死してみたいなあ。

寺坂が丸い顔の小さな目を瞬いた。

「何でしょうねえ。このリアクションは。錯乱してるじゃあないすか。まあ、半年も喰ってなきゃ仕様がないかなあ」

懲りない小説家・南極が頷く。

「腹が減ってらっしゃるんだなあ」

「半年絶食じゃねえ」

「馬鹿かお前らはッ！」

有美子は平手で禿げ頭を叩いた。ぺちんと気の抜けた音がした。掌《てのひら》に整髪料がついて粘ついた。

「何でぶつんだよう椎ちゃん」

「喰ってないわけがなかろうが。見ろ。まるまる肥えてるじゃないか。どうしてそうなんだオノレらは。半年絶食して腹が減ったで済むかい。博士は空腹で錯乱しているんじゃないわ！　ほら、どくどく血が出てるじゃない。食は足りてるのよッ。え？」

有美子は腹一杯怒鳴ってからモニターを見直した。

煮染《にし》めた肉まんのように見えたのは、博士が流血していた所為である。

「血ィ？」

「そうだよ椎塚君。君は今頃気がついたのか。博士、その、浅野さんの死因は何ですか？その中でいったい何が起きているんです！」

神崎はどんな時にもシリアスな横顔を崩すことがない。二枚目の心得である。

肉まんは爆竹に驚いたマントヒヒのような顔をした。

――死因？　それは出血と打撲と、いやそうじゃないなあ。あれに殺《あや》されたようなものだ。私ももう長くない。このモニタールームに這入《はい》るのがやっとだった。

「神崎さぁん。出血と打撲とか言ってますよォ、あの爺さん」

「寺坂君。世界的科学者を捕まえて爺さんはないだろう。それにお年寄りは大切にしなくちゃあいけない。敬語を使うんだ。せめてお爺さんとか」

「まあどうでもいいんですが、そのお爺様が宣《のたま》わってますよ変なことを。片岡さん、地下研究所に入ったのはお爺様と浅野さんの二人だけなんですね？」

「ホモかと思いましたね」

「研究所に出入りはできませんね？」

「ありがちな密室ですね」

「そこには——この三年間、誰も入っちゃいませんね？」

「二人だけの密室ですね」

「男の世界じゃなあ——」

言うや否や南極の禿げ頭は宙を舞って、小説家は畳の上に沈んだ。

「何をするんだ椎ちゃん。お年寄りは大事にせいと、神崎君も言うとった痛たた」

有美子は南極の腕を捻《ひね》り上げる。

「静かにせんかいこの文壇の悪性腫瘍がッ。寺坂が言ってるのはそういう話じゃないでしょッ。つまり、浅野さんが危害を加えられて死んだということは——」

「そうか。目方博士が犯人かあ痛ッ」

「黙れと言うとるのが解らんのかこの文壇の黄色ブドウ球菌がッ。いいかッ、よく見ろ。あの博士も血だらけだろうに！」

「ひ、被害者と殴り合ったのかな？」

違うッと叫びながら有美子は南極を突き放す。何故だよう、と南極は泣いた。

「ふ、二人しかいない密室でひとり殺されたんだから、もうひとりが犯人だよう」

「オノレはそれでもミステリ作家か。今の証言を聞いてなかったか？　あれに殺されたようなものだ——と言っただろう。言ったなオッサン！」

——言ったよ。

「ほら見ろ。もうひとりいたんだ。これは密室殺人なのよ。そうですね神崎様」

神崎は二枚目の顔で、よく解らないがまあそうかなあ、といった。そしてそうなんですか博士、とモニターに尋《き》いた。

——もうひとり？　そんな者はおらん。ここは二人だけの世界だったから。

「じゃあ」

——あれはな、何人と数えるものじゃないんだ。人間じゃないんだよ人間みたいだけど。

「人間みたいだけど人間じゃない？」

「それでは人間もどきですか？」

マグマ大使を呼ばなくちゃなあ、と片岡が言った。有美子は南極を殴り疲れていたので的確な突っ込みが出来なかったから、少しだけ悔しかった。

「あれとは何なのです！　博士」

——秘密だな。

「秘密って、あなた、あなたの命も」

——危険だ。君達に教えるのは。

「危険？　そんなこと言ってられないでしょう。一番危険なのは博士、あなただ。そんな怪物と、あなたは今ふたりっきりなんですよ！　しかも密室だ」

「二人の世界――解った。解ったからぶたないでくれ椎ちゃん。しかし目方さんとやら。あんた、何で出て来ないんだ？」

「あ」

それもそうなのだ。施錠して立て籠っているのはこの肉まん自身なのである。有美子は南極をほんの少し、長さに直せば1ナノミクロンの更に十分の一くらい見直した。

肉まんは実に奇怪な表情になった。

――**出たいよ。でも出られないんだ。**

「何故」

――**だからあれの所為さ。**

天才科学者は下を向いた。見た目の映像はほとんど変わりない。神崎が深刻な顔をして一同を見渡した。

「助けに――行こう」

「僕は警察を呼んだ方がいいと思いますねえ神崎さん。普通そうする」

「相手は人間じゃないんだ」

「だったら自衛隊ですよ。普通そうする」

「見て見ぬふりは出来ないだろう寺坂君。椎塚君、君もそう思うだろう」

「もちろん思いますわ神崎様」

勿論、本当は寺坂が正しいと思っている。そんな化け物見るのも厭だ。オタクだの禿げだのだけで十分である。

片岡は喜んだ。

「うわあ、何か凄い展開だなあ。良かったなあ南極先生を呼んで。南極だけに難局に強い、とか言っちゃって。おっと殴ろうったってそうは行きませんよお嬢さん――」

敏捷なデブである。

「――うふふ。まあこの山ですから。警察呼ぶったってすぐには来ませんし。あの様子だと博士は長くない。ほら、もう貧血おこしてる。ああフレームアウトした」

有美子が振り向いたのと画面から肉まんが消えたのはほぼ同時だった。

神崎が、博士、博士しっかりして、と叫んでモニターを揺すった。お蔭でどこかの配線が外れるか切れるかしたらしく、画面は真っ黒になってしまった。

「どうしたんだろう。博士が見えない」

「神崎さんの所為で壊れたんでしょうが。困ったなあ。これで死なれちゃ後生が悪いなあ。飯が不味《まず》くなる。ねえ椎ちゃん?」

寺坂のためを思えば、飯は少し不味くなった方がいいとは思う。しかし確かにこれで死なれては後味が悪い。

「助けに――行きます?」

「僕は行きません。入れないし」

有美子が繰り出したパンチを片岡は素早く避《よ》けた。拳は南極の側頭部を直撃した。

「お、オタクの癖に勘がいいわねえ」

「相撲ファンですもの」

「わしはどうなる」

「どうもならないわよ。禿げてるだけよ。禿げててチビで不細工で売れない文章の下手な小説書きだってだけよ！」

「ひいい」

「そんなことはどうでもいいでしょう。早く博士を救出しに行かなくちゃ！」

神崎が立ち上がる。見上げる寺坂。

「またあ。行くんですかぁ」

僕は行かないと片岡が念を押す。

「片岡さぁん。せめて案内くらいしてくださいよう。それからやっぱり警察には連絡しといてくださいよ。来るの遅れてもいいから」

寺坂が懇願した。片岡は厭だなあ面倒臭いなあなどと言いながら巨体を揺すって立ち上がった。

「さあ早く救出に行こう」

神崎が清清しく言った。

「ほら早く」

わしも行くんかい——と南極が泣いた。

7

「で、その何だ、どうにも狭いなあ。何ちゅうか、この隧道は。湿《しめ》っとりゃせんか。おお、椎ちゃん、若い娘が年寄りの尻触っちゃいかんぞ。セクハラだ。痛いッ。何をするか！　無防備な臀部《でんぶ》を攻撃するなんて卑怯《ひきょう》だぞ。止めてくれ」

「セクハラされとるのはあたしの方よッ。好きでオノレの衰《おとろ》えた尻見とるわけじゃないわい見苦しい。顔を上げれば汚い尻しか見えんのだから仕方ないだろう。さっさと行ってよ。遠ざかってよッ」

有美子は順番を間違えたのだ。

山腹に口を開ける石組みの古墳入口は思ったより遥かに小さかった。

細身の有美子でも屈《かが》んで入るしかない。片岡には到底無理である。顔がまず入らない。近寄ると茶室のにじり口程の大きさだった。

するると片岡は茶室にも入れないということになる。

そんなことはどうでもいいのだが、入ったところでこれは難儀だった。茶室の場合はにじり入ってしまえば終《しま》いなのだが、この場合延々にじり続けなければならない。

八百メートルもにじるのは厭だった。その上有美子はスカートを穿いている。だからそもそも膝を地面につくのも厭だった。

だから躊躇《ちゅうちょ》した。神崎はレスキュー隊の隊長のような顔になり、今助けに行きますようとボーイスカウトのような声を上げて穴に滑り込んだ。有美子は寺坂と顔を見合わせ、それから穴を覗き込んで、穴じゃのう——などと馬鹿な感想を述べている南極の尻を蹴りつけて穴に叩き込んだのだ。

それが拙《まず》かった。

寺坂という男は、君は危ないからここにいろ——とか、ようし僕が先に入ろう——とか、そんな殊勝な心掛けも潔い決断力も遠く故郷の讃岐に置き忘れて来たような男だったのだ。ああ厭だなあ虫とかいそうだなあ空気悪そうだなあ落盤《らくばん》とかしそうだなあ——などとうじうじと蛆《うじ》がいじけたような態度を取り続けた。結果有美子は苛苛して、ああ間怠《まだる》っこしいと叫んで先に入ってしまったのである。そういう性格なのだ。

ところが有美子が入ると寺坂も続いた。片岡はさっさと帰ってしまっていたから、山中にひとりぼっちになって急に心細くなったようなのである。馬鹿だ。

結局最悪の状況になった。前門の禿げ、後門の悪食である。逃げ場がない。そのうえ案の定湿っている。黴臭《かびくさ》い。苔生《こけむ》している。ぬるぬるしていて冷たい。暗い狭い。おお厭だ。有美子は半ば泣いていた。

前門の禿げが言った。

「あんまりその、何というか、その、肛門付近に吐息をかけんで貰えまいかな椎ちゃん。男五十六歳、変な気になる」

「う――薄気味悪いことを言うなッ！　そんな史上最低の状況にあるあたしのきゃあ寺坂何をするッ」

「痛いッ。蹴らないでおくれよ椎ちゃん。何も見えないんだから。お尻に触れちゃった？　これはそう？　あッ痛いって。邪心はないよ。僕は食欲の人なんだ。ただ僕にはこのトンネルは細過ぎるよう。ああ苦しい。胃が圧迫される腹が空く」

「嫁入り前の娘の尻を触っておいて食い気の話をするなッ！　そもそもオノレは何でもかんでもわらわら喰うから苦しいんだ。あんな変な弁当を美味そうに喰うな！」

有美子は『力士弁当』を思い出す。一気に胸焼けが押し寄せる。あれ結構いけるよと寺坂は言った。その時。

「扉だッ！　研究室の扉があったぞう！」

神崎の明るい感嘆符が聞こえた。

そこで有美子は思い出した。

片岡の話だと、そこには中から、鍵がかかっているのではなかったのか。だからこそこれは事件なのであって、そうでなくては何のことだか解らない。もしそうなら、この隧道をにじったままバックして出なければならないのか？　前門と後門が入れ替わるだけの煉獄《れんごく》を再び繰り返せというのか？

「おやあ、どうやって開けるんだろう？」

神崎の明るい疑問符が聞こえた。

有美子は落胆して後ろに少々にじった。

「うわあ何か虫がいるう」

「何ですって！」

柔らかいものが尻に突き当たった。丸顔の顔面である。寺坂が突進して来たのだ。有美子は悲鳴を上げるのも忘れて前に飛び出し、そして今度は自分の顔面に柔らかいものが突き当たるのを感じて失神しそうになった。南極の尻に違いないからである。

「いやだあ」

「きゃあああ」

因《ちなみ》にきゃあああ、が南極の声である。南極は玉突き状に前に出た。

「わあ開いた、押せば良かったのかあ」

神崎の明るい歓声が響いた。

寺坂が猛烈に押したので、有美子を含む一団は団子状になってどさどさと、転げ落ちるように扉から続く研究所の階段を転落した。寺坂が落下する。有美子は敏捷に身を躱《かわ》した。転がる寺坂は南極の上に落ちた。有美子は南極の頭を踏み台にして飛び、床の上に転がっていた妙な塊《かたまり》の上に着地した。ぐにゃりとした柔らかいものだった。

視線を足許に下ろす。

「わひゃあ」

再び飛び退く。まるで空中サーカスの少女のような動きだと思った。

「わあ人が死んでいるう。うわああ」

神崎の明るい悲鳴が響いた。

有美子が両手を広げてすっくと立ったのは、浮腫《むく》んだ死骸の上だったのだ。

「こ、これは誰だ？　写真で見た浅野さんじゃないぞ！　ううむ、死んでいるッ！」

怖れ戦《おのの》いている神崎の顔が、下手な演出でもしたように紅く染まった。解り易い。扉の上についている赤ランプが点滅を始めたのである。同時にクイズで不正解をしてしまった時に鳴るようなブザーが鳴った。

――トビラガシマリマス。ゴチュウイクダサイ。トビラガシマリマス。

留守番電話のような声である。

「親切なドアだなあ。バスみたいだ」

寺坂が南極の上で立ち上がった。

――トビラガシマリマス。ホントウニ、シマリマス。シマルトナカカラハアキマセンガ。

「閉まると開かないそうですよ。こりゃハイテクですねえ。喋るんだ」

「いいのかね。開かんのだぞ。それよりわしの上から降りてくれ寺坂君。わしは抗菌足ふきマットじゃないんだ」

「ああ失礼。先生は抗菌というよりバイ菌ですよ。おお失礼。しかし中から開かないっていうのは」

「あ」

――モウシマッテシマイマスガ。

「拙いだろうそれはッ」

有美子は漸《ようや》く立ち上がった南極を突き飛ばし、階段をダッシュして駆け上がった。扉に手を掛けたが遅かった。

――ザンネンデシタ。

ランプが点灯を止めた。

――モウアキマセン。

「開かないって」

「開かない――ということは、出られないんだねえ。編集者諸君」

「呑気な感想を漏らすなこのスットコドッコイ！　さっさと手伝え！　この扉をこじ開けるんだッ。おい寺坂ッ早くしろ」

「なんで神崎先輩はいいんだ椎ちゃん」

「神崎様はそこの変死体の検死で――」

有美子が目を向けると神崎は頭を抱えて床にへたり込み、震えていた。

「泣いてるじゃないかよ神崎先輩」

「――ナイーブなのよ。ほら開けないと」

開かなかった。

ぜんぜん。

取り敢えず屍体があると神崎が泣くので、有美子は南極に言いつけてそのぶよぶよと膨《ふく》れた骸《むくろ》を隣の部屋に片付けさせた。

少しだけ落ち着いた。

研究所の内部は科学的素養のない者が通りすがりにちょいと覗いただけでも、まずほとんどが研究施設だと認識できるようなありふれた、所謂一般的な研究所だった。

フラスコだの試験管だのシャーレだのが整然と並んでいる。そうした判り易い実験器具ばかりではなく、電子顕微鏡《けんびきょう》などの大袈裟な装置類も完備しているようである。

それらは多分すべて最新の機材である。実のところ有美子に機材の新旧など判断できるわけもないのだが、至るところにディスプレイとキーボードが並んでいるから多分最新だろうという判断である。神崎は屍体が視界から消えるとやにわに復活した。

「つまりこういうことだったんだ。片岡君は中から鍵が掛かっていると言ったが、それは正確な表現ではなく、中からは開けられないという表現が本当だったわけだ。外からは開けられるんだが、片岡君は隧道を通れないから、それが判らなかった。博士達はだから出られなかったのだよ」

神崎は何度も頷き、彼らも閉じ込められてさぞや恐ろしかったろう、と同情した。

他人に同情できる状態ではない。寧ろ同情されて然りの惨状なのだが、神崎は好青年だから人間が出来ているのだろう。

——ま・て・よ。

この研究所を造ったのは、その、閉じ込められた可哀想な二人ではなかったのか。ならばそんな仕掛けは先刻御承知の筈である。脱出方法を設定していないとは思えない。むざむざ閉じ込められるわけがない。閉じ込められても同情の余地なんか——。

「ど——同情の余地なんかないッ」

「どうしたんだ椎塚君。ああ自業自得だと言うのかね？　しかし見たところ、ここは完全にコンピュータ制御されている。ならばそのシステムが異状を来したとか。不測の事態が起きたに違いないよ」

神崎の台詞に南極が感心した。

「そうか。技術の進歩は目覚ましいのう。コンピュータなあ。でも機械を過信するとこういう目に遭うんだなあ。しかし神崎君、君は凄いね。ひと目で判るか？」

「扉を開けた途端に明かりがつきました」

寺坂がこけた。

「センサで照明がつくのは普通じゃないですか神崎先輩。うちのマンションだってそうですから。まあそれはそれとして、ここがコンピュータで制御されているのは本当でしょうね。でも神崎さん。たとえそうだったとしても、いくらでも出る方法はあるでしょうよ。モニターで片岡に頼めばいいだけだもの。小柄な者を呼んで戸を開けさせろと頼めばいいでしょ」

その通りである。

「モニターにトラブルがあったのではないだろうか。さっきも画面が真っ黒くなった」

「それは神崎君が壊したんだ痛いッ」

「不用意な発言は許さないわよ簾禿げッ。本当なら呼吸も許さないところよ。あんたが吸う酸素があるならシアノバクテリアにでも吸って貰った方が宇宙のためよッ」

酷いよう、酷いようと、男五十六歳は男泣きに泣いた。

見た目が汚らしい。余計に肚が立ってくる。

泣きたいのは有美子も一緒なのだ。これならまだ中に入れずに隧道を後ろ向きに戻った方がマシだった。入るだけは入れて出られないなんて、最低の下の超最低より悪い。

「待って」

この状況は——片岡のような人間を除けば——外からの、い、侵入が、か、可能な状況だということではないのか。ならば。

「ここは、ここは密室なんかじゃないじゃないッ。入るだけなら簡単に入れるのよッ神崎様。つまり——」

「殺人者も侵入可能ということか椎塚君」

「おお」

南極が恐怖の表情を浮かべた。

「そしてその殺人者は——つまり出られないんでしょう。うわあ、それはリスクの大きい殺人だなあ。特攻隊みたいだなあ。え？　じゃあまだこの中に——？」

途中までへらへらと戯《たわ》けていた寺坂が急に黙って、そのまま全員が沈黙した。

目方博士の言葉を信じるなら、浅野は打撲と失血で死んでいる。モニターに映った博士自身も負傷していた。当然、二人に危害を加えた第三者がいる筈だ。ならばそいつは——。

——まだ中にいる。

「そんなの厭よう」

「わしも厭だよう」

「落ちつけ椎塚君。南極先生も。もしかしたらさっきのあの屍体——あれが浅野さんを殺した犯人なんじゃないだろうか。いや、間違いなくそうだよ。目方博士は浅野博士を殺害した犯人と格闘して負傷して、それでモニタールームに逃げ込んだんだ。きっと博士は、犯人が生きている可能性があるから危険だ——と言いたかったんだ。しかし犯人は格闘の傷が元で既に死んでいた。そうだよ。僕達はラッキーだ」

らっきー。それはどんな意味の言葉だっただろう。寺坂が言った。

「でも神崎さん。あの爺さん、研究所の中は二人の世界だ、と言っていたじゃないすか。それに犯人は人間もどきだとも言ってたし。なあ椎ちゃん」

「あのぶよぶよの死骸は人間とは思えない形よ。神崎様の言う通りなのよ」

有美子は取り敢えず多くの事柄をさっぱりと捨てて神崎を信じることにした。まあ南極や寺坂を信じるよりはいいと思ったのだ。どんな時にも前向きな姿勢でいることが好青年の条件なのだし。それに——。

——あの死骸は。

よく考えてみれば、この研究所の内部には浅野博士と目方博士以外の人間は存在しない筈なのだ。と、いうことはあの膨れた死骸は——たとえ殺人者でなかったとしても——外部からの侵入者であることは間違いないのである。

しかし——。

そうした楽観的な現状認識は、概《おおむ》ねただの楽観で終わるものである。

こともあろうに終わらせたのは簾禿げだった。

「あの屍体は浅野君だよ諸君」

なんか威張っている。

「でも南極先生。あの屍体は写真の浅野氏とは顔が違う」

「そうよ。まるで別人だったわよ」

「太ったんじゃね。だって腰に巻きつけとった白衣に浅野という刺繍があったぞ」

「殺して白衣を盗んだとか」

「いや——あれは浅野君だよ。ランニングシャツにもマジックインキで卓郎と書いてあったもの。左右に伸びきっていたが。それからこれが何よりの証拠だ」

南極は血まみれの短冊を出した。

——風もなく花より団子選ぶ身の
　　愚かさ染みて花と散るらん

「握っておったもの。辞世の歌」

それからなあ、と南極は大儀そうにポケットから畳んだ紙を出した。

「これは隣の部屋にあったもんだがね。机の上に広げてあったんだよ。いかにも見てくれといわんばかりにさあ」

広げると何かが細細と描かれている。どうも人体のようである。盆踊りの踊り方とか、ストレッチ体操の手順とか、その手の絵である。寺坂が覗き込んでなんかやらしい絵ですかあ、と尋いた。

「いやらしくないよ。これは相撲の四十八手だよ。ほら、小股掬《こまたすく》いに下手投げ。内無双《うちむそう》に櫓《やぐらな》投げ。勇壮じゃのう」

「何でそんなものが研究所にあるのよ！　それより何でそんなものを畳んで持って来るんだあんたは？」

「それは椎ちゃん、片岡君へ土産《みやげ》にと思ってさ。お相撲好きだと言っておったから」

そう言って作家は愉快そうに笑った。有美子は向き合ってにっこり笑い返す。

「ああ。土産持って帰りたいわねえ――」

帰りたいよなあ帰りたい帰りたいわよ帰してよ帰せ帰せ帰せ！

「責任取れこの馬鹿オヤジィ！」

有美子は南極の頬を連打した。

「とにかく目方博士を痛い痛い探し痛い」

「やっぱりこりゃシステム自体がイカレてるなあ。どうも変ですよ。大体こんなおかしなコンピュータは見たことないっす。オリジナルですよハードが」

寺坂は腹が減って仕様がなくなったらしく、漸く本気で脱出する気になったのである。寺坂は顔に似合わずコンピュータに豪《えら》く詳しいのだ。早く言えばいいものを。

「神崎先輩どう思います？　形は国産のものに似てるけど、何か全然変です」

「変ってのは？」

「どこがどう変なのか判らないんですがねえ。何か変なんだなあ」

寺坂はマウスを忙しくクリックして次次とウインドウを開いていく。

「アイコンが変でしょう。まあこんなものはどんな形にしたっていいんだけれど、これ何の形ですか？　ハンバーガーかな」

「相撲取りの形だよ寺坂君」

「は？　そうか。お相撲さんか。じゃあこの文字は――」

「勘亭流《かんていりゅう》だな」

「そうか。でも別にいいんですよ。画面上の表示文字の書体が勘亭流だろうが何だろうが。それは構わないんだけど――どうもこれ、何か変なソフトで起動してるですよ」

神崎が難しい顔をしている。

「パソコン通信とか出来ないのか寺坂君」

電話はないのだと片岡は言っていた。地下であるから携帯電話も使えない。頼みの綱のモニターは不慮の事故で（まあ神崎が揺すった所為なのだが）壊れてしまっている。モニタールームには目方博士の変わり果てた姿があるだけだった。もちろんモニターには何も映らず、画面の中にはただ砂の嵐が吹き荒れていた。

「おッかしいなあ。このワークステーションみたいなのが集中管理しているんだと思うんだけど。立ち上がるのは立ち上がるんだけど何だかなあ――これかな？」

寺坂がびっしり並んだ力士型のアイコンのひとつ――横綱のマワシをつけた――をクリックした、その途端――。

「わあ！」

消えていた他のすべてのディスプレイがいきなり点いた。

ディスプレイには一文字ずつ、勘亭流の黒々とした文字が映し出されていた。

「すなべデるてブがに？」

「なんだってわざわざ目茶苦茶に読むんだ南極ッ！　素直に読んでよ。あれは」

――すべてがデブになる。

「ど、どういう意味なのッ？」

「まあ、あらゆるものが太るという」

バキッ。

「お手上げですよ。神崎先輩、何とかしてくださいよ。僕は所詮マッキントッシュ派なんですよ。先輩MS－DOSとか詳しいんじゃないですか？」

「僕はやくざじゃないからなあ」

「は？」

「格好の良い歩き方とか決まった振り向き方とか、そういうのなら教えられるが」

「へ？」

「ファミコンとかはさっぱりなんだ」

「ほ？」

「インベーダーもイカみたいな奴を二匹やっつけただけで死んでしまったから。まあ大学の頃だけれども」

「ああ——」

寺坂は何だか落胆して空腹を訴えた。

閉じ込められてから、既に五時間が経過していた。有美子もそろそろ空腹感を覚えている。夕食の時間はとうに過ぎている。そもそも昼飯も喰っていない。片岡の家で『力士弁当』を喰ったのは寺坂だけで、その寺坂の腹が空くのだから当然である。

このまま出られなければ——餓死が待っている。

すべてがデブになる——というふざけた文字に囲まれて、四人は脱力した。

「片岡君は心配しておらんのかなあ」

「そうですよ南極先生。寺坂君が頼んでいるし、彼が警察に連絡してくれている筈だ」

「あの男、電話代が勿体無いとか言ってましたよ」

「も——もしていなくても、これ以上我我の帰りが遅くなれば心配になって通報するでしょう。110《ひゃくとーばん》なら電話料金はかからないんだろうし——何、あの扉は外からなら開くんです。救助を待ちましょう」

神崎は前向きだ。

楽観も、ここまでくると何だかなあ——と有美子は俳句のようなリズムで思った。

何といっても片岡は目方・浅野という二人の天才科学者を——半年間も連絡が途絶えているにも拘らず——見殺しにしたい、い、い男なのである。高高《たかだか》五六時間で心配なんかするわけがない。

そのうえ、この閉ざされた研究所内部には、殺人者が潜んでいる可能性もあるのだ。

ま・て・よ。

「あの」

「何だ椎ちゃん。あの、なんて問い掛け方は君のキャラクターに合わんぞ。こらボケバカ死ねとか、おいこのカス禿げとか、そういう——おうッ」

「あの、神崎先輩」

「どうしたんだ椎塚君？　南極先生が足下でもがいているようだが」

「え？　そうですかよく見えませんが――まあそんなものはどうでもいいんです。それより
あの、目方博士のお話だと、浅野さんは昨日亡くなったとか」

「そう仰《おつしや》っていたね」

「そう言った目方博士はついさっきまで生きていたわけですよね？」

「そう。ついさっきまでね」

「さっきじゃないっすよ。もう五時間以上前じゃないすか。お腹が減って死にそうっすよ。

もう僕は危篤です」

「それよ。寺坂、あんた何も食べずに何日保《も》つ？　何日で死ぬ？」

「何日？　五時間だね」

「いい、半年間差し入れがなくっても二人は生きていたのよ。つまり――」

「く、食い物がある！」

くういいもおのお、と瀕死の河馬《かば》の腹を指圧したような声を発して寺坂は立ち上がり、奥
の方へふらふらと進んだ。

「待て寺坂君。あまり奥に行かない方がいいぞ。自動扉は危険だ。たとえ開いても閉まって
開かなくなっちゃうかもしれないだろう。それに誰が隠れているか解らないんだぞ！」

有美子は後を追おうとする神崎の袖を掴んだ。男前の顔で神崎が振り返る。

「どうしたんだ椎塚君！」

「行かせて・あ・げ・て」

「何故！　危険だよ」

「寺坂は、食事に全人生を賭けているんです。このままここで餓死するくらいなら、食物を求めて殺人鬼にでも怪物にでも殺された方が、彼にとっては前向きなんです。彼の生き方に水を注《さ》すようなことはしないで。お願いです。好きにさせてあげて！」

神崎は眼を閉じて、そうか、そうだったのかと呟いた。そして顔を上げ、

「よく教えてくれた椎塚君。僕は彼程立派な食事魂を持った人間を知らないよ」

と言い、更に寺坂君、君の死は無駄にはしない——と言って寺坂に背を向けた。

南極がその辺の書類を物色しながら、鼻歌混じりに言った。

「何をゆってるんだろうねえ、椎ちゃんはあ♪　君は体《てい》のいいことを語って寺坂君に食い物を探させようちゅう魂胆だなぁ。あの悪食だもんなあ。もし食い物があったなら犬のような嗅覚と鷹のような眼力で、何が何でも見つけ出すじゃろうからねェ。賢いのお。小狡いのう。酷い女じゃなあ♪」

図星である。

「♫わしも腹が空いたからいいけどねえ」

「南極」

「はい御免なさいッ」

南極はぺこりと頭を下げた。

「あたしに――」

縦筋のバーコード。簾禿げ。

「――そんな、マリモ羊羹《ようかん》みたいなもんを見せるなッ！」

どんがらがっしゃん。

南極は派手な音を立てて壁のキャビネットに突き当たった。キャビネットの扉が開いて書類がどさどさと崩れ、南極の簾禿げにボカボカと当たった。

「ううん。いたいよう」

ばさッ。

最後に黄ばんだ古い本が落ちて来て禿げの上に開いて乗った。

「古文書――おお、古文書じゃないか！」

神崎が指差した。

「わしは南極だよ神崎君」

「それは知ってますよ。ほら片岡君が言っていたでしょう。古文書がどうしたとか」

そういえばそんなことも言っていたような気がするが、有美子はよく覚えていなかった。

神崎はつかつかと南極に歩み寄り、江戸時代の瓦版屋みたいになっている簾禿げの上の本を取り上げた。

「ううん」

「何です」

「読めない」

「貸してくれ神崎君」

南極が立ち上がって古文書を手に取る。

「ナニ。ええと、ほ――『本草秘誌《ほんぞうひし》』か。そういう本じゃね。それで『すまひ茸のこと』と、書いとる。スマイタケつうもののことを書いてあるんだな。茸つうからキノコだろうね。これが――研究の対象かのう？」

「スマイタケって、舞茸の一種ですかね？　じゃあスってのは、酢？　いや、素うどんとかの素ですかね？　す――素舞茸？」

その時だった。

ぎゃわああっ――下痢をした豚の腹でも蹴ったかのような悲鳴が響いた。

「で、出たッ。出たよう。神崎さあん！　椎ちゃあああん！　な、南極せんせえッ！」

寺坂の声だ。てらさかくうん、今行くよう、と叫ぶや否や神崎が駆け出す。この場合居残るのも厭だったから有美子も後を追った。わしも行くんだろうなあ、と情けない声を出して簾禿げが泣きながら続いた。

扉の向こうには長い廊下が続いていた。

移動する三人の速度に合わせ照明が次次に点灯する。センサは生きている。

廊下の先にはゲートのようなものがあった。『入るな危険』と書いてある。塩素系トイレ洗剤みたいな表示だった。悲鳴はその中から聞こえている。

「入ったんだな寺坂ッ」

「行かせたのは君だからねぃ椎ちゃん。死んだら君の所為だぞ痛たたた、御免御免」

神崎がゲートを開けた。

「寺坂君！　どうした！」

「あれ、あれ、おす、も」

腰を抜かした寺坂の指差す先には。

大勢の巨大な力士達が揺れていた。

「こ、これは」

わらわらわらわら。

うようようようよ。

ピンク色の肉塊。弾力のありそうな肌。膨れた頬に三重顎。手首足首には赤ん坊のようなくびれがある。両足をぴたりと閉じ両腕を脇腹につけて、指先はぴんと伸びている。腕を下に向けたキューピー人形のような姿勢だと思えばいい。もちろん大銀杏《おおいちょう》は鬢《びん》付《つ》け油で艶艶《つやつや》とてかっている。

それが――約五十人程、密集して立っているのである。銘銘が腰の辺りをくねくねとくねらせて、揃って揺れているのだ。

わらわらわらわら。

ふるふるふるふる。

「あ——」

　神崎は眼を剝いて、それから無言で寺坂の手を引いて立たせ、有美子と南極を押し出すように廊下に追いやり、寺坂も引き出して、後ろ手でバタンとゲートを閉めた。

「——さあ。僕らは何も見なかったぞッ。それでいいな。いいよな、寺坂君」

「よ——良くないんじゃないすか」

　どうしてだよう、今のあれは本当なのかよう、と言って神崎は涙ぐんだ。

「な——なんなのあれは！」

「そりゃあ君、相撲取りじゃよ椎ちゃん。角力。取的《とりてき》。力士。お相撲さん。幕下十両小結大関横綱褌担ぎ。見りゃ判ろう？」

「それくらい見りゃ判るわい。あたしが尋《き》きたいのはあれは何かってことよ！」

「だから相撲と」

　カーンとゴングのような音がした。南極が鉄板のゲートに打ち当たった音だ。

「おやぁ紙が落ちておるのう」

　不屈の中年文士は殴られついでに床に落ちている紙屑を発見して拾った。

「どうも落ちとるもんは拾っちゃうんだねわし。ナニナニ。ええと」

「貸して」

　毟《むし》り取る。緊張感のない禿げ親爺に任せてはおけない。

「き——『禁力士』？」

「こっちは『力士やめますか人間やめますか』ね。これは『力士を見たら人と思え』ね。人と思え？　思えって何よ？」

「なんだそれは？」

「力士さんに尋いてみりゃいいさ」

南極はひょいとゲートを開けた。

わらわらわらわらわらわらわら。

「いやだあッ。これは嘘だああ」

神崎の自我が崩壊する。泣く。

「面白いのう。神崎君は泣き虫だ。ほれ」

ふるふるふるふる。

「嘘だあ嘘なんだぁ」

「閉めんかこのクラゲ頭がっ！」

有美子は思いきり扉を閉めた。

「おうッ指挟んだッ」

「ざまを見ろとはそういうことよ。神崎様が泣くじゃないかッ。これがただの力士のわけないだろう。怪物か、さもなきゃ――」

「あ――あれが犯人ですよッ。ほ、ほ、ほら、あの、浅野さんの死因は、だ、打撲なんでしょう？　張り手です。うっちゃりかもしれない。こ、怖いよう」

「お、落ちつくのよ寺坂。それより寺坂、あんたここをどうやって開けた？」

「別に。押したら開いたっす」

「鍵は？」

「このゲートには鍵なんか掛からんようだのう、椎ちゃん。ほうれ、蝶番《ちょうつがい》がついとるだけだよ。西部劇の酒場の扉みたいなもんじゃなあ。ほれ開く」

わらわらわらわら。

「うわあ嘘だあ。こんなの嘘だあ」

「閉めろつうとるのが解らんのかこのヤカン頭がッ」

クヮーン。

したたかにゲートに頭を打ちつけて、男五十六歳は暫く下を向き、歯を食い縛って痛みを噛み締めていたが、やがて顔を上げ額に皺を寄せて、泣き笑いの顔で、

「もう慣れちゃった」

と言った。黙れと叫んで有美子はその顎を蹴る。仰向けに倒れる五十六歳。

「ん？」

南極の当たった扉を見る。貼り紙を剝《はが》したような糊の跡がある。扉を封印でもするように紙を貼って、破った——そんな感じだった。それも一枚や二枚ではない。何度も何度も上から貼っては剝している。

「この紙は——ここに貼ってあったものかしら？　力士達を封印しようとした？」

「紙で？　紙貼ったって無理だよう。差し押さえじゃないんだから。強そうだよ」

「どうあれ、寺坂の言う通りね。こいつらが博士の言っていたあれであることはまず間違いないわ。そうなら——人間だろうと怪物だろうと、浅野博士を殺したのはこの力士達なのよ。つまり——」

有美子は寺坂と顔を見合わせる。そして泣いている神崎の腕を持って立たせた。

「ああ、五十人はいるのう。何故出て来ないのかナア」

「覗くなッ」

有美子は南極の肩を掴んで扉から引き剝し二三度ビンタをくらわせてから、しくしく泣いている神崎の耳元で大声を出した。

「神崎様！　神崎様解る？　こ・こ・は」

神崎はしゃくり上げつつ頷く。

「椎塚君。ここは、ここは」

「——ここは危険なのッ！」

「危険なのかいのう椎ちゃん？」

「死にたくないのよッどいてッ」

南極は有美子に突き飛ばされ神崎に蹴り飛ばされてバレリーナのように回転し、寺坂に踏まれた。鳴咽を漏らす中年を蹴散らして、三人は脱兎の如くその場を駆け去った。わしは死んでもいいのかのう、と涙声で訴えながら、鼻血を垂らした南極が這うように続いた。

「寺坂！　あんた探索したんでしょう！　どこか鍵の掛かる部屋はないのッ！」

「あ、あるよう。その横の部屋だけど、そのドアは中から鍵が——」

「ここねッ」

有美子は左手のスチール製のドアを開けて神崎を放り込み、寺坂を叩き込んでから勢いよくドアを閉めた。ごく普通のドアである。どう見てもコンピュータでコントロールできる類のものではない。ノブの鍵を掛ける。

「はあはあはあ」

「ここは、多分浅野さんの部屋なんだよ」

寺坂が床にへたり込んでそう言った。

十畳程の洋室である。ベッドと書架。机の上にはディスプレイとキーボード。洗面台に小さなキッチン、冷蔵庫まである。

「それはカラ。何もなかった」

開ける前に寺坂が言った。考えるまでもなく、食欲の権化が冷蔵庫をチェックしていないわけもない。

「その電子レンジも空っぽ。当たり前だけど。水道は使えるよ。水はおいしい。次亜塩素酸ナトリウムが少ないんですねえ。それからそっちはユニットバスね。狭いけど便所もある。僕はさっき使いましたけど。紙もあるし尻も洗える」

「んなことは尋いてないわよッ」

「実に快便でしたね。餅が効いている」

「尋いてないッって」

効いてるんだよナアと言いながら寺坂はベッドに横たわった。

「でも力士弁当が消化されてしまったからもう限界っす。全力で走ったし。餓死寸前っすよ。ねえ神崎さん。あら？　まだ泣いてるんですかぁ？」

神崎は暫く肩を抱いて震えていたがやがてすっくと立ち上がった。

「泣いてなどいるものか寺坂君。それよりここが浅野博士の部屋だと、君は何故判ったんだ。そう断定できる証拠でもあるのかい？」

「だって目方博士の部屋にしちゃ若いでしょうインテリアが。蔵書だって――」

『邪馬台国はタイの山だった』『衝撃・卑弥呼は犬だった』『ムー大陸長万部説序章《おしやまんべ》』『落ち武者ユダヤ人の霊言・滅亡の裏書き』『UFOは大阪人の陰謀だ』――。

結構読みたい。

神崎は少し憂いを含んだ眼差しで部屋を眺めた。多分、昨日までこの部屋を使っていただろう浅野卓郎の死を悼んでいるのだろう。流石は神崎様――有美子は思った。神崎は――深刻な声で言った。

「食べ物は――なかったのか？」

「ないっすよ」

「本当になかったのかな」

「あったら喰ってます。それに、あってもあげませんようだ」

神崎は再びしくしく泣いた。

どんどんどんどん。

「うひゃああ」

神崎が飛び上がった。

「お相撲さんの襲来だアッ。助けてえ」

「落ち着いて！　鍵は掛けたから」

「突き破っちゃうようあんなドア」

「突き破る――」

南極の小説――あれは確か、古代の力士型巨人が研究所の扉を打ち破って殺戮《さつりく》を繰り返すという――そういう――。

有美子は身構えた。

どんどこどん。すっとんとん。

リズムがなってない。

「わ・し。開けておくれよう」

そういえば南極がいた。神崎が怯える。

「あ、あれは声色だよう！　きっと、お相撲さんがモノマネしてるんだよう！」

「わしだよ。少し怖いよ。入れてよ」

「駄目だ椎塚君！」

「解ったわ神崎様」

有美子はドアの前に立つ。

「あんたが本当の南極なら——そうね。デビュー作の題名を言えるはずよ！」

一瞬の沈黙。

「え？　ええと『種馬《たねうま》の長い尿意《にょうい》』だ」

有美子は扉を開けた。べそをかいた簾禿げが立っていた。簾禿げは尋いた。

「デビュー作で判別できるんか？」

「あんたのデビュー作を正確に知っている人間は多分世界でもあたしくらいのものよ」

南極はそうかなあ有名だと思うがナア、と言いながら部屋に入り、寺坂と神崎に向けて君達も知っとるだろう、と尋いた。

「いや、僕は『肉牛のサンバ』だと思っていたけどなあ。神崎さんは？」

「ぼ、僕は『驢馬《ろば》君の呟き』だと——」

「こいつはただでさえくだらないネタを繰り返し使うのよ。同じ動物ネタで何作書いたか。馬が牛になったりするだけで十五作は書いてるでしょう。この能なしは」

「能ある鷹はネタを隠すだ。おう、文化住宅じゃねえ。わしの自宅より立派じゃ。便所もあれば風呂もある♪　ここで暮らせるのう。心配して損した損した。おごッ」

最後の部分は有美子が投げた置き時計が頭に当たったために漏らされた声である。

「能天気な歌を歌うなッ。食べ物がないのよ。水だけで何日保つと思ってるの！」

「もう保たないよう。飢えているよう」

「うるさい悪食。オノレは特別じゃッ」

「死ぬんだ。みんな死ぬんだア」

神崎が号泣した。

有美子は男どもから目を逸らして部屋を見渡す。確かに南極の言う通り、地下の部屋とは思えない。窓がないだけで、ほとんどただのマンションの一室である。

——また貼り紙だ。

『禁力士』

どういう意味だ？　相撲を禁じるという意味だろうか。巨額を投じてこんな馬鹿な施設を造り、その中で世界的な科学者とその弟子は三年の間、日日相撲三昧に明け暮れていたとでもいうのか？

——手懸かりでもないか。

脱出の手筈を記した書類なんかが残っているかもしれない。有美子は机の上を探す。何もない。コンピュータに電源を入れる。

寺坂の言う通り、リンゴのマークもなければアルファベットも見当たらない。

メニュー画面を呼び出す。

——力士型のアイコン。

余程相撲が好きだったのだろうか。色違いのマワシをつけたアイコンの中から適当に選択して開く。勘亭流の平仮名の羅列だった。文章になっていない。意味不明だ。

寺坂が言った。

「せめてアルファベットか数字だったらさあ、推理のしようもあるんだよナア。数式なら解けるし、C言語だったら——」

「あそれ、平仮名が解らないッとは、日本人も堕落したものじゃのう♫　どうれわしに見せてみぃ♫　こう見えてもわしは小説家だぞう」

南極は妙な調子で語りながら有美子からマウスを奪うと、いい加減にクリックした。

い＋い＝ろ／い＋ろ＝は／い＋は＝に／ろ＋は＝ほ／ほ－い＝に／これで解るか

「何これ？」

「なんか式っぽいのとか文章っぽいのとか出て来たじゃないか。これで解るか、とか書いておるぞ。解るか寺坂君？」

「え？　これは——ああ、『い』が1で、『ろ』が2で『は』が3かな？」

悪食だが頭の回転は速いようである。確かに寺坂の言う数字で式は解ける。

「数字を『いろは』に置き換えているわけなの？　それじゃあ『ぬ』が10？」

「それ、いいかもしんない。椎ちゃん。すると『いほへ』の横並びは156ってことかい？　それで——解けるかもな」

有美子は南極からマウスを奪い返して、寺坂に委ねた。

「ええと、おやあ。駄目だよこれ。『わ』とか『よ』とかあるじゃないか。つまり単純に数字を平仮名に置き換えているんじゃないんだよう」

「『わ』は13じゃないの？」

「いや、それじゃ計算できないよう。待てよ。コンピュータは10進法じゃなくって16進法だよな。なら『F』が『よ』になるんだな。え？　駄目だ」

「駄目？」

「駄目。『も』とか『け』とかある」

「♪もォは毛髪のもぉ、けェは毛並みのけえっと。椎ちゃん、わし、なんのことかよく解らんし、先に風呂入ってもいい？　埃《ほこり》と油と汗でベタベタ。シャンプーせんと頭皮によくないの」

南極は跳ねるように部屋を移動してユニットバスの扉を開けた。

「覗かないでね」

「覗くかいッ！」

扉一枚隔てて中年が脱衣している――そう想像しただけで有美子は鳥肌が立った。

少しの間でいい。できるだけあの非常識な親爺から離れていたかった。どうもこの非常識な展開に、あの親爺は妙に馴染んでいる。しかし、何秒もしないうちに、聞きたくもない、妙に浮かれた声が有美子を呼んだ。

「おうい椎ちゃあん。来てみなさい。こんなものがあるぞう」

「何よッ」

手懸かりかも——しれない。

「ほれ、脱衣所の壁にしりあがり寿《ことぶき》先生の四コマ漫画が貼ってある。いつ見てもいいのう、しりあがり先生は☜」

『おすもうくん』という漫画だった。

「これが何か？」

「面白いだろ？」

南極はワイシャツをはだけて笑った。

有美子はその頬を思いきりぶって脱衣所を出た。取り敢えず——漫画の方は凄く面白いと思ったのだが。

神崎はベッドの横に蹲《うずくま》っている。寺坂が振り向いた。

「椎ちゃん。あのさあ」

「何よッ。もう腹が減ったとか言わないでよ。あたしだっておなか空いてるんだから余計に空くわよッ」

そうじゃなくてさ、と寺坂はディスプレイから離れて不安げな顔をした。

「あの力士達だけどさ」

「怖いよう怖いよう。しくしく」

「泣かないでくださいよ神崎さん。その、あいつら、かなりでっかいよね？」

「そりゃ力士だものデカいわよ。あったり前じゃない。デカくない力士なんてカタいそうめんみたいなものじゃないよ。デカくて当然よ。それが何か？」

「いやだからさ、あれ、片岡よりもでかいよね？」

「でかいんじゃない。片岡は、あれ顔がデカいのよ。力士は全部デカいでしょう」

「それだよ」

「何よ」

「あいつらどうやってここに入ったんだ」

「え？」

「どうやって入ったかといってるのさ。あのトンネル僕だって詰まりそうだったんだよ。だからさ、奴等は侵入者じゃないんだよ！」

そうだ。寺坂でさえ苦しかったあの狭い隧道を、あの力士は——絶対に通れない。

「でも——侵入者じゃないんなら——」

幻か。それとも。

「例えば——この中で造られた、とかね」

「そんな怖いこと言うなよう。しくしく」

「泣かないでくださいよ神崎さん。目方博士はあれでも一応世界的な遺伝子工学の権威でしょう。例えば武蔵丸とか小錦の細胞をですね、こっそりと持ち込んで——細胞なら持ち込めるでしょう？　それをこう、培養して——力士を」

「クローン？　まさか」

「そうッすよねえ。そうだよなあ。あんな複製力士を大勢造っても意味ないし。せいぜい相撲部屋作るくらいしか使い道がないっすもんねえ。違うよナァ」

「いいや！　それだよ寺坂君——」

神崎が復活した。

「——目方博士はきっと角界で名を成したかったんだ！　そうに違いないよ。何たってお相撲は国技だからね。お相撲を制するものはこの国を制したも同じ！　そう考えたんだ。科学者の野望だな。なアにそうと解れば何が怖いものか。彼らは敵じゃあないじゃあないか。目方部屋所属の人造力士さん達なんだ！　なら味方だ」

「そうですかねぇ」

「だって、あれは君達の言う通り、外から入れる筈のないものだよ寺坂君。なら博士が造ったんだ。凄い技術だ。それに博士が造ったのなら味方だろう。それでさっきも出て来なかったんだよ。襲いかかって来る様子もなかっただろう？　だったら、殺人犯と戦ってくれるよ。心強いなあ五十人近くもいるし——」

「だって神崎さん。目方博士死んでたじゃないですか。浅野さんだってボッコボコにやられてたんですよ。あれ、内出血で膨れちゃったのかなあ。人相変わるほど殴られたんですよ。見たでしょ、あの屍体？」

「しくしくしくしく」

神崎は両手を顔に当てて泣いた。

「寺坂さあ、それにしたってクローンは考えにくいって。だいいちクローン製造の技術を研究するのにわざわざ地下古墳の中に研究所造るか？」

「そうだよねえ」

——古墳か。それなら。

「だったら答えはひとつしかないわよ」

「それは？」

「あの力士達は最初から、こ、この中に、い、居たんじゃないか？」

「そんな怖いこと言うなよう。しくしく」

神崎はおいおいと泣いた。

「最初から居たって、そんな椎ちゃん」

「だからさ。この研究所ってのは玄室に到る隧道の途中——落盤して埋没していた部分にあるわけでしょ？　そこの廊下ってのは、だから元の隧道よ。だからさっきの、あの力士部屋はさ」

「玄室だと？」

「玄室かどうかは知らないけど、何か大きな空洞が山頂の真下にあるって——ほら、あのオタクが譫言《うわごと》吐いてたじゃない」

「ああピラミッドだとかね」

「そうか！」

神崎が再び立ち上がった。

「助かるぞ！　僕らは死なないぞ！」

「何か思いつかれましたか神崎様！」

「ああ。この研究所の中、いや、山の地下には摩訶不思議なピラミッドパワーが漲《みなぎ》っているんだ！　そうだ。不死のパワーだ。だからあの力士達は何百年も死なず、博士達も半年間絶食して尚、ピンピンと——」

「死んでたんだって。神崎さん」

「しくしくしく」

そこで聞きたくもない南極の声がした。

「おい、おい、諸君、来てくれい。大変じゃ。ちょっと椎ちゃん来ておくれ！」

脱衣所の戸を開ける。ユニットバスの扉を開け放ち、浴槽の前に裸体の中年が茫然として立っていた。

「ああ——ほれほれ」

「何よ！　見たくないわよう」

「そうじゃなくて☜そこの壁にも漫画が」

「死ね変態ッ」

「おおっと、止せ椎ちゃん。わしが呼んだのは、しりあがり先生の作品を見せたかったからでもわしの魅惑的な裸体を見せたかったからでもないんだよう。あれを見てくれ。その浴槽の中じゃあ」

「何よ。何かいるの」

「いるよ。その――」

「おわひゃあああッ」

有美子は蝶のように舞った。

浴槽の中には――小さな力士がびっしりと生えていて、うねうねと動いていた。

9

すまひ茸のこと
うたり山中に稀《まれ》に生えたるすまひ茸は、形人に似て、味すこぶる良し。一口喰へば一日千里を駆け、二口食せば百人力を得ると云ふ。
その軸《ぢく》は肥えたるをのこの姿にて、笠《かさ》は大銀杏《おほいてふ》を結ひたるが如し。それを相撲人《すまひびと》に擬《なぞら》へてすまひ茸と云ふならんか。

「つうことは、だな。あの力士は」

「そうこの力士はその、力士ではなくて」

「そうだな。何と言うか、お相撲さんじゃないんだ。あの力士達は――」

「何を言うか。力士は相撲取りじゃろう。相撲取らなきゃ力士と呼ぶまいが」

「黙ってろ禿げ。これはキノコだ」

「キノコねえ。眼も鼻も口もあるし。キノコには見えないなあ。お相撲さんのフィギュアですよねえこれは。マワシまであるけど。これは軸の襞《ひだ》なんだろうなあ」

「これを研究してたのか彼らは？」

　そのようだった。

寺坂が洟《はな》をかもうとしてティッシュの下から発見した浅野のノートには、この珍妙な菌類に関する熱っぽい記述がふんだんに記されていた。

穴から生還した浅野は、元元超古代史に興味を持っていたこともあり、極秘裏に一帯の調査を開始した。もちろんそれが学術的な意味を持つ古墳だったなら、勝手に個人がいじくることはいけないことだ――と知っていたからこその極秘である。

そして――浅野はウチャリ山ピラミッド説を確信した。

更に浅野は山中の神社から『本草秘誌』を発見して、スマイ茸のことを知ったのである。スマイ茸はウチャリ山で稀に発見される珍しいキノコである――と『本草秘誌』には書かれていた。そして同時にそれは山中いずこかに隠されている鬼の岩屋なる場所に親株がある所為である――とも記されていた。浅野は驚いた。そして興味を深めた。

取り敢えず隧道を貫通させた浅野は、中央の玄室――岩屋に至った。そこで本当にスマイ茸の親株（株というのか？）を発見した。勿論、先程の力士達のことである。

そして浅野は狂喜乱舞した。

調査の結果この辺りの土壌は決して肥沃ではないことが解った。確かにろくなものが生えていない。しかしこの山頂辺りには植物が繁茂している。巨大なイノシシや野ウサギが捕獲されたことも数度あるという。スマイ茸との因果関係を考えないわけにはいかない。この山は異様な生命エネルギーに満ちているのだ。

この山に住む片岡一家が異常な発育を示しているのも偶然ではあるまい。彼ら一族は事業で成功してこの山を買い取る以前から、マタギとしてこの山に住んでいたのだという。

この地方に古くから伝わる力ドンブリは、現在でこそ炊いた白米の上に餅をのせて食するという珍奇な料理なのだが、その昔は稗《ひえ》の上にスマイ茸をのせたものであったらしい。少なくとも本草秘誌の書かれた時代にはそうであったらしく、図入りで記されている。スマイ茸が採集されにくい食材だったため、後世に食感の似た餅で代用したのではないかと思われる。『力』という名も生命エネルギーの象徴なのだ。

スマイ茸を喰うと、力が湧くのである。また万病に効くとも記されている。子供はぐんぐん育ち、老人は若返ると伝えられている。

この成分を研究すれば——。

——成分の問題ではないのか。ならば。

読めば読む程、有美子は混乱した。このスマイ茸というのは、信じられない特性を持ったキノコであるらしい。

まずキノコであるから光合成はしない。つまり生長するため太陽の光を必要としない。僅かな水と空気があれば良いらしい。途中で取って喰わない限り、どこまでもわらわらと育つ。そしてほぼ原寸の力士大で生長は止まり、以降はゆらゆらフラダンスでもするように揺れているらしい。

この、揺れているというところが問題なのだ——と浅野は主張する。風が吹いて揺れるのとはわけが違うのだそうだ。スマイ茸は自力で揺れる。例えば植物も僅かばかり動くが、それは動物が動くのとは違う。見た目で解る程運動するということは、相当なエネルギーを消費しているわけである。

そこに——浅野は着目した。

目方博士がその話に乗った。

これは菌類の、いや植物の、いや生命の常識を覆すような発見である。

浅野はそう記している。

ここがムー大陸だ。

とも書いている。調子に乗っている。

「喰えるんだぁ。あれ」

寺坂が遠い眼をした。

「おいこら」

「え？」

「喰う気じゃないでしょうね」

「え？　いやあ、えへへへッ」

「何故照れ隠しに笑うんだ寺坂ッ」

「背に腹は代えられんぞ椎ちゃん」

南極が渋い声を出した。

「な、何よ」

「いいかな。椎ちゃんの察した通り、あの片岡とかいう男は警察にも自衛隊にもサンダーバードにも連絡しちゃくれんかったようだ。つまりここからは自力で出るよりないんじゃな。しかして、それは難儀じゃろ」

「それは――そうだけど」

「だけども下血もないわい。わしらは揃いも揃って超頭悪い。何にもできやせん。馬鹿だからね。だからといって――」

チビ禿げは何故か凄んだ。

「――諦めるか椎ちゃん？」

「だからよ。美しい恋愛も幸せな結婚もせずに、こんなうすら禿げの足の臭う中年や、飯ばかり喰っている意地汚い同僚に囲まれて死ぬるが本望か？」

「そ、それはッ」

南極は悪魔のように――と言いたいところだが、悪魔とは程遠い気の抜けた間抜け面でえへらえへらと笑った。

「婆婆にはな、楽しいことがいっぱいあるぞう。男引っかけて誑《たぶら》かし、金貢がせて遊び狂う人生も良し、男引っかけて摑んで離さず結婚に持ち込み、慎しく小市民として堅実に生きる人生もまた良し。男引っかけて唆《そそのか》しちゃあ取っ換え引っ換え、まかり間違って玉の輿、贅沢三昧の人生もまた良し。男引っかけて世界を股にかけ、あくどい商売をしてその世界で名を馳せるもまた良し――」

「どーしても男は引っかけるわけ？」

「だまくらかすとかの方がいいか？」

「同じことよッ。まあいいわよ。いずれそれとこれとは関係ないわよッ」

「関係あるわい。大いに関係あるんじゃあ。いいか椎ちゃん。諦めずに何かするにも時間はかかるわい。脱出するまで生き延びるためにゃ何か喰わなきゃなるまいて。喰わなきゃ死ぬるよ。死ぬると男は引っ掛からんぞい。わはははー、これも椎ちゃんの言う通り、人間水だけでそう何日も保つわけはないんじゃあ」


「あ、諦めるって――」

「で、でもこのキノコは本当に――」

喰えるようだよと寺坂が言った。

「く、喰える？」

「栄養価は非常に高いと思われる。動物性のものより遥かに良質の蛋白質を摂取できるうえに、ミネラル、ビタミンＡＢＣＤＥ、果てはドコサヘキサエン酸にベータカロチン、プロポリスまで含んでいるバランス栄養食である――と書いてあるけど？」

「あ、あのね、栄養はあっても」

「毒はないそうだ」

「しかし味が――」

「この食材は極めて美味である。部位によって微妙に食感や味が異なる。場所によっては花咲ガニ、また場所によってはトリュフ、ある時は大トロ、またある時はウニはたまたフォアグラまたある時は松阪牛、而《しか》してその実体は――と書いてあるけど？」

「副作用とか――」

「度重なる人体実験の結果、副作用などの毒性は一切認められない――そうだけど」

「オオライ」

南極が厳かに部屋の扉を開けて、しずしずと手を差し伸べた。寺坂と神崎は無言で部屋を出た。有美子はその後ろ姿を茫然と眺めて――思った。

――せめてスパイスとかないわけ。

そして有美子は、ドアの横に貼ってあった☜しりあがり寿先生の四コマ漫画を見つめた。

——面白いじゃん。

おすもうくん
しりあがり寿
おすもうさんでいるうちに
一度はやりたいのは
土俵で塩以外のモノをまくこと
豆とかまいてみたいな!
バラバラ
ホントはお砂糖をまいたことがあるんだよ

10

有美子は堅く眼を瞑《つむ》り必死で己に言い聞かせていた。

——私は善意の人なんです。善意から目方博士救出のため、艱難辛苦《かんなんしんく》を乗り越えてこの窮地に赴いたんです。でも博士は亡くなっていました。そのうえ遭難して脱出できなくなってしまったんです。しかし常に前向きな神崎先輩に励まされ、どんな環境にも順応する南極先生に説得されて、諦めずに生きる努力をしています。そして今、勇気があって機転の利く寺坂君が、未知のキノコを試食しています。それも、希望を捨てないため。頑張って。寺坂さん！

眼を開ける。

丸顔の悪食がよだれを垂らしながら相撲取りの腹に齧り付いていた。

はぐはぐ。

「うげえっ」

「どうした椎塚君。気分が悪いのか」

「わ、悪くないんですか神崎様は？」

「ううん。よく解らない。ただ、怖くはないぞ。あの力士は齧っても無抵抗じゃないか。痛くないのかな？」

——この男。

ホントは馬鹿だ。

いいや、有美子だって薄薄気づいてはいたのだ。ただ、見ないように触れないように考えないようにしていたのだ。ずっと。それでもやっぱり。

馬鹿は馬鹿だった。

「うまいっす。腹ぁ空いてる所為《せい》か、もうほっぺが落ちるっすよ」

「どんな味だ寺坂君？」

「腹のあたりはそうだなあ。マシュマロ、いや肉厚のマツタケかなあ」

「なに！　マツタケとな。わしは生まれてこの方五十六年の間、一度も喰うたことがないんだが、そうか。よしッ。ご相伴に与《あずか》ろうか。尻の辺りがいいかな。あーん」

禿げが相撲取りの尻に嚙み付いている。

地獄絵図だ。有美子は眼を閉じた。

そして自分に言い聞かせる。

——私は巻き込まれたの。すっごく馬鹿な神崎という男の浅はかな計画に、人がいいばっかりについ引き込まれてしまって。博士なんか助けられるわけないのに。そしてこんな酷い目に遭ってるの。私は不幸な女の子。お調子者でおなかがすぐに空く寺坂君と、ちょっと不潔だけど憎めない南極先生が、今大きなキノコを食べています。

眼を開ける。

寸胴《ずんどう》の腹っぺらし野郎と間抜け面の禿げ親爺が相撲取りをバラバラに解体してもりもりと喰っている。

「うげえぇっ」

「どうしたんだ椎塚君！　そんな弱気なことでは、この熾烈な局面を乗り切ることは出来ないぞ。さあ勇気を奮って、僕達も食べようじゃないか！」

神崎様が——いや神崎が、いやいや馬鹿男が、爽やかに——いや、頭悪そうに言った。

——全部オノレの所為じゃろうがッ！

わしわしという熱気溢れる食事の音。

滴《したた》る唾液を啜《すす》りあげる音。

舌なめずり。

嚥下。

「うめえ、うめえぞ椎ちゃん」

「これを喰わない手はないのう」

「手はないっつうか——馬鹿ですよ馬鹿。極楽とはこのことっすな、センセ。舌が極楽、喉が極楽、腹が極楽、五臓六腑に染みる美味っす。はぐッ」

「寺坂君、中中ウマイこと言うね。こいつがウマイからかなッ♪」

「そうか。僕も食べよう。そのマワシのところを分けてください。あ、取っちゃ厭だな先生。そこの脇腹のとこでもいいや」

「がぶっと行けがぶっと。そうじゃ。天晴《あっぱ》れ神崎。ほれ椎ちゃん、こっちへ来い。ここに座れ。ほれ喰え。喰えって。わしの勧める力士が喰えないか」

「あ、あたしは——」

「大丈夫だよう。こんなに生えてる。ここだけで四十七本も生えてるし、水さえあれば幾らでも育つんだってさ。夢の食料だよう。うまッ、うまッ」

「あたしは——食べないッ」

「何、強がっても後一日じゃよ。うきき」

南極が醜悪に笑った。

11

「おう、見事な大股。神崎強し！」

「今度は褄《つま》取《ど》りだっ。業師《わざし》寺坂！」

「櫓投げだア。南極、老いて益々盛ん！」

結局——。

相撲取ってる。

一週間経った。

男どもはこんな状況にも拘らず快食快便快眠を繰り返して、結果異様に太った。

トラック一台分のチョコレートを喰っても出なかった神崎の腹は、今やビア樽である。三食他人の三倍喰って間食に夜食を欠かさず、それでも人並みの体型を維持していた寺坂は今やゴムまりのように丸い。元元人間というよりアシカやオットセイに近かった南極は今やトドである。完全に脂《あぶら》が乗って、禿げがツヤツヤに輝いている。

脱出しなければ死ぬ——そうした切羽詰まった恐怖感は失われた。

食い物もあれば殺人者も見当たらない。ユニットバスにシャワートイレ。衣食住は満ち足りていた。一同は、緊張感も焦燥感も同時に喪失した。そうなると人間は自堕落になる。脱出することへの集中力は自然消滅して、男どもは惚《ぼ》けた。

そして、それでも運動不足はいかんと思ったか、はたまた暇つぶしなのか、男どもは三日程前から相撲を取り始めたのだった。相撲ぐらいしか出来るものはなかったし、南極が発見した四十八手の説明書きもあったからだろう。有美子はといえば、流石に飢餓感に襲われて、意識が遠退き、やむなく——。

スマイ茸を喰った。

ただ、生で喰うのは厭だったから、頼んで切り取って貰った肉（肉としか思えなかったが）を料理して喰った。電磁調理器と僅かな調味料しかなかったが、それでも生よりはマシだった。幸い、浅野のノートには力士料理のレシピがびっしりと書き込まれていたのである。マワシの土瓶蒸し。力士腹ステーキ。力士の手羽焼き。力士の兜煮。それが——。

——おいしいんだ。悔しいけど。

悔しがることはない。別に元元キノコなのだし、罪悪感を持つこともない。美味いものは美味いで、喰うだけである。実に、実に美味かった。

ただ、有美子は男どものように遊興に時間を費やす気分にはなれなかった。常に脱出を念頭に置いて喰っていた。だからどすんバタンというお相撲の音がする度に、眉間にシワ、こめかみに血管、頸にスジが浮いた。苛つく。

そして有美子は変なコンピュータに慣れ始めていた。少しなら使える。壊れていない。現実逃避が集中力を高めた。後一歩で集中管理システムを操作できるようになるかもしれない。

システムエラーでもなければハードがクラッシュしたわけでもなかった。セキュリティも確《しっか》りしている。扉が閉じたのは間違いや事故ではなく、プログラム通りの結果なのだ。ならば望みはある。何かキーワードを打ち込む程度で、扉のロックは簡単に外れるような気もする。

有美子はキーを叩く。

南極がパチパチ手を叩く。

寺坂が床に叩きつけられたのだ。

「おおッ。神崎君偉い。それでいいんだ。それこそが上手投げだ！」

「やった！　これで四十八手は後一手で完了ですね？　全部マスター出来たんだ！」

「う・る・さ・い・ッ」

「おう、椎ちゃん、どうだ君も一番。汗をかくとすっとするぞ。発汗した後にシャワーを浴びて喰う力士は美味いぞ！」

「黙らんかこの肥満禿げ。イチジク浣腸みたいな顔で何をいうか。オノレらは外に出る気はないんかッ。ここで永久にキノコ喰って、相撲とってりゃ幸せか！」

神崎が汗を拭き拭きいった。

「はあはあはあ。そんなことはないよ椎塚君。ぜいぜいぜい。ただ健康のためには肉体を動かすべきだ。はあはあ。一日中そんなパソコンの前に座っていては眼が悪くなる。電磁波も身体には良くないぞ」

「黙れ大馬鹿男。ここに閉じ込められるまで様をつけて呼んでいたあたしも馬鹿だったわ。あんたは容貌だけの人だったのよ。それが何よ？　その醜い六段腹に五重顎。二の腕のぷよぷよした肉！」

「だから運動をしてるっす」

語尾の『っす』という部分が青春ドラマから既に相撲中継に変わっている。

「す――少し黙っていてよ」

今度は寺坂が湯気を立てて言った。

「ふうふう、そんなこと言ったって椎ちゃん、説得力ないっす。自分だって、もう石油コンビナートみたい体格っすよ。セーターの目が広がってまるでシースルーっす」

「え？」

そういえばスカートのファスナーも閉まらない。浅野のロッカーから替えの白衣を出して羽織り、誤魔化しているのである。

――ふ、太った？

有美子は鎖骨《さこつ》が魅力的とまで言われた女である。何でも鎖骨の辺りに『肺病《はいびょう》病み《や》の遊女の如き』色香があるのだそうだ。慌てて手をやる。ない。凹凸が何もない。

「ゲ」

肉だ。しかも特売のバラ肉の柔らかさである。指先がぬくぬくと埋没していく。

「♫かっがみがないからのう」

南極がスキップするように近寄って、有美子の前に立ちはだかった。

「何がゲだ。愚かなり椎ちゃん。量の問題じゃないのだ。あの力士は喰えば忽《たちま》ちその通り。そのうえ君は運動せんからな。もうどっから見ても立派な女相撲取りよ」

「お——女相撲？」

「そうそう。それでな、まあ君はうら若き女性じゃから、慌てるわなア。そこで喰うのを一旦止める。喰わなきゃまあ太りはしない。だが腹は空くぞう。ぐうぐうだ。ぺっこぺこだ。それに辛いぞう。苦しいぞう。何しろ、美味いもんと一緒に閉じ込められておるんじゃあ。それに完全な絶食しちゃ死ぬよ。だから少しだけ喰うだろ？　これが喰うとやめられん。とまらん。もう歯止めなし。こらあ覿面《てきめん》に太るわなあ。リバウンドちゅう奴だ。喰う前よりぶよっと。でぶっとな。どうじゃ、ダイエット斯《かく》も難しきものなりィ！」

「い、い威張るなつるつるでぶッ！」

「ははははは。何とでも言え。もう毛があるかないかでしか区別つくまい？　わしらはみんな同じ体型なんじゃあ。シルエットクイズでは見分けがつかん。さあ、神崎君。寺坂君。四十八手完全マスターまで後ひとつ。頑張るぞう」

南極はぶいぶいと腋を鳴らした。

神崎はあとひとつですね、燃えますねえと言ってシコを踏む。寺坂もよっしゃあ、胸借りますぜ神崎さん、と言って雲竜型の土俵入りを披露した。

見合って見合って。

「四十八まで後ひとつ！　はっけようい」

「待って」

神崎がこけた。

「今何と言った？」

「はっけようい、と言ったのじゃよ」

「そうじゃなくッって。ほら、四十八まで——後ひとつ？」

「そうだよ椎ちゃん。わしらはお相撲の技を四十七覚えたんだよな、寺坂ちゃん」

「後は頭捻《ずぶね》りだけでごわす」

「し——四十七ィ？」

「そうさ。四十七さ」

「いろはは何文字？」

「そりゃあ四十七文字だろうよ」

「解けたッ！」

「何か溶けたんか？」

「だからコンピュータの仕組みよ！」

有美子はキーを打つ。

「ぜいぜい、それはどういう、ぜいぜい、仕組みでごわすか？」

寺坂は口調が既に力士染みている。

「このコンピュータはね——寺坂。いい、よくお聞き。こいつは四十八進法で動くのよ。数字には、いろは四十七文字が使われているの。『い』から『す』までの四十七文字が1から47、それでその次は漸く桁が上がるのよ。0は『ん』なのよッ。『いん』で48。『いぬ』は58。『はむ』は（48×3）＋23で167。だから」

有美子はキーボードを打つ。

きっと脱出できる。

「すげえ無駄なプログラムでごわしょう。何の意味があるんでごわすか？」

「知らないわよンなこたァ。1桁が48なら4桁で48の4乗だから5,308,416でしょ。通常の16進法より5,242,880も多いじゃない」

「そんなの変でごわす」

「変でもそうなのよ。だからその四十八手の絵が置いてあったのよ。それは目方博士の残したヒントよ！」

ピ。ディスプレイに文字が映る。

——すべてがデブになる。

デブ。『デ』と『ブ』じゃないのか。

「これは濁点じゃなくて『テ』の『リ』乗と『フ』の『リ』乗なのか。だから、ああ計算できない。35の9乗と32の9乗だろう——ってことはすんごい桁の数字じゃないか」

「その数字がどうなるんでごわすか？」

「神崎どんまで何でごわす」

「どうも伝染《うつ》ってしまうでごわす」

「ごっつあんです」

「はっけようい」

「のこった」

「うううるさいッ！」

有美子は寄って来た二人を薙ぎ払った。

「おう、見事な技じゃ椎ちゃん一本！」

「だだだ黙れ禿げちゃびん！　違うのかなあ。待ってよ。まず『す』だから47でしょう。これは、『べ』よね。『べ』は、『へ』の——あ、これは『り』じゃないんだ。『い』乗かな。1乗？　無視していいんだ濁点は。なら6ね。その要領で行くと、すへてかてふになる——で47 6 35 14 35 32 4 21 11ね。それだと——全部足すと205。これを48進法に直すとええと、（48×4）＋13だから」

『に・わ』

「にわ？」

キーを打つ。ＮＩＷＡ。

青いランプが点灯した。

——**ニワニハニワニワトリガイル。**

「なんのこっちゃあ！」

――トビラガアキマス。ゴクロウサマ。

扉がゆっくりと動き出した。

「開いたでごわすッ！」

神崎が巨体を揺すって突進した。

「出られるでごわす。食い物でごわす」

追うように寺坂が猛進する。

「男五十六歳怒濤の突き押しじゃあ！」

南極が転がるように続いた。

どすんボキばき。

「うぎゃあ」

三人のにわか力士は跳ね返ってバウンドしそこら中に転げた。

「どうなってるでごわすかあッ」

「開き切っていなかったでごわしょう」

「それ脱出じゃあ」

ゴワンべしボヨン。

「不思議じゃあ出られんゾ！」

「なあにが不思議かッ。オノレら体型を考えろ！　そんなでぶなものがあんな――」

――あんな小さな出口から。

有美子は絶句した。

――出られないよ。

――あれの所為さ。

出られない。それで――目方博士も、浅野さんも――。

出たくたって出られなかったんだ。だから。

――餓死してみたいなあ。

餓死だけはしないんだ。食い物は死ぬ程あるのだから。しかし喰えば出られない。でも喰わずにいられない。

――これって凄い状況じゃないか？

男どもはタックルを続けている。ずうんずうんと地響きが聞こえる。

――これが――地響きの正体か。

浅野はこいつらと同じように扉への激突を続けて、そして力尽きたのだろう。そんなことは無駄だ。この扉の先には延々とトンネルが続いているのだ。壁を破れば終わりというわけではない。開口部のある密室――。

「どすこいっ」

「どすこいッ」

「どすこうい」

ああ見苦しい。あれがあの神崎様なの。

簾禿げや悪食はどうでもいいが。

男達の醜い姿など見たくもない。どうせ奴らは、太るか死ぬかの二者択一だ。

凄い選択だ。

「これって、これだけの話？」

そ——そうなのだった。

と——。

ここで唐突に終わってしまっても一向に構わないのだが、いくつか愚か者の行く末を暗示させる事項を記しておこう。

例えば。

目方博士は死亡していたのではなく、薬物による仮死状態——強制ダイエット中だったらしい。やはり肥満してしまった博士は、ただ闇雲に壁を破壊しようとは考えなかったようだ。壁を壊しても、その先は土中なのである。博士は、なんとか隧道に躰を捩《ねじ》り込ませようと——しては失敗し、満身創痍だったのだそうである。

結局博士は地上の片岡に連絡を取るべく、一週間おきに生死を繰り返すという過酷な努力を半年続けて、何とかモニタールームに入れるまでは痩せたのだそうだ。

入ったはいいが、そこで薬が効いてしまったのだそうである。

また、浅野博士の死に就いても記しておこう。

浅野は、実は転落死したのである。浅野が最初に死んでいた場所（つまり三人が体当たりを続けていた正にそこ）で、もし真上を見上げたなら——天井にデブでも容易に通り抜けできる直径を有したダクトが確認できただろう。

それこそが片岡のいう差し入れ口なのである。ダクトは垂直に上方に延び、梯子を伝って山腹のハッチに続いている。ここを登れば脱出は可能だったのである。ただ天井は高く足場は全くない。元元椅子とテーブルを利用していたらしいが、急激に太ったためにそれらが悉く壊れてしまったのだそうだ。差し入れ口が使用不能になったのはそのためである。苦心の末に天井に取りついた浅野は自重に堪え兼ね、辞世を詠《よ》んで力尽き、落下したのだ。和歌など詠むから落ちたともいえる。

変な設計をした神崎の兄も悪いが。

それから片岡の動向に就いても記しておく必要があろう。

片岡は『第十三回アニカラ《アニメ主題歌のカラオケ》を一週間唄い続ける集い』の幹事であり、自宅に同好の士を集めて一週間の間ずっと熱唱していた。モニターに映像が映らなかったのはその所為である。一週間経ちモニタールームで息を吹き返した目方と、一週間ぶりにモニターをつけた片岡が、ブラウン管越しに出会ったことは——いうまでもない。

「それから片岡は——」

「いいのよッ。ミステリじゃないからそんな説明しなくても」

「そう？　まあいいか。神崎君も寺坂君も角界入りを決心したことだしのう」

「ごっつあんです」

「い――」

「い？　胃拡張かな？」

「――いい加減にしろこの産業廃棄物禿げがッ！　いったい誰の所為でこんな馬鹿な騒ぎが起きたと思うとんじゃあッ！　他の章の二倍以上も頁かかっとんねんど！」

「わあ、怒らないで貰いたい――」

謝るから。

土俵《リング》・でぶせん
京塚昌彦

京塚昌彦（きょうづかまさひこ）一九五〇年福島県生まれ。ホラー作家。デビュー作『血達磨小僧がみぞおちを撫でる』で一世を風靡。作品に『耳からヤモリ』『ゾンビのディープキス』など。実は京極夏場所『脂鬼』の作中人物である。

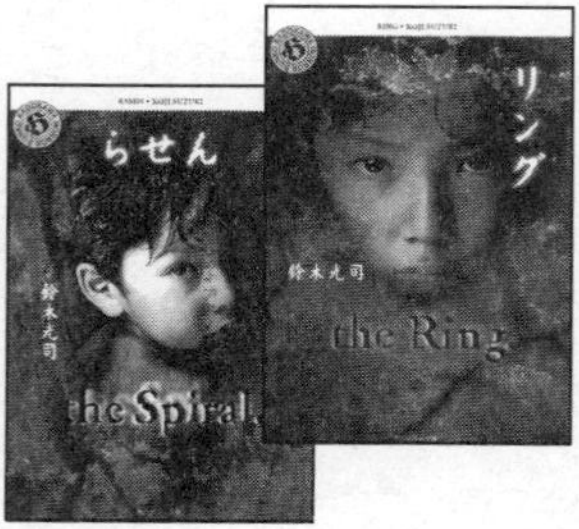

リング／らせん
鈴木光司
一九九一年／角川書店刊
一九九三年／角川ホラー文庫
一九九五年／角川書店刊
一九九七年／角川ホラー文庫

日本中に貞子ブームを巻き起こした、言わずと知れた三部作の第一作と第二作。オリジナル続編映画まで作られた。『らせん』は第十七回吉川英治文学新人賞を受賞。

THE RING・THE DEBUSEN・MASAHIKO KYOZUKA
土俵《リング》・でぶせん
京塚昌彦
the Ring.
the Debusen.
集英社文庫

――鈴木光司先生の傑作とは関係ありません。関係ありませんが、一応謝っておきます。

――ごめんなさい。

1

地響きがする——と思って戴きたい。

——と、いう書き出しで始まるくだらない小説を読んで、肚《はら》を立てた者はひとりやふたりではあるまい。

しかし。

こういう書き出しにしてしまうと、この小説もまた地響きがすると思って戴きたい——で始まる小説になってしまうではないかと、書いてしまってから気がついてももう遅い。遅いのだが、これから書かれるであろうくだらない小説は、地響きがすると思って戴きたい、という書き出しで始まるくだらない小説を読んだ者の物語であり、その書き出しが地響きがすると
ああややこしい。もういい。兎も角——。

❖　❖

五十年以上前のことである。

そういう書き出しで始まる一篇の小説が、帝都を恐怖のどん底に陥れたのである。

人々は怯え、震えた。

読むと死ぬ——その小説は呪われていた——。

❖

地響きがする——と思って戴きたい。

——と、いう書き出しで始まるくだらない小説を読んで、肚を立てた者はひとりやふたりではあるまい。

右の数行は写植屋や製版所の間違いではない。もう一度同じことを書いたのである。手を抜いている訳ではない、何故ならこれはまた別の話であり、その辺りの説明は煩雑で、簡単には要約出来ない類《たぐい》のものである。しかし説明しないというのも不親切な話だから、取り敢えずその、何といおうか、地響きがするという

ああもう。なんてややこしいのだろう。

❖

五十年後の現在。そういう書き出しで始まる小説を巡って、若いカメラマンと太った編集者が、どこにでもあるファストフード店の一画で密談している。そのすぐ横には、痩せた、ストレートヘアの女性が脚を組んで座って、聞き耳を立てている。そしてそのまた横には、スーツ姿の大きな男が腰掛けて、こっそり様子を窺っている——。

何だかやりにくいから、やっぱり五十年前から始める。

❖　❖

2

「呪われた小説——ですか——」

色部《いろべ》叉五郎《またごろう》は大いに扇子《せんす》を使い、額《ひたい》にできるだけの風を送りつつ、夏場にはいい話ですがねぇ——と、無責任な台詞を吐き、それから麦茶をごくごくと飲み干し、ついでに氷を頬張り奥歯でガリガリと嚙み潰して、すっかり飲んでしまってから、

「——怪談てェのはどうですかな。先生の作風には合わないと思いますがね」

と結んだ。

吉良《きら》公明《こうめい》はその色部の様子を最初から最後まで冷ややかに見つめて、ただひと言、

「馬鹿かお前は」

と言った。

「馬鹿たぁ何ですよ。馬鹿たぁ。こう見えてもあたしゃ天下の駿栄社《すんえいしゃ》の看板雑誌『小説芝生《しばふ》』の敏腕編集部員ですぜ。それ捕まえて馬鹿はないでしょう馬鹿は」

「馬鹿を馬鹿と呼ばんで誰を馬鹿と呼ぶんじゃ。お前が馬鹿でないのなら世の中には利口しか居らんことになるぞ。お前なんかはな、道を歩いとって馬鹿と聞こえたら、ハイと返事をするべき馬鹿の見本だ」

「そんなぁ」

色部はむちむちの頬を無理矢理に窄《すぼ》めて拗《す》ねるように口を尖《とが》らせた。そしてまるで叱られた幼児の如くに、空になった麦茶のコップを弄《もてあそ》び始めた。吉良は呆れたようにその仕草を眺《なが》めて、もう一度言った。

「おい馬鹿」

「はい」

「素直でいいわい。兎に角オノレは知らんのか？　今巷《ちまた》で評判の呪われた小説」

「巷？　評判なんですかい？　だから知りませんよ。あたしゃ馬鹿ですからね」

「拗ねるなよ」

「だって」

「だってェ、じゃないだろうが三十五にもなって。オノレはだから嫁の来手がないちゅうとんのじゃ。儂《わし》なんか三十五の時分にゃあ、群がる女どもを千切《ちぎ》っては投げ千切っては投げ――おい、どうした？」

色部は悄然として立ち、帰ります――と言った。ノブに手をかける。

「お前、帰ってどうするか。今日こそは原稿取って帰らんと編集長に折檻《せっかん》されるとか言うておったじゃないか。いいのか折檻。好きか折檻」

色部は振り向き、真顔になって、

「程度によります」

と、きっぱりと言った。

吉良は元元皺《しわ》の多い顔を更にくちゃくちゃにした。

「そ――そう言われちまうと突っ込みようがないがなあ。程度によっちゃあ好きか、折檻」

「だから程度によるんです。うちの編集長は部下にはそれは無体な折檻を――この間も同僚がひとり股関節脱臼《こかんせつだっきゅう》に」

「な、何をしよるんだお前の上司は」

「昨日、経理の女子事務員がやって来ましてね。こう尋ねるんですよ。この、編集長が購入した三角木馬ってェのは経費扱いなんでしょうか――って」

「三角木馬ァ？　その趣味か編集長」

「まあ、それはいいんです。木馬は」

「いいって、三角木馬――ってのは守備範囲のうちなんか？　お前？」

「はい。でも、それでもって伝票見せて貰ったら、石屋の領収書がまたぞろあって」

「石屋？」

石抱きは勘弁ですな――色部はそう言って自分の股《もも》の辺りを摩《さす》った。

「まったく困った上役だな。上杉《うえすぎ》とかいうたかな？　今の編集長は。ほれ、前の編集長の浅野《あさの》はフケ専のナニで、儂もよく尻を摩られたものだがなぁ。お前ンとこの編集長はそんなんばっかりじゃ」

「はあ。それが原因で『小芝《しょうしば》』ァ飛ばされたんですよ浅野は。選《よ》りに選《よ》って――あの文壇一の煩型《うるさがた》の、徳川泰成《とくがわやすなり》先生に言い寄ったんですからな。即刻打ち首です」

色部は平手で自《おの》が頸《くび》を水平に切る真似をする。吉良は苦笑いする。

「そりゃあ当然だ。徳川泰成に睨《にら》まれちゃこの業界ではやって行けんだろう。それに徳川君は女色《にょしょく》の海に溺《おぼ》れておるからな。あの男は男女の機微《きび》――ッつうよりも、濡れ場色事こそが文学の真髄《しんずい》だと思うとる。天性の助平だな。その女好きに男が――しかも中年が言い寄ったりしたら、こりゃ大事だわい。絶対に許すまいて。しっかし浅野も、あんな弛《たる》んだ爺ィのどこがいいかな？　儂の方が数段そそ〳〵ると思うがな」

「そ、そそる？」

色部は手の甲を反らせてしなを作り、

「き、吉良先生、その、こっちの方は？」

と、怯《おそ》る怯る尋《き》いた。

吉良は皺と皺の間をほんのりと赤らめ、

「程度に――よるな」

と言った。

色部は何だか脱力した様子で、皺だらけの老人を見つめた。老人は何故か羞らうように二度三度咳払いして、文学の奥は深いのう――と言った。

「何の――話でしたっけ先生」

「だから原稿はいらんのかと言うておる」

「あ――」

あるんですかい——と、言うや否や、色部は戸口で回れ右をし、すたすたと音を立てて吉良の机の前まで戻って来た。

吉良が原稿を出す。

色部は無言で手を出す。

吉良はその手をぴしゃりと叩く。

「痛い」

「痛く叩いたんじゃ。なんじゃいその態度は。儂を誰だと思っておる」

「吉良先生だと思ってますがね」

「吉良公明と言えば？」

「痩せた爺さん？」

「違うわ。容姿じゃないわい」

「はあ。ええと、小説家でしょうな」

「違うわ。大作家だ。偉大な人物じゃ。で、オノレは何だ？」

「へ、編集者で」

「それも違うわい。馬鹿編集者だ。いや、オノレを編集者と呼んでは他の編集者が可哀想じゃな。オノレはただの馬鹿だ。その馬鹿が、何だ。それが文壇の生き仏と誉れも高い、この吉良公明様の有り難い玉稿を押し戴く態度か。もう嫌だ。お前にはやらん」

「本当はできてないんでしょ」

「で、できておるわい。儂を嘗《な》めておるのかオノレは。儂はな、執筆生活五十二年の間で落としたことはただの一度もないわッ」

「連載第二回。第八回。第十回。この一年で三回も落ちたのはハテ誰の原稿でしたかなぁ。作者休養、作者急用、作者急病と来て、もし次に落ちたら、弁解は作者急死以外にないですわなあ——あれは——確か、題名は、ええと『臆病侍《おくびようざむらい》　卑怯剣《ひきようけん》』でしたかなあ。あッ！　そこの原稿用紙に同じ題名が」

「ふん。何があッじゃ。白白しい男じゃなお前は。もう領解《わか》ったわい。だから今回はちゃあんとできておると言っておるだろうが。見えておるんだろうが題名まで。そうれ、これが第十二回『極道坊主《ごくどうぼうず》の嘘涙《そらなみだ》の巻』じゃ。欲しいか？」

「それは、まあ」

「何がまあじゃ。真剣さに欠ける返答じゃなあ。お前、編集部内では崖っぷちで、もう後がないのじゃあなかったのか？　この原稿がなくっちゃ石抱きの刑なんだろ？　あれは痛いそうだなあ。洗濯板みたいな石の上に座るんだろ？」

「痛いですよぅ。筋がつきますからね」

「何だい。もう体験済みかい。兎に角こうなった以上は儂の頼みをきいてくれなくッちゃこの原稿は渡せせんな」

「頼みたァ何です」

「だから。何度も言っておるじゃないか。呪われた小説じゃよ」

「呪われた小説——ですか——」

色部又五郎は大いに扇子を使い、額にできるだけの風を送りつつ、夏場にはいい話ですがねぇ——と、無責任な台詞を吐き、それから麦茶をごくごくと飲み干し、ついでに氷を頬張り奥歯でガリガリと嚙み潰して、すっかり飲んでしまってから、

「——怪談てェのはどうですかな。先生の作風には合わないと思いますがね」

と結んだ。

「おい待て馬鹿」

「馬鹿たぁ何ですよ。馬鹿たぁ。こう見えてもあたしゃ天下の駿栄社の——」

それはもう解ったわアッ——と、吉良は怒鳴った。

「丸切り最初と同じじゃアないかッ大体オノレはもう麦茶飲み干して氷まで食ってしまったのだろうが。何でもう一度同じことが出来るんだッ」

「あッ」

「あッ、じゃない。それは儂の麦茶だこの馬鹿者が。粗忽《そこつ》も程程にしないと法律に抵触するぞこの間抜け」

色部はコップをじっとりと覗き込み、先生病気はお持ちじゃないですよね——と尋いた。

「儂は口をつけておらんわ。ストリキニーネでも入れておくんだったな。いいかよく聞け。今、巷を騒がせているあの呪いの小説の作者をば探し出してくれと、儂は再三再四、幾度も何度も、重ね重ね、繰り返し反復して頼んでおるんじゃないか。何で伝わらないんじゃ？」

「だって」

「だってェじゃないだろうが三十五にもなって、オノレはだから出世のしゅの字もないちゅうとんのじゃ。儂なんか三十五の時分にゃあ、破竹の勢いで賞は獲る本は売れる、書いても書いても湧水の如くに名文が溢れて——おい、どうした？」

色部は悄然として立ち、帰ります——と言った。ノブに手をかける。

「だから帰ってどうする。いらんのかこの『極道坊主の嘘涙』は。石抱きの刑に処されてもいいのか？」

「まあ——正直に言えば、それ程嫌いでもない——ですから」

「好きなんかい！」

色部は振り向き、真顔になって、

「程度によります」

と、きっぱりと言った。

吉良は漸く《ようや》立ち上がり、机を廻って色部の前まで出て、色部が持っていた扇子を奪い、ぺたりとその頬を打った。

「せんせえ」

「泣くなこの馬鹿男。何なんだいったい。同じこと何度も繰り返すなよ。手を抜いてると思われるじゃないかッ」

「だ——誰にです？」

「そりゃ――み、皆さんにだ。まったく、さっぱり本題に入れないじゃないか。儂の話を聞けよ」

「でも――呪いとかは厭ですよう」

「何でだ」

「怖いから」

「石抱きよりもか？」

「石抱きの方は程度に――」

ぱしりッ。吉良は再び扇子で色部の頰を打った。色部は僅か嬉しそうにした。

「この――程度なら」

し、死ねいッ――と怒号を上げて、吉良は椅子を振り上げた。

「わあそれは程度が」

「椅子でぶっても足りんわいこの大馬鹿者がッ。なぁにが『小芝』の敏腕編集者だ。お前のような馬鹿はここで死ね。死んでその馬鹿を世間に詫びろッ」

ひいい、と声を上げて色部は悶えた。

「聞きます。聞きますから、それでぶつのは――一度だけにしてくださいましィ」

がんがん。

吉良は二度ぶった。

それから荒い息で席に戻った。

卓上の手鈴を力任せに鳴らす。

奥の方から若い女が顔を出した。

「あのなお敬《けい》。新しいコップに冷えた麦茶を一杯だけくれ。いいか、一杯だけだぞ。間違っても客用は要らないからな。それから、ここに出ているコップをさげろ。あ、直接触るんじゃない。それからそのコップは洗わなくッていいぞ。馬鹿が感染《うつ》るからな。二つとも粉粉に砕いて捨てろ。なるべく遠くに捨てろよ」

「かしこまりました」

お手伝いは手巾《ハンカチ》で鼻と口を押さえ、色部の飲み干したコップを汚らしそうに指先で抓《つま》んで退出した。

「酷いなあ先生。それで馬鹿が感染るなら先生にゃとっくに感染ってますよう」

「黙れ」

まるで徹《こた》えていない。

色部は転がった椅子を立て直して、もう一度座った。

「ところで何の話でしたっけ先生」

「あのなあ」

まあまあ——色部はにやける。

「冗談ですよ冗談。でもですね、あたしゃその、巷の噂がどうしたとかいうのはホントに知らないんですわ」

「だって凄い噂だぞ。関西方面では挨拶代わりに、あんさん呪いの小説読まはりましたか、と尋くそうだ。応答《こた》えは相変わらず、ぼちぼちでんな、と言うそうだがな」

「嘘でしょう」

「嘘だ。おお、お敬。ここに置け。そっちじゃない儂の所だ。そんな馬鹿に関わるなって。お前を通じて可愛い孫に馬鹿が二次感染するわ。置いたらさっさと行け——ところで色部、本当に知らんのか？」

知らんです——と色部は胸を張った。

「あたしゃここ何日か、遅筆な某作家を熱海の旅館に缶詰めにして、そこにへばり付きでござんしてね。やれ芸者あげないと創作意欲が出ない、刺し身喰わせなきゃ馬力が出ない、挙げ句酒は執筆の燃料なりなどとほざきましてね、連日連夜のどんちゃん騒ぎ、そこまでやって結果原稿落とされて、手ぶらで昨夜戻ったもんでね。朝まで三角木馬に石抱きの刑ですわ。その後真っ直ぐここに来たんです」

「なる程。それじゃあこれは——さぞや欲しかろうなあ」

吉良は原稿の束を攫《つか》んで振った。

「ほ——欲しいです。今朝盗み見た石屋の伝票に依れば、編集長は石五枚で足りなくて、もう五枚追加注文してましたからな。これで再び手ぶらで戻ったりしたら、膝の上の石は十枚ですよ。再起不能です」

「なら——その方がいいかのう」

吉良はそう言って原稿用紙を引き出しに仕舞った。

「な、何故仕舞うんで」

「だからさ。儂の頼みをきくかどうか、と尋いておるんじゃ。その約束が先だ」

「無体な人ですなあ。まあ聞くだけは聞きますから、原稿は卓上に出しておいてくださいよ。せめて目に見えてりゃ安心だ」

そうだなあ――と言って、吉良は引き出しを開け、一旦仕舞った原稿を出しかけたが、途中で止めた。

「おい色部」

「ハイ先生」

「何だその妙な手つきは」

「さあ、何でしょうねえ」

色部は中腰で構えている。

「盗る気じゃないのか」

「まあ、原稿取るのが商売で」

「その手に乗るか。矢ッ張り仕舞う」

「そんなあ。領解《わか》りました、仰せの通りに」

「最初ッからそう素直に言えばいいんじゃ。所詮は馬鹿なんだからな。でな、その呪われた小説だが」

「呪われた小説――ですか――」

色部叉五郎は大いに扇子を使い、額にできるだけの風を送りつつ、夏場にはいい話ですがねぇ――と、無責任な台詞を吐き、それから麦茶をごくごくと飲み干し、ついでに氷を頬張り奥歯でガリガリと嚙み潰して、すっかり飲んでしまってから、

「――怪談てェのはどうですかな。先生の作風には合わないと思いますがね」

と結んだ。

「おい」

「何です？」

「お前、だからどうして儂の麦茶飲むんだよ！」

「あッ」

「あッじゃないッ」

吉良はすっくと立ち上がり、色部の胸倉を摑んだ。

「あのなあ色部。儂はこう見えても本所の姿三四郎とまで言われた男だぞ」

「あ、あっしに触ると、ば、馬鹿が感染りますよう」

へんッ――と鼻から息を漏らして吉良は色部をつき飛ばした。

「儂の話を聞くのか聞かんのか、どっちなんだッ」

聞きます聞きますと泣き声で言って色部は漸く観念した。

「吉良大先生様。その、呪われた小説ってなあ何なので？」

「その呪われた小説ってぇのはな、世にも恐ろしい小説なんだそうじゃ。いや、内容が恐ろしいのじゃあない。これが、読むと不幸になる——と言うんだな」

「不幸！　不幸というと——例えば縁談が破談になるとか、そういう不幸で？」

「そうじゃな。そういう不幸かな」

「じゃあ財布を落とすとか」

「それもあるかもな」

「腹を毀《こわ》すとか」

「まあある」

「仕事でしくじるとか」

「あるある。きっとある」

「それで拷問に石抱きさせられるとか」

「——それはお前」

色部はおいおいと泣いた。

「読んでないのに不幸ですう」

「泣くなよみっともない。お前のは身から出た錆《さび》じゃないか。あのな、その小説の不幸てぇのはもっと凄い不幸なんだよ。いいかよく聞け。並大抵の不幸じゃないんだ。死ぬんだぞ」

「死ぬ？」

「読むと死ぬ。凄いだろ」

「はあ——しかしその噂が真実だったら大変なことになりますなあ。何万人何十万人何百万人と死者が出てしまいますな」

「馬鹿かお前は」

「馬鹿なんでしょ。先生さっきから、馬鹿馬鹿馬鹿馬鹿言ってるじゃないですか。何を今更」

「開き直るなよ。お前のとこの『小芝』は一体何部刷っておるんだ？」

「社外秘ですな」

「公称部数でいいんだよ」

「それも秘密だ」

「公称が秘密ってのはどうなってんだよ。兎も角、そんな何十万部も何百万部も刷ってるんかいお前のとこの雑誌は。そんな訳はないじゃろ。原稿料考えれば判ることじゃ」

「またぁ。先生の稿料は特別ですよぅ」

「特別安いのか」

「お——お答え出来ませんな」

「ふん。狼狽しおって。作家同士で情報交換が出来てないとでも思っておるのかこの間抜け。お前は誰にでもあんたは特別あんたは特別と言っておるじゃないか。他の作家連中は先生の半分ですからご勘弁——とか語りくさって、蓋ァ開ければ皆同じじゃないか。全部安いわい」

「うちは売れてないと仰《おっしゃ》りたいのでしょ。どうせ他は売れてますようだ。ふん。安い安いと仰いますがね、編集者の給金はもっと安いんだ。だから嫁も来ないんだようだ」

「子供かお前は。そうやってほっぺた膨らませて口笛吹きながら小石を蹴るような身振りをするなよ。いじましいなあ。あのな、お前のところに限らず、残念ながら今の日本でそんなに売れとる小説誌はない」

「みんな単行本を買いますからねえ」

「文芸雑誌の良さが解らんのだなぁ。まあ文芸雑誌の役割や機能をまるで承知してないオノレのような馬鹿が編集している所為《せい》もあるぞ。ただな、お前ンとこみたいな中間小説ならまだいいがな。純文学は少ないぞ。部数」

「はあ。そりゃ知ってますが。それで？」

「それで——じゃない。だから何百万人も読む訳がないと言うておる。回し読みしたってそんな数には及ばんな」

「じゃあ数千人」

「まだまだ」

「数百人」

「どうしてどうして」

「数——十人ですかい？」

吉良は頷《うなず》く。

「それじゃあ先生、ええとその——そう、世間は噂で持ち切りってぇのは大袈裟《おおげさ》だ。そんなの嘘八百じゃないですか。八百だとして、先生の嘘の方が数が多い」

「儂は嘘など言わんわい。誰も読んだことがないからこそ噂になるンじゃないか。いいか馬鹿色部」

「嫌な呼び方だなあ。何です?」

「世間ではな、その呪いの小説を読んだ者が次次と奇禍に遭うのでな、次は誰かと、戦戦兢兢《せんせんきょうきょう》じゃ。知らず識《し》らずのうちに読んでしまうのじゃないかと、小説の載った雑誌を読むのを全部止めちまった者もいるンだそうだ。こりゃ由由しき問題だろう」

「ううん」

「儂は小説雑誌の、いや、延《ひ》いては文芸全般の将来を憂慮して言うておるのだ。このままでは文芸出版業界の前途は暗澹たるものになってしまうぞ。お前のとこだって危ない。儂はな、文芸の隆盛のためならこの老い先短い命の全てを捧げてもいいと、こう思うておるのだ」

「嘘でしょう」

「嘘だ」

吉良は臆面もなく言い切ると鈴を鳴らしてお手伝いを再度呼びつけ、もう一度麦茶を所望した。

「まだ飲むんですかい」

「まだって、儂は一滴たりとも飲んでおらんじゃないか麦茶。ある麦茶ある麦茶、オノレが全部ぐびぐび飲み干してしまったことを忘れたのか。この馬鹿の見本市が」

「そういえば腹が」

「腹がどうした」

「若干緩いような」

「立て続けに三杯も麦茶を飲むからじゃ。腹毀《こわ》して死んでしまえよ。死ね」

「そんなあ」

「そんなあじゃないわ」

「で、何の話でしたか」

「日本の文芸出版業界の行く末を憂えておるちゅう話じゃ。頭の中に馬糞でも詰まっておるのかオノレは」

「さて。それで何で出版業界を憂えますかい」

「だから呪いの小説じゃ馬鹿者。呪いのお蔭で雑誌が売れなくなったらどうするよ。まあ、これが契機《きっかけ》で日本の出版業界が壊滅するとまでは、儂も思うておらんがな。何しろ、それが載っておるのは商業出版物じゃあないのだ。同人誌じゃ。発行部数は僅かに五十部。いいか、五十部だ」

「なんだ」

「なんだとは何だ。なんだよ、お前こそ急に態度がでかくなったたな」

「へへへ。五十部か、勝ったなと」

「そんなものに勝って喜ぶンじゃないよ馬鹿。相手は同人誌だぞ。お前のとこは天下の駿栄社じゃなかったのか？」

「勝ちは勝ちでさァ」

「駿栄社も落ちたもんだなあ。大体なぁ、話題性においちゃ遥かに負けておるんだぞ。お前のとこの『小芝』は何万部だか知らないがな、知らん奴は知らんぞ。しかし相手はたった五十部だてぇのに皆知っておる。うちに出入りしておる三河屋の小僧も、裏の乾物屋の婆ァも呪いの小説のこたァ知っておったわ。でも小僧も婆ァも知らんゾ『小芝』を。負けてるじゃないか。おい、どうした馬鹿色部」

「せんせえ」

「泣くなこの馬鹿男。何なんだいったい。同じこと何度も繰り返すなと、何度言ったら解るんだ。手を抜いてると思われるじゃないかッ。おお、お敬。ここに置け。そっちじゃないって。まったくもの憶えの悪い娘だな。儂の所だ。ほら直接手渡ししろ。ナニ？　なに言っておる。何で儂から馬鹿が感染るんだッ。馬鹿はその男だッ」

「ああ、馬鹿はあっしだそうですから」

色部はにやけて言った。

「弁《わきま》えて来たじゃないか。まあお前のとこの雑誌の勝ち負けなんてのはどうでもいいんだ。要は呪いの小説で――おい、何をする！　おい、返せ麦茶！」

「呪われた小説——ですか——」

色部又五郎は大いに扇子を使い、額にできるだけの風を送りつつ、夏場にはいい話ですがねぇ——と、無責任な台詞を吐き、それから麦茶をごくごくと飲み干し、ついでに氷を頬張り奥歯でガリガリと噛み潰して、すっかり飲んでしまってから、

「——怪談てェのはどうですかな。先生の作風には合わないと思いますがねげーぷ」

と結んだ。

「あのなあ色部。大体三回止まりだぞ。この手の冗談は」

「そうでしょうなあ。もう腹がこんな。ほら、ちゃぷちゃぷ音がする」

「聞きたくないわそんな音は。もォういいわい。飲みたくないわい麦茶なんて。儂が頼まなきゃオノレも繰り返しは出来まいて、ざまあみろ」

「で、何の——話でしたっけ先生」

「その手も喰わんぞ。泣きも無駄だ。儂は勝手に話し続けるぞ」

吉良は憎憎しくそう言った。しかし色部は少しだけ嬉しそうにした。無視されるのもまたいいんだ、えへへへへ——という、編集者の呟きは吉良には届かなかった。

「問題の同人誌はな、誌名を『太肉《ふとりじし》』という。小説や詩歌の類が中心で、挿絵も豊富だが印刷は悪い。所謂《いわゆる》私家版で市販はされておらん。春秋年二回発行で、今出回っておるものが丁度第四号じゃな。だから一昨年の秋に創刊したんだな」

「太り獅子ィ？　変わった誌名ですねえ。ライオン同好会の会誌とか」

「ライオンじゃない肉だ、肉。これはな、太った人好きの同人誌——なんだろうな」

「太った人ぉ？」

「左様。世の中斯様《かよう》に趣味嗜好の幅は広く奥は深いちゅうことじゃ。オノレもよっく肝に銘じておくがいい。それでな、問題の小説は『悉《ことごと》く肥《こ》え太る』という題がついた連作短編の第四回だ」

「悉く肥え太る？　そりゃあみんなデブになるという意味で？」

「みんなデブになるという意味以外にどんな意味があるというんだ。それはそのままみんなデブになるという意味じゃ」

「はあ。それで？」

「まあくだらない。文学とは呼べないな。小説と呼ぶのもおこがましいわ。稚拙な文がだらだらと連なるだけの、子供の作文だな。駄作じゃ。あれなら儂の孫の書いた綴り方の方が感動するな。儂の物する華麗な作品の前には、天と地、月とスッポン、江戸と長崎程に開きがあるわい。ただな」

「ただ？」

「それがなあ。困ったことに」

「何を困ります」

「儂が出ておる」

「は？」

「正確に言うと、儂をモデルにしたとしか思えない登場人物が、ほんの数行だが作中に登場しておるのだ」

「だってそれ、デブ好きの同人誌なんでやしょう？　先生は痩せてるじゃないですか。ガッリガリに痩せこけてますぜ。物凄く貧相ですよ。あっしにゃ栄養失調のミイラ爺ィにしか見えませんが」

「だァれが栄養失調のミイラ爺ィだこの天然記念馬鹿。儂はな、オノレと違うて、無駄な贅肉がこそげ落ちておるだけじゃ。だがな、その小説に出て来るのもこう、無駄な贅肉のこそげ落ちた熟年の作家で、名を吉良光太郎《こうたろう》という」

「はあ。一字違いですかな」

「まあ字は違うんだが、吉良コウまで一緒じゃな。これがまずかった」

「ははあ」

色部は急にしたり顔になる。

「何だ色部？　お前泣いたり笑ったり」

色部は喜色《きしょく》満面《まんめん》で立ち、帰ります——と言った。ノブに手をかける。

「お、お前、帰ってどうするか。このげ、原稿は——」

「ふふふ。あっしを誰だと思ってるんですかい？」

「馬鹿だと思っておるがな」

「馬鹿を馬鹿にしちゃいけませんぜ先生」

「馬鹿を馬鹿にせんで誰を馬鹿にせいちゅうんじゃオノレは」

色部は不敵に笑った。

「はははは。せいぜい虚勢を張りやがれ。蠟燭の火は燃え尽きる直前にひと際大きくなるそうじゃねェかい。ああもう蠟がねェよう、芯も焦げっちまって余命幾許もない」

「何を言っておるのだお前。気は確かか？」

「はははは。今までよくも馬鹿馬鹿言ってくれたな糞爺ィ。減らず口叩けるのも今日限りだな。俺は見抜いたぞ。貴様の命運はもう尽きている訳だなわっはっは。その、つッまらねえクソ原稿は貴様が死んでから貰うわ。洟《はな》かんで捨ててえところだがそうも行くめえ。原稿料なんざ払いたくもねぇが、香典代わりにくれたるわい」

「お前何を言ってるんだ？」

「素《す》ッ惚《とぼ》けるなよ。それとも、もうボケが来たのか？　いや、死期が近づいておるのだな。わはははは。棺桶に片足突っ込んだ気持ちはどうだ老人。え？　片足じゃないよ両足だよ？うっひっひ。とんでもねえよもう首までじゃあねえですかッ、と来たもんだ」

「遂に来てしまったのかお前。医者呼ぼうか？」

「てめえのためにかい？」

「儂の？　儂は元気だよ。乾布摩擦しとるし。今朝も生卵四つ飲んだが下痢ひとつせんぞ」

「だって死ぬんだろ」

「誰が」

「貴様がだよ。さっき言ってたじゃねえかよ。呪いの小説は読んだら死ぬと。そう言ってただろ？」

「そりゃあ読んだら、な」

「じゃあ」

「じゃあ何」

「読んだんだろ？」

「読んではおらんよ」

「え？」

「読んでない」

「へ？」

「読・ん・で・な・い」

「よく——聞こえないんですが」

「ああそうか。じゃあゆっくりと大きな声で言うからな。落ち着いて善《よ》く聞けよ。せッえの、読んでないッ！」

ひゃああと悲鳴を上げて色部は蒟蒻《こんにゃく》のように躰を揺らした。

「なんじゃいだらしのない。なァにを勘違いしておるか」

「だって——めちゃ詳しいじゃん」

「どこの言葉遣いだそれは。儂はな、読んだ奴から聞いたのじゃ」

「儂もな、巷で噂の呪われた小説が実在するなどとは夢にも思わなんだ。単なる与太だと思うておったんだがな。話題にはなっておるが、読んだ奴などおらんのだろうと高を括っていた。それがお前、実際に読んだ者がおったんだな。それも偶偶《たまたま》読んだのが知人だったってェんだから、こりゃあ驚いた」

「あっしも驚いた」

「そのうえ、自分が出とると言われた日にゃ、こりゃあ吃驚《びっくり》も吃驚」

「あっしも吃驚」

「いやあ、碁敵《ごがたき》の片岡がな、読んだと言うんだなあ。そうしたらお前、儂に似た名が出ておったという。それで報せに来たという訳じゃ。おや？　どうした色部」

「色部？　あっしはそんな上等の名じゃございませんよ吉良閣下。あっしは、馬鹿という名の蛆虫《うじむし》にも劣る屑《くず》野郎でございましゅ」

「益々自己認識が正確に出来て来たようだな馬鹿色部。お前、この『臆病侍』は儂の死後に貰うとか言ってたが、それでいいんだな？　じゃあこれは今日はい・ら・な・い、と」

「せんせえ」

「また泣く。泣いても駄目だと言ってるじゃないか」

意地悪だ、凄い意地悪だと言いながら、色部は鞄から水筒を出して中の液体を氷ごとコップに注いだ。そしてこう言った。

「呪われた小説――ですか――」

色部又五郎は大いに扇子を使い、額にできるだけの風を送りつつ、夏場にはいい話ですがねぇ――と、無責任な台詞を吐いている途中で、吉良によって殴り倒された。

吉良は色部から水筒を奪うと、中の麦茶をごくごくと飲み干し、ついでに氷を頬張り奥歯でガリガリと噛み潰して、すっかり飲んでしまってから、

「――怪談てェのはどうですかな。先生の作風には合わないと思いますがねと言いたかったんだろうがそうはいかんぞ」

と結んだ。

色部は床に這《は》い蹲《つくば》って、実に悔しそうな顔をした。その顔を吉良が踏み躙《にじ》る。

「ううん中中」

「本当にマゾなのかお前。じゃあ踏むのは止すがな。兎に角その『悉く肥え太る』の作者を探して来い。そうすれば望み通りに原稿をやる」

「もう少し踏んでいて欲しかったですがね。でも、そんなのその本見れば解るでしょうに」

「見ると死ぬんだよ」

「ああ。でもその片岡さんは」

「死んじゃったんだよ。階段から落ちて。高脂血症の凄いデブだったんだ」

「あれまあ。御愁傷様で。しかしその、それ程中身を教えてくれたのなら、いまわの際に作者名くらい教えてくれても良さそうなものですがね」

「作者はな、第一回がN極夏之介。二回目三回目が月極夏治。今回が消極夏五郎。出鱈目《でたらめ》なんだな。つまり匿名の、所謂覆面作家らしいな」

「はあ、この暑いのに——ッて、御免なさい。でもその同人誌の編集してる人なら判るでしょう。発行者も判らんのですか？」

「発行しておるのは全日本肥満保護連合関東支部事務局という団体だそうだな。掲載作品は全て会員からの投稿で賄っている体裁だ。だから問い合わせてもどこの誰だか判らんだろうな。そもそも呪い疑惑で編集責任者は雲隠れだよ。判らない」

「じゃあ、あっしにも判らない」

「簡単な男だな。少しは生きる努力というものをしろよ。勝手にモデルにされた儂の身にもなれ」

「そんなね、棒鱈《ぼうだら》みたいな身にはなれませんよ。あっしは学生相撲で鳴らした、これこの通りの固太りですから。それに、そんな雲を摑むような話はどうも。そもそも呪いだって信じられないでげしょう。噂をそのまんま信じることァできませんな」

「片岡は死んだんだ」

「だって」

「何がだってぇ——だ。いいか馬鹿色部。儂がただぼーっと噂聞いて、なァんにも考えないでそのまンま信じちまうような、そんな間抜けな人間だと思うか？」

「思いますけど」

「思うんかい」

「それじゃあ何ですか。先生は噂の真相を知っているとでも仰るんですか？　先生がねえ。臆病侍がねえ。ふうん」

「何を感心するか。儂は儂なりに調べたんだ。片岡はな、そりゃあ太っておった。シャツやセーターは着られんし、前開きの洋服は鈕《ボタン》がとまらん。だからいつも特大の浴衣着ておって、まるで西郷さんじゃな。顔なんかお前、鎌倉の大仏の首取って人間にくっつけたみたいな膨満《ぼうまん》振りでな」

「見たかったなあ」

「これがまた肉を喰うんだもりもりと。碁を打ってるだろ。普通はまあ、精精《せいぜい》茶だわな。ところが横に、焼いた肉がこう、刺し身皿の上にてんこ盛りになっておる。それをこう喰っては打ち、打っては喰い――」

「死にますよそれは」

「だから死んだんだがな。まあ左様に太ってはおったが、本人がその怪しい会に入っていた訳じゃないのんだ」

「ええと、全日本肥満保護連合」

「関東支部事務局な。まあ大層な名前はついておるが、儂が推理するに他の支部はなかろう。何しろ同人誌は五十部しか刷らなかったのだからな。片岡はな、この同人誌を印刷した男と知り合いだった」

「はあ」

「堀部印刷という町の小さい印刷屋だ。カストリなんか印刷しておる。ここの親爺が安吉というて、また太い。片岡とは町内の勧進相撲大会で毎年優勝を賭けて闘う仲だったそうだがな。秋祭の大食い大会ではボタ餅八十七個喰ったそうだぞ。儂なんかあんな甘いもの半分喰っただけで胃がもたれるわい」

「お茶受けにはいいですがね」

「儂の場合は一個喰うのに茶三杯要るぞ。八十七個分のボタ餅を受けるだけの量の茶はとても茶碗やどんぶりには入らん。風呂桶で飲むしかないわ。いずれ馬鹿の大食いの類じゃな」

「まあねえ。で、印刷屋もでぶだった、と」

「この印刷屋がな、刷った同人誌の刷り上がりを検査しておったんだな。ま、こりゃ商売なんだから当たり前だが。そしたらその中に、片岡という豪《えら》く肥えた男の出て来る小説が載っておることに気がついた。その記述が友人の片岡にようく似ておる。でな、その頃はまだ呪いの噂は流れてなかったから、ついつい読んじまったという訳だな。で、こりゃ間違いないという訳で、片岡に報せて来た訳だ。お前出てるぞ——と」

「それで片岡さんは読んだ」

「そう。読んだんだな。まあ見ず知らずの者が書いた——しかも肥満愛好者の書いた小説に自分そっくりの人間が出ていると聞けば、そりゃあ読むだろう。で——熟々《つらつら》読んでみるてェと、どうも儂らしき人物まで出ておる。それで儂に報せて来た」

「ところがどっこい」

「ところが、儂の所に話が回って来た頃にはもう、そこいら辺中に呪いの小説の噂は広がっていたんだな。それで儂は読まなんだと、こういう訳だな」

「狡い」

「なァにが」

「狡いすねえ」

「だから何がだ」

「だって片岡さんは死んじゃったんでしょ？　その印刷屋は？」

「死んだよ」

「死んだ！　こりゃまた吃驚だ。ズルぅ。きッたなあ。ひとりだけ助かってらあ。流石《さすが》は『臆病侍卑怯剣』の作者ですなあ。主役の逃越春平《にげごししゅんぺい》と同じく、手口が卑怯極まりないなあ。自分だけ助かればいいというんですか、この卑怯者」

「何をほざくか。儂のどこが卑怯だ」

「卑怯じゃないですか。自分だけ助かっちゃって。この場合は先生も潔く読んで死ぬべきですよ。それは。片岡堀部両君に申し訳が立たんでしょう」

「そんなものはなんぼでも立つわい。何で儂があんな肥満どもに義理を立てて死なにゃあならんのだ」

「そこは勢いというか友情というか」

「勢いや友情で死ぬ人間があるか。そんなことより、まあお前の言う通りな、印刷屋も死んでしまったのじゃ。だから今となっては全てが藪の中だ」

「藪ですか」

「藪よ。儂は怪しい噂通りに片岡が死んだので、生前聞いていたその堀部印刷に連絡をとったんだな。そしたらお前、とうちゃんは死んだ、とこう言う。それで遺族は誰もその仕事のことは知らなんだ。噂の呪われた小説を自分とこで印刷したとは、家人は夢にも思うておらんかったそうだ。頼み込んで調べて貰ったら、印刷屋の倉庫に五十部のうちの三部だけが残っておった。気持ち悪いと言って奥さん、その三部焼いてしまった」

「焼いた」

「もうぼうぼう焼いたわ。しかしな、これがな、帳簿だの死んだ主の覚え書きだのをよく調べてみるとな、堀部印刷は発送までやっとったんだね。で、発送先の住所控えが残ってないか、奥さんにあれこれ調べて貰った。残っておったよこれが。名簿が出て来た。儂も自分の慧眼《けいがん》には頭が下がった。ところが」

「ところが?」

「発送先の四十六人、皆死んでおった」

「ぎょぎょッ」

「何じゃそのアナクロな驚き方は。まあ、流石の儂も少少怖くなったな。噂は本当だった訳だよ。読むと死ぬ、呪われた小説」

「呪われた小説——ですか——」

色部が扇子を開いた瞬間に吉良はそれを素早く奪い、コップと水筒も奪ってごみ箱に放り込んだ。

「あッ——」

「けけけけけ」

「鳥みたいだ、先生」

「うるさいッ。とにかく死ぬんだよッ。死んでるのッ」

「そ、それでその、発行元の会はもうないんですな？」

「ないのさ。堀部印刷には現金先渡しで発注しておるし、皆目判らん。判っているのは作者のいい加減な名前だけだ。現物の方はバックナンバーが四冊だけ——堀部が片岡に進呈したものが今、儂のところに来ておるが、ちょいと開く気はしないなあ」

「そうですねえ。それじゃあ失敬」

色部は悄然として立ち、帰ります——と言った。ノブに手をかける。

「何だよ」

「だって」

「だって何だよ」

「厭ですよ。怖いもの」

「お前なんか読まなくたって不幸なんだから関係ないだろうよ」

「それだって死んじゃいませんからね。縁談は破談になったし財布は落としたし腹もくだってますし原稿は取れなくて編集長は変態のサディストですけど、あたしゃ死んじゃあいませんから」

「それだけ続いておれば死んだ方が楽なんじゃないのかよ。でもな馬鹿色部。儂は別に読めとは言ってないんだよ。まあいいから座れよ馬鹿。儂が殺すぞ」

「はあ」

「いいか、儂は何も呪いにかかれたァ言ってないんだ。よく聞け。片岡と儂をモデルにしておる以上、作者は儂らの身近な者としか思えないじゃろ」

「あっしじゃァない」

「知っておるわ。オノレは漢字が読めないだろ。小説が書けるか。あのな、その『悉く肥え太る』ちゅう小説に出て来る幾人かの登場人物のうち、二人まで実在のモデルがいるとしたら、残りの連中も実在である可能性があると思わないか？」

「判りません」

「話しにくい男だな。そうじゃないかと思うだろ普通。それでな、他の人物が特定できれば、関係者も絞り込めるのじゃないかと、こう思うた訳だな。名推理だろ」

「そうですかねぇ」

「そうなんだよ。それでな、その小説には椎塚有美子《しいづかゆみこ》という女が出て来るという」

「そうですか」

「片岡の話だと、それがどうも上野のカフェの女給じゃないか――と、こう言うんだな、あのデブが」

「死んだ後も喋る？」

「違うって。言ったなァ生前だって。それで、儂は行ったことがないんだが、上野の『カフェ陣太鼓』とかいう店の女給でな。名前が千津川芙美子《ちづかわふみこ》。まあ似てはいるわなあ。読んでないから細かくは解らんが、風貌性質が瓜二つだと、片岡は言っておったなあ」

「どんな風貌で、どんな性質なんです」

「見た目はまあ痩せ型の美形だそうだが、怒ると凶暴になるのだそうだな。特にお前のような馬鹿を見ると殴る蹴るの暴行を働くのだそうだ」

「厭だなあ」

「厭なのか？」

「まあ、程度によりますな。それであっしにどうしろってェんです？」

「だからその女に会って、小説の作者を探し出して来いと、儂は言っておる」

「それはできない」

「何故だ」

「原稿が先です」

「お、馬鹿にしてはまともな駆け引きじゃないか。この原稿を渡せば調査を引き受けると言うんだな？　しかしなあ。お前――割と卑怯だろ」

「先生程じゃないですよ。まあ担当ですから『臆病侍』は毎度読んでますし、小狡い手口はいつも勉強させて戴いてますがね。闇討ち待ち伏せ騙し討ち、逃げる誤魔化《ごまか》す寝込みを襲う、卑怯未練の臆病侍たあ、俺のことだと、相手やっつけてから名乗りを上げる逃越春平を見習うなら、その原稿戴いて即とんずらしますね」

「するのか？」

「しませんよ。信用してください——と言っておいてハイ左様なら」

色部は原稿用紙をひったくって戸口まで一足飛びに移動した。

吉良はゆっくりと立ち上がり、皺だらけの顔を歪めた。

その皺だらけの表情は、どうやら怒りを表すものではなく、寧《むし》ろ笑みに近いそれだったらしいのだが、色部には区別がつかなかったようである。

色部は尻を叩きながら、

「ははははは。あばよ爺ィ」

と誰《おど》けた。

「これさえ貰えばもう用はないわ。呪いだかトロイだか知らないが、あっしにゃ関わりがねえことだ。べろべろべえ」

「ふっふっふ」

「ふ？　麩菓子でも喰いてえかい？」

「ふふふふふー」

「おや、もしかして負け惜しみの笑い声なんですかい？　往生際が悪いな爺ィ」

「馬鹿は矢張り馬鹿だな。それで儂を騙したつもりか。その原稿用紙をよく見てみろ！」

「え？　もしや表紙以外は白紙とか」

色部は原稿用紙を捲《めく》った。

「何だ、ちゃんと字が書いてあるじゃないか。強がり言っちゃって爺ィ。でも何だか変な原稿用紙だなあ。寸法も変だな。藁半紙にガリ版で印刷したみたいな字だぞ。まあ字が書いてありゃいいんだよっと。ええと、ナニナニ。地響きがすると思って戴きたい――だ？　変な書き出しだな。これは時代小説じゃないな。おや？」

色部の動きが止まった。

「地響きが――ええと――この――」

「読んだな」

「よ――みました――けどね」

「そうか。儂はな、読んでないんだ」

「せんせえ」

「わはははは。ザマを見ろ。幾ら馬鹿でも原稿用紙とバラした同人誌の区別くらいつくかと思っていたが、それも判らぬだけでなく、冒頭を読んで尚判らぬとは、馬鹿も馬鹿、とんだ大馬鹿。馬鹿の中の馬鹿。馬鹿王の称号を与えようかわっはっは」

「わっはっはって――」

「何だ馬鹿王」

「こ、これは」

「オノレの察した通りだよ。馬鹿王」

「これが？」

「それは呪いの小説『悉く肥え太る』じゃあ。儂を謀ろうなどと、十年早いわ」

「げ——原稿は」

「そんなもなァない！」

「でも、で、できたって」

「嘘だ。一行も書いておらんわ。題だけじゃ題だけ。わはははは。これぞ卑怯剣の極意というものだわ！」

「せんせえ」

「泣いても無駄だ。やーい、読んだ、読んだ、読んじまったあ。死ィぬ。死ィぬ」

「せんせええ」

「泣いても駄目。泣こうが喚こうが呪いは止められないんだそうだぞ。わはははは。恐ろしいのう。怖いのう。死亡率十割。けけけけ。肚の底から馬ッ鹿じゃのう。おい色部、お前は正真正銘の馬鹿だったんだな。おいおい、そんな恨みがましい目で儂に抗議しても無駄だ。儂には呪いは解けないようだ」

吉良は暫《しばら》く跳ねていたが急に真顔に戻りこう言った。

「死にたくなけりゃ謎を解明しろ。作者を見つけて呪いを解いて貰え。それ以外にお前に残された道はないんだ。もし探し出せずにお前が死んでも儂は痛くも痒くもないのだ。愉快愉快。最初から儂の言うことを聞いていればなぁ。おい、お敬、麦茶持って来い——」

吉良が満面に笑みを浮かべてドアを開けたその時である。色部が悲鳴を上げた。

ドアの向こうに。

大きな、裸の——。

「ここが土俵《リング》か」

低い、籠った声がした。

3

「呪われた小説——ねえ」

色部又郎《またお》はそう言ってから、飲みにくいバニラシェイクを満身の力を込めて啜《すす》り込み、一気に吸い上げた後に口を開け、ざらざらとポテトをシェイクの残る口中にあけた。

頬張る。噛む。

「ほれはほうひは」

「何言ってるか判らねーよ」

吉良公一《こういち》はそう言って、少しだけ軽蔑の籠った視線で友人を眺める。

又郎は全てを嚥下《えんか》してからもう一度、それがどうした、と言いなおした。

「だからさ。それが原因なんだよ。一部始終を立ち聞きしていた、塚野敬子《つかのけいこ》——当時は旧姓だから浜田《はまだ》敬子か——という、うちの元家政婦が証人だ」

「それじゃ何だ、僕の、会ったこともない大叔父さんである色部叉五郎が死んだのも、お宅ん家《ち》の曾祖父《ひいじい》さんである吉良公明が死んだのも、いずれも原因はその呪いの小説だと、お宅はそう言うんだね？」

「そう言ってるんだよさっきから。説明的な台詞を喋るなよ」

台詞っていうのは説明するためにあるのだぞと又郎は言う。

「でもなあ。僕の聞いたところに依れば、確かに大叔父の叉五郎は、昭和の中頃にお宅の応接室で頓死したそうなんだけれどね、それもこれも、突如乱入して来た暴漢から大作家吉良公明を護るため、身を挺して巻き添えを喰ったんだと——そう説明されたけどなあ。がふッ。我が色部一族ではね、むぐ。だから大叔父は英雄なんだよ。その所為で僕だって、はふッ。好きなフィギュアの世界からむにゅ。無理矢理こんな出版社なんかに入れられてがふッ」

「解ったから喰うか喋るかどっちかにしろよ。ハンバーガーは逃げないから」

「急いで喰うからジャンクフードは美味いんだよ。それに何だ、そもそもお宅ンとこの曾祖父はその時に死んでないだろうに。確か、その事件の後だろ？　あの名作といわれた『弥次《やじ》兵衛《へえ》軟派《なんぱ》帳《ちょう》』を書いたのは？」

そうだよ——と、公一はそっけなく言った。それから暗い顔で、

「あんな、宿場宿場で女を喰い物にして、ことあるごとにその女を盾にして悪事から顔を背ける軟弱な八州廻りの出て来る小説のどこがいいんだか——」

と、吐き捨てるように言った。

「お宅は身内だからそう邪険な見方をするがな、それまで時代小説と言えば、まあ、講談みたいなもので、大義を立てて己を殺す、ストイックなヒーローばかりが持て囃されていた訳だからな。酒色に溺れ公務を忘れて、危機に陥ると他人に迷惑をかけて逃げ切るなんて主役の人物造形は画期的だったんだよ」

「画期的なのさ。お宅の爺さんが創った臍川《へそがわ》弥次兵衛というキャラクターは、その前に書かれた『臆病侍』や『万引《まんび》き検校《けんぎょう》』と並んで、矢張り出色なんだよ」

「でも面白くない」

「まあな」

僕もまるで面白いと思わないけどね、と又郎は言った。

「世間的な評価の話だよ。吉良公明はデビュー作の『とらふぐ漫遊記』以来、堅実な書き手とは言われていたもののヒットには恵まれず、老境に入ってから発表した『臆病侍』で注目されて『弥次兵衛』でブレイクしたんだろ？　いいか。『臆病侍』の担当は僕の大叔父だったんだぞ。そのうえ暴漢に襲われた時に死んでたらブレイク作の『弥次兵衛』は書かれてなかったんだ。どうあれ、お宅の爺さんは僕の大叔父が発掘したんだ。そのうえその大叔父が身を捨てて命を救ったお蔭で名を成すことができたんだ。感謝して貰わなきゃ」

「感謝なんかしたかァないね。卑怯で嘘吐《つ》きで臆病で高慢——曾祖父の小説は曾祖父そのものなんだよ。だからお前の大叔父さんは、俺の曾祖父のいやぁな部分をうまく引き出してくれたんだろうな」

「名編集者じゃないか」

「そうだけどさ」

公一は実に素っ気なく言った。

「実際に五十年前、本所の実家に暴漢が押し入ったのは事実だよ。しかし何も盗られなかったし、今お前が言った通り曾祖父も無事だった。暴漢はただお前の自慢の大叔父さんをしこたま打ちのめして、悠然と去って行ったと言うじゃないか。おかしいとは思わないか？」

「断っておくがな公一。僕の自慢の、じゃないんだ。僕の一族の自慢の、なんだ。僕は全然自慢してない。僕の自慢は1／6少女革命ウテナの――」

「おかしいとは思わないか、と尋いているんだ俺は。お前のコレクションなんかに興味ないんだよ」

「ない？」

「ないよ。確かにお前の大叔父さんは俺の爺様を護ったってことになっている。俺もそう聞かされていた。しかし大叔父さんは死んだんだぞ。殺されたんだ。しかも刺されたのでも撃たれたのでもない。撲殺だ。それも素手で。暴漢は相当強かったんだ。しかしその暴漢は、うちの爺さんの方は殴りもせずに逃走した。何で帰っちまったんだ？」

「警察でも来たんじゃないのか？　犯人は未だ捕まってないそうじゃないか。それより公一、お宅はさ、マジで僕のコレクションに興味がないのか？　それは僕が集めてるからこそ興味がないと言う意味なのか？　それとも美少女系のフィギュアが駄目なのか？　なんならさ、そうだ特撮系もあるんだぞ。僕は両方イケるのさ。例えばだねえ、1／8レインボーマンのダッシュスリーとか――」

「あのな」

「なんだよ」

「俺の調べたところではな、警察が来たのは暴漢が帰った後だそうだよ。敬子さんが通報したんだそうだ。爺さんは部屋の入口で失禁してたそうだ。お前の大叔父さんは全身打撲。壁は打ち破られており、暴漢はそこから逃げたというんだな。壁破って逃げるか普通？　ドリフのコントじゃないんだからさ。それでいて賊は、入って来た時は堂堂と表玄関から侵入してるんだそうだ。それなのに壁破って逃げるってのは変だろ？」

「そうかな」

「変だよ。壁を突き破って入って来たとかいうなら解るよ。まあ壁突き破るってのは非常識だが、侵入するには良い手かもしれない。だがな、例えば警察に追い詰められてた訳でもないのに、わざわざ壁破って逃げるか？　俺の臆病爺さんは腰抜かしてたんだぞ。標的がうちの爺ィだったなら、何で爺さん残して帰った？　壁破る程のマッチョな奴なら小指一本で殺せる」

「じゃあ何か？　お宅は、犯人の目当ては僕の大叔父だったと言うのか？」

「そうさ」

「伝え聞くに大叔父という人は性格の捩じ曲がった嫌ァな小心者で、おまけにマゾ入ってたようだけど、そんな男が人に恨みを買うかなァ」

「買うだろ」

「買うか」

「買うよ。買いまくりだ」

「マゾだぞ」

「マゾでも性格が捩じ曲がった嫌ァな小心者なんだろ？」

「そうだ。性格が真っ直ぐで人に好かれる大らかなサドよりは、多少恨み買うかな」

「買うって。恨み買うのにSもMも関係ないって。でもな又郎。俺が言いたいのはそんなことじゃない」

「ははあ。僕の自慢の綾波《あやなみ》の転校生ヴァージョンが欲しいのか」

「違うよ」

「じゃあ復刻版のバイラスのソフビ」

「違うよ」

「古かった？　じゃあ鋼の錬金術師の絵コンテか」

「あのな、お前の話のパートは時事ネタ流行《はや》りネタだしさ、古くなるのは解るよ。だから文庫にする時変えちゃうってのはまだ解るけどさ。前の残したまんまネタ増やすなよ」

「何のことだよ。誰に言ってるんだよ。ははあ、読めたぞ。僕がこの間ヤフオクで激戦の上落札した、ゆうこりんがCMで使ったクチビルのレプリカが欲しいんだな」

「ち・が・うッて。ゆうこりんってのがまず判らないよ。お前は一度その肥えた脳を洗ってもらった方がいいんじゃないか。大脳の周りに脂肪がたっぷりついてるに違いないぞ。俺が言いたいのはな、だから、その呪われた小説のことだよ」

「呪われた小説——ねえ」

色部又郎はそう言ってから、飲みにくいバニラシェイクを満身の力を込めて啜り込み、一気に吸い上げた後に口を開け、ざらざらとポテトをシェイクの残る口中にあけた。

頬張る。噛む。

「ほれはほうひは」

「お前それは俺のシェイクだろうがッ」

「これは失敬。それがどうした」

「呑み込みの悪い男だな」

「だってよく噛んでから」

かん。

灰皿で殴られて又郎は下を向いた。

「お前の大叔父さんはその小説を読んでいたんだ。そして俺の爺さんは読んでいなかった。それが生死の分かれ目だった——とは思わないか？」

「思わないねえ。呪われた同人誌小説なんて非現実的でしょう。呪われた本とか呪いのビデオなら怖いよ。でもなあ、同人誌の短編じゃあねえ。しかも聞けばデブ専の同人誌なんだろ？　そんな昔からデブ専ってあったのか？　まあいいけど、それじゃあなあ。ウィルスとか遺伝子とか関係なさそうだし、一寸《ちょっと》ねえ——」

又郎はそう言いながら公一のチーズバーガーを奪い取り、貪《むさぼ》るように喰った。

「——はぐッはぐッ。ほのな、お宅の言うのをひんじるならな、ほれは、本物の呪いってことになるンだろ？」

「そうなるな」

「馬鹿だなあ。今時、科学的な裏付けもなしに呪いだとか言ったって誰も頷かないんだよ。ホラーも理系が主流だよ」

「お前なあ。小説の話してるんじゃないんだよ」

「小説の話じゃないか」

「そうだけど——そうじゃないんだよ」

公一はテーブルを叩いた。

「あのな、小説の中の話じゃないんだ。小説を読んだ人間が死ぬという、現実の話なんだよ」

「小説の中じゃないの？」

「お前、登場人物なのか」

「さて」

「まあいいよ。それ以上突っ込むとメタな展開になる。それよりお前、うちの爺ィの顔知ってるよな？」

「僕はこう見えても文芸誌の編集者だよ。お宅の曾祖父なんか教科書にも出てるじゃないか。腰抜け時代小説の大家だもの。あの皺だらけの貧相な——」

公一は内ポケットから写真を出した。

「これが臨終間際の曾祖父の写真だ」

又郎は食い物と一緒に息を呑んだ。

「う――嘘だろう」

「嘘だ。これは若い頃の中村玉緒だ。マルベル堂で買ったんだ。本当はこっちだ」

公一はもう一枚写真を出した。

「こ、これは――嘘だろう」

「嘘だ。これは井上和香だ」

「お宅、馬鹿にしてる？」

「少している。本当はこっちだ」

公一はもう一枚写真を出した。

「今度は誰だ？」

「だから俺の曾祖父、吉良公明だよ」

「だって、太ってるじゃないか。皺が伸びているぞ」

「そうなんだ。曾祖父は俺が生まれる十年も前に死んでるんだが、死の直前に異様に太った。太ってすぐに死んだ。暴漢に襲われてから丁度十年。九十数歳だったそうだ」

「それで？」

「呑み込みの悪い男だなあ」

「だってよく噛まないと」

カン。

アルミの灰皿と、太り気味のオタク編集者の額が接触した音である。

「俺はな又郎。調べたんだ。五十年前、本当にその小説を読んだ人間が死んだのかどうか。うちに勤めていた塚野敬子さんは、今もう七十を越えているんだが、未だに元気でね。あれこれ協力して貰った」

「ふうん。それで？」

「それでまあ、さっきの話も聞けた訳だがね。それで曾祖父の遺品を調べて行くと、名簿があったよ。堀部印刷の、同人誌発送リストだよ」

「はあん。それで？」

「お前、あからさまに興味ないようだな。それでね、順に当たった。四十六人、全員亡くなっている」

「そりゃ五十年も前だし」

「それはまあそうなんだがな。死因はまちまちなんだが。遺族もまあ残っていたよ。できる限り写真も集めた。そしたら——」

公一は眉を顰《ひそ》めた。

「——ほぼ全員——」

「な、何だよ桜金造みたいな顔して」

「全員——太っていた」

「何だと？」

「だから太ってたんだよ」

「ふん。お宅も馬鹿だなあ」

「お前なんかに馬鹿呼ばわりされたくないよ。別に自分でもそれ程自分が賢いとは思わないけどな、何だか毛虫に虫けら扱いされたみたいな厭ァな気分になるんだよ。それに——何なんだよその自身に満ち溢れた顔はよ」

「自身も何もないよ。だって、聞けばそれはデブ専の同人誌なんだろ？　デブ専ってのは太った人が大好きな人達のことじゃないか。同人ってのは志を同じくする人間の集まりじゃあないか。つまりその本を買う連中は太った人が好きな人達に外《ほか》ならないわけだ。だったら太って——ん？　そんなことはないか」

「そんなことはないんだよ。デブ専の人達は太った人が好きな人達なんだろ？　別に自分自身が太ってる訳じゃないんだよ。まあお前を筆頭に、同人誌という言葉から小太り汗臭い紙袋というキーワードを連想する人は多いわけだが、それは完全な偏見だろ。まあお前を筆頭に事実そういうルックスのその手の人達は少なからず居るわけだが、全部がそうじゃないんだよ。痩せたアニヲタだってイケメンの特撮ヲタだっているんだ。違うか？」

「そうだなあ。お宅の言う通りだよ。デブ専がデブとは限らないよなあ」

「限らないさ。寧ろその逆である場合の方が多いようにも思う」

「デブ好きはデブとは限らない、それは真理だね。その理屈で行くと、僕は美少女になってしまうからな」

「あん？」

「だって僕は美少女が好きだからサ。美少女になっちゃうだろ」

又郎は、なるといいんだけどォ——などと言いつつ、くねくねと身をくねらせた。

カン。ガン。

最初は灰皿。二度目は三脚である。

「い、痛いじゃないか」

「痛くぶったんだッ。俺だって商売道具でお前みたいなおぞましい男をぶつのは嫌だよ。俺はね、カメラマンという商売柄、昔の写真を見て勉強してるんだ——とかなんとか曾祖父譲りの嘘八百並べて、死んだ四十六人の写真を出来るだけ見せて貰った。そして検討した」

「ふうん。で？」

「大変興味深い結果が出た」

「ほおん。で？」

「お前肚の底から興味ないんだな。今に見ていろ。他人《ひと》ごとじゃなくなるからな。そのな、過去の写真を見る限り、死んだ四十六人というのは太った奴もいれば痩せた奴もいた。それが、死ぬ直前の写真は一様に太ってる。それでな、最初から太ってる奴はすぐに死んでいる。そうでもない奴は少し経ってから、細めの奴はもっと後——」

「よく解らないなァ」

「呑み込みの——いや、物分かりの悪い男だなお前も」

又郎はちぇッと舌打ちをした。

「つまりこうだよ。その呪いの小説を読んだ連中は、太るのを待って殺されているんだよ」

「殺されて？　殺人事件なのか？」

「殆《ほとん》どは事故死や病死になっている。しかし五十年経っているからな。中には怪しいケースもある。それにお前の大叔父の場合は明らかに殺人だろ？　そうだ、お前の大叔父って人は太ってたか？」

「太ってはいないさ」

「痩せてたのか？」

「痩せてもいないよ。まあ——僕くらいかなぁ」

「じゃあデブじゃん」

「失礼だな。僕は骨太なんだよ」

「骨まで太ってるのか。でもこれで何もかもはっきりしたな。その、呪われた小説を読んだ四十六人——お前の大叔父さん入れて四十七人は太って殺された」

「ワケ解んないぞ。何で太るんだ？」

「呪いだよ。小説のタイトル通りさ。さっき教えただろう。題名は『悉く肥え太る』だ。タイトル通り、読んだ者は悉く太るんだ。そして殺される」

「殺されるねえ」

又郎は厚い唇をひん曲げた。

「じゃあ——吉良公明も？」

「そう。爺さんはその小説を十年間封印してたんだ。そしてきっと十年目に読んだんじゃないだろうか。その結果、むくむくと太って死んだ——どうだ？」

「どうだって言われてもな。お宅の爺さんは殺されたのか？」

「転落死だよ」

「それじゃあ」

「死因には不審な点がある。葉山の別荘の近くでな、九十幾つで断崖絶壁からダイビングしたんだそうだ。信じられないだろ？」

「そりゃ、自殺じゃないのか？」

「その晩にしゃぶしゃぶを喰うと言って、しこたま肉を買い込んだ、その帰り道のことだそうだ。目撃者の話に依ると遠くのビーチにフェロモン系の美女を発見してムラムラと欲情し、近くで見たいといって無我夢中で飛び込んだんだそうだが——何といっても九十だからな。俺には信じられない。百歳目の前にしてしゃぶしゃぶを喰おうとか若い女に触ろうとか思うか？　食欲だの性欲だのは何十年も温存できるものじゃないぞ」

「そうかな」

「そうだよ。いいか又郎。これはな、だから呪いだ。呪い以外に考えられないんだよ」

「呪われた小説——ねえ」

色部又郎はそう言ってから、飲みにくいストロベリーシェイクを満身の力を込めて啜り込み、一気に吸い上げた後に口を開け、ざらざらとポテトをシェイクの残る口中にあけた。

頬張る。噛む。

「ひんじらへらい」

「い——いつの間に追加注文したんだお前は！」

「因《ちなみ》に今、信じられない——と言ったのね僕は。それでも呪いなんてないよ。それにさ、同じ呪いでも今流行《はや》りなのはね、ロン毛の女がテレビから出て来るとか、死んだ人間がまた生まれてぐいぐい育つとか、そういうのだろ。太って死ぬというのはなあ。まあ、あったんだとしても昔の話だし。僕もお宅も関係ないでしょ」

「関係あるんだよ大いに」

「何で？」

「お前ここまで言っても気がつかないのかよ。いいか、『悉く肥え太る』だぞ。作者はＮ極夏之介、または月極夏治——」

「それが？」

「登場人物は片岡というデブ。吉良という作家。そして椎塚有美子」

「で？」

公一は呆れて上を向きそれから大きな溜め息を吐いて、次に鞄から雑誌を出した。

「これ」

「おう！　これは明後日発売の『小説ツバメ』今月号の、出来たばかりの見本じゃないか」

「そうだよ。そうだけど説明的だなあ、お前の台詞は。まあ、お前の言った通り、これはお前が編集している『小ツバ』だ。これを見ても何も感じないのか？」

「僕はあんまりそういうものでは感じないなあ。雑誌フェチじゃないんだ」

カン。ガン。ゴッ。

灰皿。三脚。最後の音は三脚の縦打ちである。

「お前なあ。この表紙にも書いてあるだろうが。『新鋭短期集中連載・すべてがデブになる第三回・N極改め月極夏彦』これはオノレの担当だろう！」

「あッ」

「あッじゃないッ！」

「でもこの作品は——別にどうということはない作品だぞ。過去に二回掲載したが何の反応もなくて、つまらないから今回で打ち切りだ。文は下手だし筋は酷いし、テーマ性はないし志《こころざし》は低いし——」

「それじゃあ同じじゃないか。同人誌『太肉』に掲載された『悉く肥え太る』も、だらだらと駄文を連ねた子供の作文だと死んだ曾祖父の友人は言ったそうだ」

「いいや違うさ。題名だって全然違うよ。こっちは『すべてがデブになる』だもの。これは、悉く肥え太る——という意味か」

「他にどういう意味があるんだ？　書き出しだって――」

又郎は慌てて頁を繰った。

「じ。地響きがする――と――思って戴きたい――って同じ？」

「同じだよ」

「し、しかし月極先生は――」

「何者なんだその男は」

「男じゃない女だ。月極夏彦は女性なんだよ。覆面なんだ。ええと確か本名は――千津川寿《す》美子《みこ》とか――え？」

「それは上野の『カフェ陣太鼓』の千津川芙美子の血縁者じゃないのか！」

「うわあ」

「何がうわあだ」

「僕は読んだぞこの原稿」

「当たり前だろう。お前が入稿したんだろうが。原稿に朱を入れて初校をチェックして再校を戻したんだろう。最低でも都合三回は読んでるだろうが。いいか又郎。お前もしかしたら、えらいことを仕出かしてしまったのじゃないか？」

又郎は席を立った。

「帰る」

「帰ってどうする！」

「寝る。いや、棚に並んだ美少女達に溺れて至福のひとときを過ごす。そして静かに死を待つよ。いいだろうそれくらい」

「なァにを悟り切ったようなことカマシてんだこの馬鹿が。お前既に太ってるじゃないか。それにお前ひとりが死んで済むことなら俺はわざわざこうして好きでもないファストフード店に来たりしないんだよ。いいか、この雑誌は何部刷ってるんだ！」

「社外秘だよ」

「公称部数でいいんだよ」

「それも秘密だ」

「公称が秘密ってのはどうなってんだよ。兎に角こりゃ何人もの人間が読むんだぞ。俺だって読んじゃったよ！」

「ふッ」

「何がふッだ。月下の棋士かお前は」

「お宅、少し太ったか？」

「そ――そういう問題じゃないだろう。この呪いが本当だったらお前、どうなると思う？」

「うーん」

又郎は再び座った。

「どうなるかなあ。太る？」

「そうだ。文字通りすべてがデブになり、そして死ぬんだぞ！」

「そうねえ。しかもうちの雑誌の読者だけ死ぬ訳か。それはなあ。待てよ。でも僕も死ぬんだったら、別に誰が死のうと」

「刹那的だなお前」

「でなきゃやってられませんよこんな商売は。文芸雑誌の編集なんて仕事はね、もう、ルーティンワーク以外の何ものでもないですわ。売れなくて当然、売れてもまぐれ、そんなじゃ企画も努力もありまへんわ実際。その場凌ぎでございますぅだ。刹那ですよ刹那」

「ぼやくなよ。聞いてる方が厭になるよ」

「しかし——ベストセラーだって半年後には忘れ去られるこのご時世に、だ。その呪いの小説ってのは随分長持ちするじゃないかよ。五十年も経って有効なものなのかなあ。賞味期限とかないのかな呪い」

「呪いだからなあ」

「何のために誰がどう呪うんだ？」

「よく解らない言い方だがまあ気持ちは解るよ。そう。その千津川という女は怪しいぞ。どこにいるんだ？」

「え？　お宅が来るまでこの店で打ち合わせしてたんだよ。まだ店にいるんじゃないか」

「ふっフッふ」

「だ、誰だ真ん中のふだけカタカナで笑う奴は！」

公一は立ち上がった。

痩せた女が隣のボックスに座っていた。

「ああ、月極さぁん」

又郎が手を振った。

「なんだってッ！　なんで手なんか振るんだッ。お——お前が千津川寿美子か！」

「そうよ。あたしがお探しの千津川寿美子よ。偶然ね」

「偶然じゃないすよ。さっきまで一緒だったたっすよう」

「おだまり色部。こういう場合は偶然ね、と言うことになってるのよ。そしてこの場合、あたしはすっくと立つ」

寿美子はすっくと立った。

「そして振り向き、怪しく微笑みながらこう言うの。そうよ、あたしが呪いの小説の作者、N極夏之介こと月極夏治こと千津川芙美子の孫——寿美子よッ——てね。するとそこの吉良公一はスッと身構えて、一体何が目的だッ、白状しろと言う」

「地の文を喋るのは止せよ」

「ナニよッ！　そんなセリフを言うんじゃないのよッ！　聞いてなかったの？　何が目的だ白状しろ、でしょう！」

「な、なにがもくてきだはくじょうしろぉ、これでいいのかッ！」

「ほっほっほっそんなに聞きたけりゃ教えてあげるわ。あたしはね、祖母の遣り残したことを完遂せんがためにこの計画を立てたのよ」

「そう。祖母はね、五十年前の一件では、ひとつだけ心残りがあるのよ」

「遣り残したこと？」

「ひとつだけ？　それは俺の曾祖父のことか？」

「違うわよ。ま、あんたのとこの爺ィがあの時素直に太ってれば何も問題なかったんだけどね。性格も根性も捩じ曲がった捻くれ者のあんたの爺さんは太らなかった」

「そのな、性格も根性も捩じ曲がった捻くれ者——ってのは、俺じゃなくて俺の爺さんにかかる修辞だと思っていいな？　何かすごく厭な気持ちになるぞ」

「どっちだって同じことよ。あんたはあの性格も根性も捩じ曲がった捻くれ者の孫なんでしょ。とにかくあの性格も根性も捩じ曲がった卑怯で臆病な捻くれ者は太らなかった。それでいてあの臆病者は、十年も経ってから勝手に太って、それで勝手に死んだのよ。あれは単なる色ボケ健康老人よ！」

「そ、そうなのか」

「そうよ。私の祖母はね、祖父に相撲を取らせたかったのよ」

「は？」

「あたしの祖父はね、殺人力士と恐れられた六代目大石山《だいせきざん》よ」

「だ——大石山？」

「祖父は強過ぎたのね。取り組む相手取り組む相手、みんな再起不能か下手をすれば死んでしまう。だから角界を追放されたの」

「追放？」

「そうよ。殺人力士大石山――そんな理不尽な烙印を捺されて、祖父は土俵に上がることを永遠に禁じられてしまったの。でも祖父は――相撲が好きだった」

「はあ？」

「生まれながらのお相撲さんだったということよ。祖母は水商売に身を窶《やつ》しながらそんな祖父を支えたわ。でもね、毎日毎日お相撲がしたい取り組みたいと泣き濡れている祖父の姿を見るに見兼ねて、何とか相撲を取らせてやれないかと、そう考えたのよ。きっかけは店に来た片岡という男だったそうよ」

「片岡――曾祖父の友人の片岡氏だな」

「そうよ。片岡を見た祖母は思った。これだけデブなら――もしや素人でも祖父と互角に渡り合えるんじゃないかとね。素人侮《あなど》りがたしと悟った祖母は、プロが駄目ならアマチュアと、東京中の素人相撲の名人、格闘技自慢を調べ上げたのよ」

「な、なる程な」

「エントリーされた猛者《もさ》は四十八人だった。そして――祖母は次に、いい加減な同人誌をでっち上げて、まず怪しい噂を流したのよ」

「な、何でそんな手の込んだことを！」

「だってそれは公式な試合じゃないんだから、もしも誤って殺してしまったらそれは殺人じゃないの！　だ・か・ら」

「予《あらかじ》め読むと死ぬ呪いの小説の噂を流しておけば――もしものことがあっても全部呪いの所為になるでしょ。だ・か・ら」

「だ・か・らってそんな――」

「だ・か・らってあんた――結局、皆死んでるじゃないか」

「みんな弱過ぎたのよッ。噂流しておいて良かったわよまったく。でもね、言っておきますけどね、祖父の対戦相手は殆どが怪我しただけなのよ。ホントにその場で死んだのは、私の知る限りたったひとりだけだわ」

「それ、うちの大叔父ね♡」

かん。

「自慢をするなよ又郎！　おい、確かに死因そのものにあんたの祖父《じい》さんは関わってないのかもしれない。直接的にその祖父さんの所為で死んだのじゃないかもしれない。そりゃそうかもしれないがな、そんな相撲取りと素人じゃ勝負になるまい。敵《かな》う訳がないだろう。それを承知で――」

「そんなことないわよ。相撲は技よ。祖母はそのあたりは十二分に吟味して選んだんだから。それに、体格が貧弱な人にはね、こっそり忍び込んで滋養のある食品を置いて来たり、謂《いわ》れのない健康食品の付け届けをしたりして、知らず知らずのうちにうーんと栄養を取って貰って、わざわざウエイトの調整をしてから、祖父は試合に臨んだのよ。フェアだわ」

「何のこっちゃい」

「それで皆太ったんか――うん」

又郎は大きく頭《かぶり》を振った。

「なる程、相撲名人といってもアンコ型ばかりとは限らんからなあ」

「感心するなよ。この女のじーさんがお前の大叔父殺したんだぞ！」

「あれは偶然よ」

「それで済むか」

「色部又五郎はエントリーされていた訳ではなかったのよ」

「まあねえ。性格の悪い小心者の、しかもマゾだったそうですから」

「そうよ。祖母はね、ホントは祖父と片岡に一番取らせたかったのよ」

「取ったんじゃないのか？」

「取らないわよ。片岡は最後の対戦相手になる予定だったの。結びの一番よ。ところが片岡は対戦前に階段から落っこちて死んでしまったの。これで――ひとり減ってしまった。そして、最後まで残ったのが吉良公明よ」

「うちの爺ィは相撲なんかしなかったそうだぞ！」

「そうね。でも吉良公明は小柄だったけど柔道の達人だったんでしょ。祖父に相応《ふさわ》しい巨漢も相撲名人も、もう東京にはいなかったのよ。そこで祖母は吉良――あなたの曾祖父に目をつけて祖父の相手としてエントリーしたんだわ」

千津川寿美子は威張った。

何で威張るのか解らなかった。

「でも――流石に同人誌は送付出来なかったんだそうよ。曲がりなりにも有名な小説家だし、デブには程遠い体型だものねえ。だから祖母は吉良の名前を小説に盛り込んだのよ。そうすれば堀部経由で、きっと片岡が渡してくれるだろうと――そう祖母は信じた。思う壺だった。ところが吉良は噂が怖くて家に閉じ籠ってしまった。根性も性格も捩じ曲がった捻くれ者の臆病者の卑怯者だったんだわ。その上ちっとも太らなかった」

「付け届けの類は全部曾祖母が喰っていたそうだからな。どうだ！」

「そっちこそ威張らないでよ！　意地汚い曾祖母だわよ」

「祖母は胃下垂だったから何を喰っても太らなかったんじゃあ」

「だから威張るこっちゃないでしょうがッ。祖父は待ち切れなくなって、もう我慢出来ずにままよと乗り込んだところに居合わせたのが――あんたの大叔父さんよ」

「ははあ。それは不幸だ」

「だから感心するな！」

「ほほほほほ。祖父はね、あんたの大叔父さんを太った吉良と間違えたのよ。吉良なら強い筈だから本気でかかって、上手投げで沈めた後――」

「僕の大叔父は弱かったそうだからねえ」

「そう――動かなくなったので吃驚して、そして祖父は――逃げたの」

「何か酷いじゃないかそれは」

「そうかしら。でも祖父はその後——出家したのよ」

「出家？　じーさん罪を認めて悔い改めたのか？」

「違うわよ。警察に捕まるのが嫌だっただけよ。吉良公明は有名人だし、理由はどうあれその屋敷に押し入って人一人殺して、しかも壁を打ち抜いて逃げたことになる訳でしょう。だから祖父は身を隠したのよ。そう——とにかくそれで吉良公明は助かったのよ」

「ううん。それで——何故、今」

「ほほほほほほほ。祖父は山寺に籠ってクマを相手に相撲を取っていたのだけれど、どうしても心残りがひとつあったのよ」

公一は手を翳《かざ》した。

「もう解った」

「何が？」

「被害者は四十七人だな」

「そうよ」

「答えはこの小説に書いてあるよな」

公一は『小ツバ』を捲る。

「四十八手に後一手。残るは——頭捻《ずぶね》りだけ——か」

千津川寿美子は大いに怒った。

「そ、それが小説のオチじゃないのよッ。何で先に言うのよッ」

「煩瑣《うるさ》い。俺はこんな毎回毎回同じオチの小説は嫌いだ。ここだけ拾い読みした読者には解らないだろうが。笑うに笑えん。大体、お前の爺ィは生きてるのか？　生きてたって幾つだ？」

「何言ってるの？　生きてるわ。八十八」

「はッ。それで、どうすると言うんだ？」

「どうもしないわよ。あたしはそのことを小説に書いただけだもの」

「へ？」

「だから、あたしは祖母の書いた小説をリライトしたのよ。祖父の無念を込めて」

「そ——その、この場に隠れていた力士のじーさんが突如登場し、この太ったオタクに襲い掛かって——っていう展開じゃなくて？」

何でそうなるのよ——と千津川寿美子は腕を組んだ。

「うーん。困った」

「何困ってるのよ。これはね、これだけの話なのよ。別に不都合はないじゃないの。呪いの謎だって解けてるんだし」

「まあ——一応は——でもなあ」

その時。

千津川の横のボックスに座っていた背広姿の大男が突如立ち上がり、好きだッと叫んで色部に襲い掛かった。

「な、何をする！　貴様何者だッ」

「私は通りすがりのでぶせんです」

「あ、あんたが——デブ専？」

「何なんだ伏線も何も張らずに突如出て！」

「え？　でぶせんは伏線張ってからファストフードに来なくっちゃいけないんですか」

「そうじゃないけど——その、卑怯だよ」

「この話は第三部ＬＯＯＰ《マワシ》に続く！」

おいおい本当なのか？

「嘘だ」

脂鬼
京極夏場所

京極夏場所（きょうごくなつばしょ）学生作家と噂されるが、年齢、出身地などは一切不明。某作家の筆名を真似てゲリラ的に発表されたのが本作であるらしい。しかし実は京極夏彦『理油（意味不明）』の作中人物である。

屍鬼（上・下）
小野不由美
一九九八年／新潮社刊
二〇〇二年／新潮文庫
一〜五・全五巻

当代一の語り部が満を持して放った、質・量ともに空前の超大作。緻密な筆力とボリュームが、読む者を圧倒する。

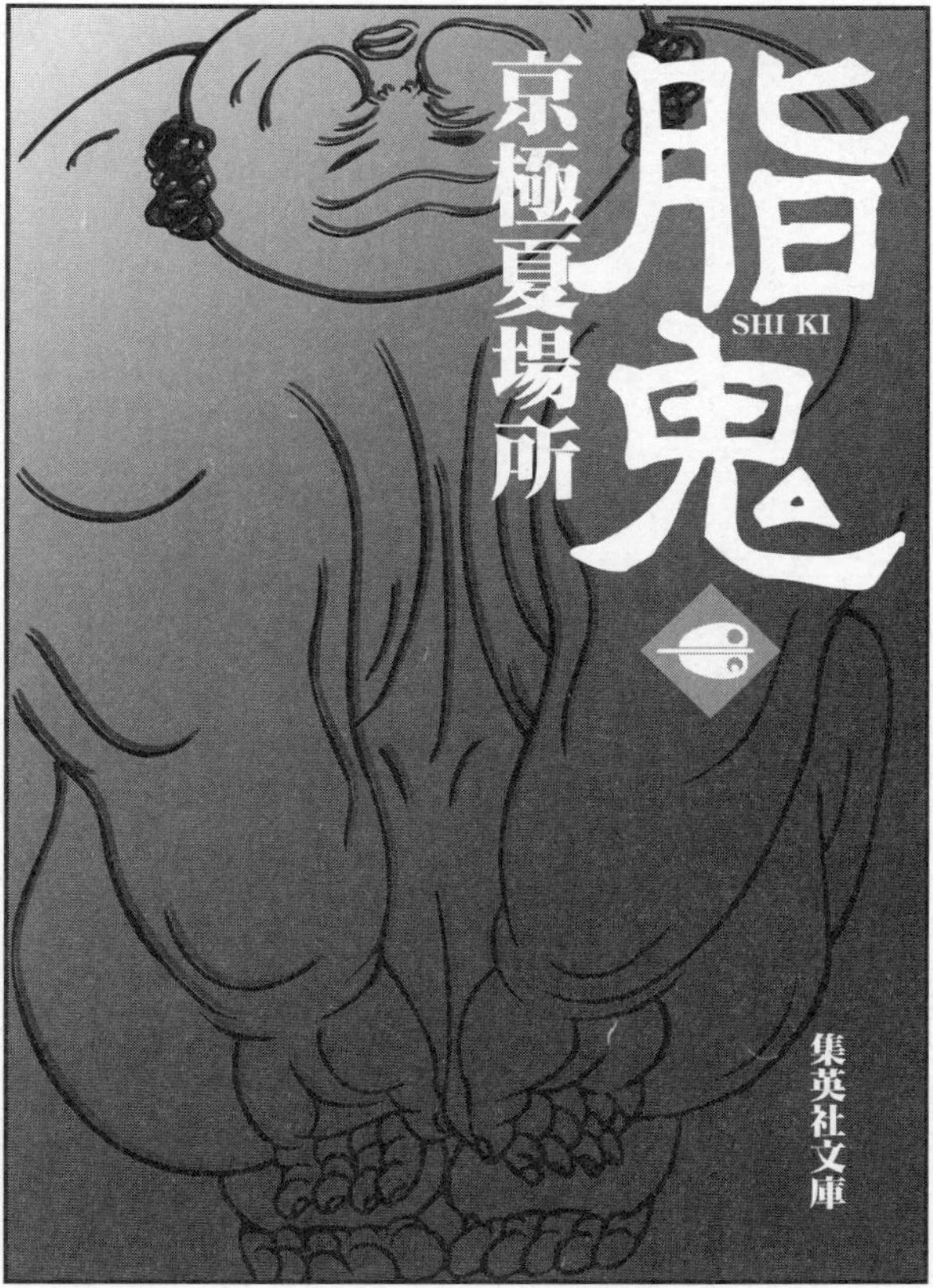
脂鬼
SHI KI
京極夏場所
集英社文庫

——小野不由美先生の大傑作とは何ひとつ関係ありません。
小野不由美先生及び小野不由美ファンの皆様におかれましては、
何卒寛大なお心を以てご容赦戴きたく、伏して願い上げ奉ります。

1

地響きがする――と思って戴きたい。

地響きといっても地殻変動の類《たぐい》のそれではない。

一定の間隔をおいてずん、ずんと肚《はら》に響く。所謂《いわゆる》これは跫《あしおと》なのである。たかが跫で地響きとは大袈裟《おおげさ》なことを――と、お考えの向きもあるやもしれぬが、これは決して誇張した表現ではない。振動は、例えば食器棚の中のグラスをかたかたと揺らし、建付けの悪いサッシュをぎしぎしと軋《きし》ませ、窓ガラスをびんびんと震わす程の勢いだった。

ショーウインドーに並べた煙草がドミノのようにぱたりと倒れる。

――何なのよいったい。

巫山戯《ふざけ》るのもいい加減にして欲しいと思う。何なんだあの体型は。何であんなになっちゃうんだ。あんなモノになるくらいなら死んだ方がマシだ――と肚の底から思うけれど、その表現はこの場合は不適切なのである。何故なら――死んでしまったりしたらあんなモノになってしまうかもしれない訳で、ならば死んでも死ぬ訳にはいかないからである。

コーヒーカップの中の黒い液体に波紋が広がる。

──近い。

こんな甕、まるでゴジラだ。それも一人二人ではないのだ。

奴等は確実に増え続けている。それだけじゃない。

奴等は確実に──肥え続けている。

ぶくぶく。ぶくぶく。

腹は──脂肪で包囲されている。

空は暗澹《あんたん》と垂れ込め、太股《ふともも》はパンパンに張り詰めている。

別に──太った人が嫌いな訳じゃない。それに、自分が太ることだって、それ程気にはしない方だ。健康を害してしまうような太り方さえしなければ、痩せてなどいなくても構わないと思う。

でも──。

死んでからあんなモノになって生き返るなど言語道断だ。

許せない。理解できないしたくもない。映画だってテレビだってこんな馬鹿な筋の話はやらない。漫画や小説でも読んだことがない。こんな話を書いたら、たぶん作家生命はおしまいだろう。

いや、村外れに住んでいる小説家の先生──慥《たし》か京塚昌彦《きょうづかまさひこ》とかいう名前だったか──は、先月デブが出て来る小説を書いていたようだった。あの人はいったいどうしたのだろうか。

──もう太っているだろうか。

2

「——変だって何が」

「何がって——だから棺桶だよ」

浅野《あさの》巧巳《たくみ》はそう言って神経質そうな顔を歪ませた。

吉良《きら》静珍《せいちん》はその顔を細い眼で眺《なが》めて、棺桶がどうしたんだよ——などと言いながら、剃り上げた禿頭をつるりと撫でた。

「別に変じゃなかったよ。ちゃんとした棺桶だったぞ。立派なやつだ。大石《おおいし》木工で作ってるタコチュウのキャラクター付きファンシー棺桶のスペシャルヴァージョン３Ｌサイズだったからな。あれは高いぞ」

焼けちゃうのになぁと言って、僧形の男は豪快に笑った。

浅野巧巳はこの村に一人しかいない医者であり、吉良静珍は村民すべてを檀家に持つ古刹・忠《ちゆう》臣寺《しんじ》の若住職である。共に三十五歳。二人は幼馴染みでもある。

医者は供物台にあげられている和菓子を玩《もてあそ》びながら、

「おい静《せい》ちゃん。どーでもいいけどそのタコチュウってのはなんなんだよ」

と尋《き》いた。

お前何も知らないんだなぁと坊主はのんびりした口調で言った。

「大石木工のイメージキャラじゃないか。棺桶作りはこの村の主要産業だからな。ファンシー棺桶シリーズは大石木工起死回生の新作よ。ただ、あのネコちゃんとかウサギちゃんとかビーグル犬とか黒いネズミとかには、悉《ことごと》く提携を断られたのだ。それで某人気TV番組にあやかろうと——」

「パクったのか」

「パクっちゃないよ」

「だってそりゃピカ——」

「違うよ」

静珍は慌てて巧巳の言葉を制する。

「むしろクレクレタコラなんだ。あれは。そっちの方には似ても似つかない。チュウと言っても、何しろタコだから」

タコだもんなぁ——巧巳は落胆したような声を出した。

「でも何でタコなんだ？」

「酢蛸が好きだったんだよ。大石の親爺」

人生のどん詰まりに際してそんなモンに入れられたくないよなあ——巧巳は一層落胆したような声を発した。

「売れないだろ」

売れないな——静珍は巧巳から菓子を奪い、ぱくりと喰った。

「おい。喰うのかよ」

「喰うよ」

「喰うよって、供物だろ」

「そうだ。これは仏様の供物だ。おれは生き仏だからな。賞味期限があるし」

静珍はあっという間に菓子を全部口中に放り込み、

「まふだいわのわわあはははねもひだからはのめはんわよ」

と言った。

「何と言ったんだ」

「だはら、まふ――べふッ」

静珍は噎《む》せた。慌ててお茶を飲む。

「――ういッ。だから、松平《まつだいら》の婆ァは金持ちだから頼めたんだ、と言ったんだよ。ちゃんと聞けよ藪医者。あの婆ァ、死んだ爺さんは村で一番の分限者なんだから一番上等な奴で頼むと大石の親爺に言ったらしいぞ。大石木工で一番高いのは新作のファンシーシリーズだったんだな。大石は喜んださ。でも、あのタコチュウは印刷じゃなくて木彫だからな。時間がかかる。しかもサイズ測り間違ったんだそうだぜ。それで葬儀が三日も延びた。冬場で良かったよ」

静珍は再び菓子を抓《つま》んだ。

巧巳は憮然とする。

「がっかりするよな、お前と話してるとよ。それでも仏法者なのかよ。末法の世ってのはこういう有り様なのかと実感するよ実際。そのな、お前こそちゃんと喋れよ糞坊主。俺が変だと言ってるのは、八十五歳で死んだ大工の爺ィがファンシーなタコの棺桶に入った——ってことに就《つ》いてじゃないんだよ。それも慥かに変だけどさ」

「すげえ変だったよ。屍体《ホトケ》さんの顔の真下に赤いタコがよ、こうくねくねと」

「違うって」

何が違うんだよと不服そうに言って静珍は眉間に皺《しわ》を寄せた。

「お前は見てないからそんなこと言うんだよ」

「何を」

「だから桶に入った爺ィ。あの爺ィはよ、皺がよってるくせに愛敬があって、こう、ピーナッツみてえな顔してやがっただろ。あのクレクレタコラに出て来るタコラの友達のな、チョンボに似てやがるんだ。似てんだよ。だからよう、拙僧《オレ》は葬式の間中おっかしくって可笑《おか》しくて、笑いを堪えるのにそりゃ苦労したんだからな。踏ん張り過ぎて屁が出たぞ。鈴《りん》と木魚で誤魔化《ごまか》したけどな。まあ腹筋が鍛えられちまってダイエットになったがな」

「おい、俺の話を聞けよ」

「聞いてるじゃねえかよ」

巧巳は横に放り出してあった払子《ほっす》で静珍の禿頭をボクリと叩いた。

「痛てえなこの罰当たり」

「黙りやがれ破戒坊主が。てめえみてえな豚の肛門に拝まれた死人は悉く地獄行きだぞ。てめえこの間、経本の代わりにゲームの攻略本見ながら葬式してたじゃねえか。印《いん》でも結んでるのかと思ってみれば、ありゃコントローラー操作する動作だな」

「ふっふっふ」

よく判ったな――静珍は不敵に笑った。

「この村には爺婆ばかりだしな。ゲームなどやる者は誰もいないから判るまいと思ったのだ」

「信じられない野郎だな。その分だと上げてた経だって何かのゲームに出て来る呪文かなんかじゃねえのか」

「そんな呪文はない」

「じゃあカラオケの新譜の歌詞か」

「ふっふっふ」

「だから。てめえがどれだけ腐れ坊主かなんてことはいいんだよ。村の常識だから。そういう話じゃないんだよ。いいか、よく聞け生臭坊主。あの松平の爺ィはな、誰あろう、この俺が看取ったんだぞ」

「知ってるよ。この村に医者はお前しかいないんだからな。この村の死人は大抵お前が生み出すんだ。この悪徳医師」

「な、何を」

「この人殺し」

「ひ、人聞きの悪いことを言うな」

「知ってるぞ。爺婆の衰えた目は騙せても御仏の心眼までは騙しおおせるものではない。人のことをそれでも仏法者かなどとほざくがな、お前こそそれでも医療に携わる聖職者か。医は仁術という言葉はどこの国の言葉だよおい。お前んとこ、薬は二種類しかねえだろう。誰が来たって、どんな症状だって大抵そのどっちかで済ましてるな」

「そ、それはお前——」

「まあこの村の連中は躰《からだ》が丈夫だからな。患者のほとんどは喰い過ぎか飲み過ぎだ。だからってお前、下剤と下痢止めしか用意してねえってのは問題だな。この間、風呂屋の清水《しみず》ンとこの若いのが頭痛で通院した時も、おめえ下痢止め渡したな」

「ふっふっふ」

巧巳も不敵に笑った。

「偽薬《プラシーボ》効果というのはあるのだ」

「はん。プラスチックだか疣蛙《いぼがえる》だか知らねえが、清水ンとこのガキはよ、お前の薬のお蔭でもンの凄い便秘したんだぞ。便通がなくなって、半月後にド硬いのが出てよ、挙げ句の果てにあいつは切れ痔になった。ところがおめえは、切れ痔だって通院してるのに——また下痢止め渡しただろ」

「ふっふっふ」

「お蔭であいつはまともに座れなくなっちまってよ、青春かけてた番台を降りることになったんだ。生き甲斐をなくしたと言って仏の慈悲に縋《すが》りに来たぞ」

「何でてめえん所に来るか？」

迷える檀家を救うのも僧侶の役目——静珍は両手を合わせた。

「肛門の痛みで楽園を追われる若者の苦悩は海よりも深かったぞよ」

「楽園って何だ」

「そりゃ番台よ」

「馬鹿かてめえは。大体失楽園ってな宗旨違いだろうに。節操がねえな」

「苦悩に宗派の垣根はない」

「それを言うなら苦悩じゃなくて煩悩だろうが。いいか、あの清水学《まなぶ》は煙草屋の看板娘のあぐりちゃんに岡惚れしていたのだ。それまで村を出てバンドをやるとかほざいてたくせに、あの娘《こ》がてめえンとこの風呂屋通ってると知るや否や、掌《てのひら》返したみたいに番台に上がりたいと言い出して、泣いて親父に懇願したのだ。就労の動機が不純じゃねえか」

「判ったぞ」

静珍は数珠を巧巳の鼻先に突き出した。

「お前もあぐりちゃんに惚れてるだろ」

「な、何を言う」

巧巳は身を引いた。

「あ。赤くなったな」

「な、なってない」

「なってるよ。ははあ。読めたぞ糞医者。お前、自分が密かに想いを寄せているあぐりちゃんの玉の肌をあの小僧に見られるのが嫌で、わざと下痢止め渡したんだな。そーか、すべては邪《よこしま》な企みごとだったか」

「よ、邪ってお前、家業を利用して清純な乙女の全裸を観賞しようなんて、そっちの方が余程ひ、卑劣じゃないか」

ひれつう──静珍は唇を突き出す。

「卑劣なのはお前の方だ。村人がお前を信用してるのを良いことに、医術を私利私欲のために使うとは悪鬼の所業。拙僧が天に代わって引導渡しちゃる」

往生しやがれモグリ医者──静珍は木魚を叩く棒でぽくりと巧巳をぶった。

「いッ、痛いなあ。いいよ。もう解ったから。頼むから話を先に進めさせてくれよ。あのな、俺が問題視してるのは、そのチョンボ似の爺ィの体格なんだよ」

「体格ってなんだよ」

静珍は棒をくるくると回した。

「躰の大きさのことだよ。そんなことも知らねえのかこの寺の坊主は。あのな、あの爺さんは痩せてたんだ。背も小さかった。死因は心不全、いわゆる老衰だけどな、最後の一週間くらいはほとんど食べられなかったから、腕なんかこんなに細くなってたんだぞ」

「それがどーした」

静珍は再び菓子を喰った。

「どーしたってお前、その小さい爺ィが何だって3Lの棺桶なんだよ」

「見栄張ったんだろ」

「違うよ。俺は葬式は出なかったが通夜には行ったんだ。爺さんは――」

太ってた――と巧巳は言った。

「気の所為《せい》だろ。死ねば人相変わるぜ。肌も弛《たる》むし、浮腫《むく》んで見える」

「そうじゃないんだよ」

巧巳は両手の人差し指と親指で四角を作り、そこから顔を覗かせた。

「こんなだったぞ。棺桶の窓。顔が膨れ上がってた。まあ布が掛かってたから棺のタコは見えなかったが」

「うーん」

静珍は棒で自分の肩をポクポク叩いた。

「まあ――そんな感じだったわなあ。う」

口に手を当てる。

「どうした？」

「う――お、思い出した。ひひひひひ。あの爺ィ、どう見たってよ、チョンボだ。う、うひひひ。あー辛抱堪らん」

静珍は肚を抱えて畳につっ伏し、ぶひぶひと背中を波打たせて、癇《ひきつけ》るかのように爆笑した。

「いくら可笑《おか》しくたって不謹慎だろうが」

「そ、そんなこと、ひひひ、他人《ひと》ごとだと思うから言えるんだひいい」

「そんなに似てるのか？」

「似てるじゃねえかよ」

「知らないよ」

静珍はむくりと起き上がる。

「お前、まさかクレクレタコラ観たことないのかよ？」

「ないよ」

「駄目だよ。CSで録画したの貸してやるから観ろよ。全話録《と》ったから。お蔭でDVDボックス買わずに済んだんだ。拙僧はビラゴンとシクシクが好きなんだぞ」

カーン。

ちなみに巧巳が静珍の額《ひたい》に鉦《かね》を叩きつけた音である。

「な、何をするか」

「おい静珍。てめえ、大動脈に下痢止め注射してやろうか？　そのでかい禿頭の中に詰まってるのはいったいなんだよ。蟹味噌か？　それともそこは空か」

「どちらかというと空かな」

「自覚があるじゃねえか。あのな、あの爺さんは臨終の時、確かに痩せてた。それは間違いない。でも大石木工の親爺がタコの彫り物をしてる間の二日だか三日の間に、あの爺さんはパンパンに太った。こりゃどういうことだ？」

「喰い過ぎたん」

カーン。

「な、何をするか」

「何をか言わんや。幼馴染みのよしみで見逃してやってるがな、本当ならてめえ、麻酔打って開腹して腹ン中にミミズ入れて縫合してやってるところだぞ。おい、どうして死人が喰い過ぎるんだ。てめえみたいに供物を貪《むさぼ》り喰う死人がいるってのか？　なら、てめえはそうやって仏様の上前撥ねられなくなるぞ」

それは困るな――静珍は供物台からバナナを取って皮を剥いた。

「とにかくありゃ別人のように肥えていたぜ。由利徹と武蔵丸くらいの差はあった」

「かっくん」

カーン。

「な、何をするか、オシャマンベの方が良かったかな」

「そんなギャグは今どき誰も知らないんだよ。言い直すよ。坊屋三郎と北の湖くらいの差はあった」

「うーん」

「どうだ。すぐにギャグが思いつくまい。ザマぁ見ろ。いいか坊主、てめえも葬式商売だから心得てるだろうが、屍体というのは縷縷《るる》変化しているものだ。死後硬直だの屍斑だの、まあ見りゃどのくらい経過してるか判る。だが死後に太るなんて話は聞いたことがないぞ。土左衛門じゃないんだから、膨れやしないだろ」

「ドライアイスけちって水につけておいたとか」

「豆腐じゃないんだよ」

「じゃあ変じゃないか」

「だから変だと言ってるんじゃねえか」

医者と坊主は首を捻った。

供物はほとんどなくなっていた。

3

「変だって何がや」

「何がって、だから骨だよう」

どれ、口開けてみ——堀部《ほりべ》トメは大きく開けられた息子の口の中を覗き込み、気の所為《せい》や、何にもあらへん——と言った。

「何にもないとはどういうこった？」

「ないものはないがな。骨やろ？」

「骨って」

「骨言うたやないか」

「おっ母ァ——」

堀部安太郎《やすたろう》は梅干しを喰いまくったような老母の顔を繁繁と見つめた。

「——あんでオカラと芋《いも》喰って喉に骨が刺さんだよ」

「せやから気の所為やって」

「おっ母——」

堀部安太郎は傘《からかさ》に提灯をかけ合わせたような老母の顔をもう一度見つめた。

「——その骨ではねえ」

「どの骨やちゅうねん？」

　コツだよコツと安太郎は言った。

　老母は卓袱台《ちゃぶだい》を拳骨《げんこつ》で叩いた。

「何の真似だ」

「こつこつ」

「あんた幾つだ」

「六十二やで」

「おっ母――」

　堀部安太郎は畳鰯《たたみいわし》を炙《あぶ》ったような老母の顔を見て少し涙を滲《にじ》ませた。

「――そんだらボケは今どき喜味こいしでもやらねえぞ。夢路いとしが草葉の陰で泣く。突っ込みようがねえでねえか。あのな、俺が言ってるのはお骨《こつ》だよ。骨壺に入ってるヤツだ」

　老母は口を窄《すぼ》めて尖《とが》らせた。

「あんの真似だ」

「ちゅうちゅう」

　それはタコ壺やがな――と突っ込んでから堀部安太郎は酷《ひど》い自己嫌悪に陥った。もちろん突っ込まれた老母が嬉しそうだったからに他ならない。

　関西出身の母トメは、この土地に嫁いで三十八年になろうとしているのに、未だ関西弁と芸人体質が抜けないのである。

「おっ母。おめえ、この村で浮いてるってことがどうしても解らねえようだな。この赤穂村《あこう》になんば花月《かげつ》はねえ。今は吉本新喜劇もオンエアしてねえ。おっ母の尊敬する横山やすしも、もう死んだんだ。いい加減にそのリアクションやめてけれ」

「せやかて」

「まあ話を聞けって。おっ母、昨日、不破《ふわ》の爺さんの葬式行ったな」

「行ったがな。なんやショボい葬式でおましたな。人がおらへん」

「そらそうだって。だって今年に入って四軒目だからな。この狭い村でよう。いくら老人が多いからってこりゃ多いよ。香典だって馬鹿にならねえ」

「そうやなぁ。でも正月はようけ死にまんがな爺婆。二日の新聞を見ますってェと大体載ってまんな、あの餅——」

「おい」

「なんや」

「そうやってネタに持ち込もうとしても無駄だぞ。あんたの餅詰まらせネタは、俺はもう三十四回は聞かされてるかんな。我が家の正月の風物詩だ」

「だって」

「だってじゃないって。真面目に聞けよ。おっ母、不破さんの骨拾ったか？」

「拾われへんやん。お前もおったやろが。みんな綺麗《きれい》に焼けてしもたがな。あの爺、余ッ程乾いてけつかったんやな」

そこだよ——安太郎は眉を顰《ひそ》める。

「不破の爺さんだけじゃないんだ。大野の爺さんも、赤埴《あかはに》の小父《おじ》さんも、木村の爺様も全部、完全に焼けてしまっただよ」

「せやけど火葬場の片岡《かたおか》はんも説明してはったやないの。何や窯《かま》の温度が高過ぎたとか言うてはったんちゃう？　えらいすんまへん言うて」

「すまんで済む問題か？　お骨が燃えてなくなっちまっただよ。一回ならともかく、四回続くってのは納得できねえなあ」

安太郎は腕を組んだ。ナニ深刻な顔してはるのと老母は尋いた。

「他人《ひと》の家のことやん。それにほんまに窯の調子悪いんちゃうのん？　そんな、お骨焼き切ったかて片岡はんには一文の得もないやないの。バレたら叱られるだけや。損するだけやろ。わたいにはわざとやったとは思われへんわ」

「いいや——」

安太郎は一層に怖い顔をした。

「——例えば、例えばだよ、おっ母。死因に細工があったとしたらどうだ」

「細工ってなんやの。あの、こう角のある躰の大きな——」

「それは犀《さい》」

「じゃあこう鉄鎚持ってトンカンカン」

「それは大工」

「じゃあ月曜日の時間割はっと、ああ一時間目は現国、二時間目は数学、三時間目はあら着替えを用意しなくっちゃ」

「そ、それは——体育か」

「じゃあヒカシューの曲で、映画『チェンジリング』の主題曲にもなった——」

「何だよそれ？」

「パイク」

「知るかンなものぉぉぉぉ」

ばこ。安太郎はとうとう堪え切れずに、老母を殴り飛ばした。老母はころころと後転して大黒柱の前ですっくと立った。

「ナニすんねん。突っ込むいうたかて限度がおますわ。こう——」

老母は柱を手の甲で叩いた。

「——ちゃいまんがな、この程度で宜しいがな。どつき漫才やないんやから」

「どつくもどつかんも関係ないわい。俺達はただの親子であって、親子漫才ではないのじゃ。たのむから真面目に聞いてくれよ。前の章もそうだったけど、何頁も使ってちっとも話が進まないんだよ」

「淡淡とした村の日常生活を延延と描くところがええんやないの。後半のカタストロフになだれ込む、その落差が快感やわ」

「わからんて」

「解らんか。ならええわ。で、何やその、サザエさんが忘れたちゅう話は」

「何だって?」

「せやからその、♪買い物し——」

「解ったから歌うな。ジャスラックの表記を入れるのは面倒だからな。ええと、それは財布やがな、と——」

安太郎はわざわざ立ち上がって老母の傍に行き、手の甲で肩の辺りを叩いた。

「——これでいいな。俺の言ってるのは財布じゃなくて細工だ」

「それは角のある」

「もういいって。例えば死因に不審があって、例えば骨を見ればそれが判る——とかいう場合はだな、骨隠しは有りだろ」

「せやかて安太郎。死亡診断書は浅野先生が書いておるやないの。火葬かて埋葬かて許可書が要るのやろ?」

最初からそういうリアクションをせぃよと安太郎は言った。

「だからそこが怪しい言ってるんだわ。村には医者は一人しかおらん。その医者と、火葬場の片岡が結託すればだ、何でもできるでねえか」

「何でもできるか」

「できるだろ。例えば——人殺し。あの医者が嘘の診断書を書けば一応許可は下りるさ。もし不審に思う者がいたって、骨まで焼けてちゃ何の捜査もできない」

「物騒な話やないか」

「物騒だろう。最近――死人が多過ぎるわ」

「そうやなぁ。でも正月はようけ死にまんがな爺婆。二日の新聞を見ますってェと大体載ってまんな、あの餅――」

「おい」

「なんや」

「そうやってネタに持ち込もうとしても無駄だと再三再四言うてるのが聞こえないかよこのクソ婆ぁ」

「あ」

「あじゃねえよ。そもそもあの片岡、最近やけに太ってないだか？」

「片岡はんか？　せやなあ。まあ、痩せた感じはせえへんな。こう、お腹の周りはぷうっと膨れてはるし、二の腕もぴちぴちしてはるし、太股なんかパンパンに張ってはるしなあ。指かて手袋破れそうに腫れてはったわ。でも――太りはったかなあ」

「そういうのを一般的には太ったというのと違うか」

「さよか」

「さよかと違うわ。いいかおっ母ァ。今、この村がどういう状態か、あんたもよく知ってるよな？」

「平穏無事やがな」

「どこがじゃ」

安太郎は大黒柱を叩いた。

梁から埃が降って来た。

「この赤穂村はな、山の中に孤立した村だだよ。麓の街までは細ォい県道が一本あるだけだ。反対側の街までは山越えしなけりゃ行けない。物資はすべて県道一本で送られて来る。その県道が雪崩《なだれ》で埋まったのは知ってるだろう。あそこは難所だからな。復旧作業は難航してる。もう一箇月だかんな。食料は底をつき始めた」

「せやけど電話も通じてるしテレビも映るし、ガスかて水道かて出るで。何の不自由もないがな」

「あんたは毎日テレビ見て笑ってるだけだから危機感がねえだよ。役場では毎日頭抱えてるだぞ。燃料だってもうない。この冬場に、これは——深刻な問題だだよ」

「ハンコを彫るのか」

「それは篆刻《てんこく》」

「ご飯の時にポリポリと」

「それは新香喰う」

「21休さんの原作かいな」

「それは新徳丸。もう、判らないってそんなネタは。とにかく今、村は麓から物資を送って貰えるよう依頼している状況だ」

「で？」

「で、じゃないって。何でそんな状況で太るんだよ。片岡が太り出したのは、俺の勘違いでなければ——そう、松平のご隠居が亡くなる前くらいからだ」

「ああ、あのピーナッツみたいな顔の爺やな。あそこの婆は小憎らしい婆やで。あれ嫁に来たンは、わしと同じ頃のことやけどな、あの婆東京モンやねん。わしは関西やろ。差別すんねんで。こんなクソ田舎に来て山の手も熊の掌もないやろが。それが何や、あらお下品なお言葉だこと——とかほざきくさってあの婆。あそこの爺は、この村ではまあ金持ってる方やわ。せやかてあの顔やろ。うすらペタンとした顔しくさってからに。あれやったら死んだうちのダーリンの方がなんぼか男前やがね」

「あのなあ——」

安太郎は内心複雑な心境にかられた。

確かに松平スミはお高くとまった嫌味な女である。おそ松くんのイヤミを女にして塩沢ときをかけ合わせたような女なのだ。

しかし、一方で己の老母が下品なのも、これまた紛れもない事実なのである。言動も下品だし、意地汚くて口が悪い。顔つきだって髭を剃った佐藤蛾次郎にばってん荒川の扮装をさせたようなものなのである。

加えて、年末に亡くなった松平儀助《ぎすけ》は本当にピーナッツに似ていた。でも十年前に亡くなった己の父親もいかりや長介にクリソツ（当時の表現）と村内で評判だったのだ。

安太郎につけられた渾名《あだな》は、長介Jr.だった。その当時、いかりや長介といえばブ細工の代名詞だった訳で、安太郎は随分悔しい思いをしたものである。一方、松平の息子はロッキードという渾名で呼ばれていた。勿論、その昔世間を騒がせたロッキード事件に於て、裏金の隠語がピーナッツだったことに由来する渾名である。

確かにどちらも嬉しい渾名ではなかった。しかし時は流れる。たった数年のうちにロッキード事件のことを口にする者など殆《ほとん》どいなくなってしまった。由来が解らなくなれば、もうピーナッツにまで遡《さかのぼ》ることはできない。ところがいかりや長介は違った。コミックバンドのリーダーから性格俳優へと転向し、世間の評価はかなり変わったのだが——顔は変わらない。人気ドラマにも多数出演したから、亡くなってもなお再放送やＤＶＤなどでお茶の間への露出は多い。数十年を経てもいかりや人気はいまだ健在——いや永遠になったのである。

ロッキードはその後、村を捨てて実業家になった。聞けばスッチーを娶《めと》って良い暮らしをしているという。葬式の時にちらりと会ったが、何だかにやけていた。香典返しだってそれは贅沢なものだった。

長介Jr.は村役場に勤めた。何年経っても何ひとついい話はない。三十越して嫁もいない。芸人体質の下品な婆ァと二人ッきりで小汚い家に住んでいるだけである。

でも、村を捨てたヤツはまだいい。

肚が立つのは村を出て偉くなって戻って来たヤツである。

例えば——医者の浅野だ。浅野は前の村長の息子で、東京の医大に進学した。

て来たのだ。

その段階でもう、村では神童扱いだったのである。それが卒業して医者となって舞い戻って来たのだ。

故郷の無医村で開業したい、そのために精進しました——と、浅野はのうのうと言ってのけた。カッコつけるなクソったれと安太郎は思ったものである。

——ドラキュラが。

浅野の渾名である。

似ていたのだ。クリストファー・リーやベラ・ルゴシに似ていたのではない。藤子不二雄の漫画『怪物くん』の従者のドラキュラに似ていたのだ。本当にハイザマスとか言いそうな顔をしていた。それが今や、村の尊敬を一身に集める医者様である。

——フランケンとつるみやがって。

フランケンとは村人の精神的支柱となっている村の菩提寺、忠臣寺の今の住職、吉良のことである。これは馬鹿で、フンガーフンガーとしか言いそうにもないガキだった。成績も悪かったし、絶対に坊主にはなれないだろうと村中が思っていた。それがどうしたことかぺろっと僧侶になって帰って来た。帰って来るなり父親の先代住職がころっと死んだのだ。

寺はフランケンのものになった。

なってしまえばもう、どれ程馬鹿でも住職様である。爺婆は無条件に尊敬する。

医者と坊主は、この村では村長より偉いのだ。お蔭で役場勤めの安太郎は、村内でのランクががくんと下がった訳である。

好き好んで過疎の村に戻って来ることはないじゃないか。実際、奴等が戻って来るまでは、安太郎は数少ない若者の筆頭として結構重宝されていたのである。

そう——狼男もいたか。

狼男こそ火葬場の片岡源伍《げんご》だ。片岡は子供の頃から怠惰な男だった。村から出るのは面倒だという理由で、安太郎同様役場に勤めた。勤めたはいいが、片岡は事務処理能力が皆無という男だったのだ。無能なのではない。怠け者なのだ。なーんにもしない。しかし去年火葬場を任されるや否や、水を得た魚のように張り切り出したのだ。

——どうも怪しい。

医者に坊主に火葬場の男。全部安太郎の同級生だ。閉ざされた村で次次人が死ぬ。怪しいのは医者、坊主——。

「後は村長やね」

「どうして」

「せやろ。鬼頭嘉右衛門《きとうかえもん》の遺言やがな」

「それは獄門島やて」

ぱん。自然に突っ込んでいる。安太郎は再び自己嫌悪に包まれた。

「そ、そうじゃないんだおっ母。今、村は危急存亡の秋《とき》だ。それなのにあの片岡はぶくぶく太った。あいつは去年まで栄養失調気味だっただよ。一人暮らしで喰うや喰わずだったからな。それが何故今——太る？」

「そら変やがな」

だから変だと言ってるだろうが——安太郎の虚しい突っ込みが村に谺《こだま》した。

4

「変だって何です？」

弓塚千津《ゆみづかちづ》は机を叩いた。

「そうやって誤魔化《ごまか》して原稿遅らせようたってそうはいかないんです。アタシだってひと月以上も粘ってるんですから」

誤魔化してないよう、と京塚昌彦は言った。

「原稿、ちゃんと渡したじゃないか」

「約束の原稿は戴いてません」

しつこいなあ——京塚は泣き声を出す。

「あのね、前回書いた『土俵《リング》・でぶせん』という小説はね、あれで終わりなの。続編はないんだって」

「LOOP《マワシ》は？」

「あれはだからギャグだって。確かに第三部LOOP《マワシ》に続く——と書いたけど、本当なのか、と受けて、嘘だ——って最後に書いてただろうに。冗談だよ。ジョーク。おふざけ」

そんなのは読者には通用しませんと言って、千津はもう一度机を叩いた。

「通用しないったってさあ」

「読者に洒落が通じると思ったら大間違いです。先生は今まで怪奇耽美な名作を連発されて来た訳ですから、あれで終わりは」

「あれで終わりなの！」

「じゃあギャグじゃないですかッ」

鋭い目つきだった。千津はヴェテランの編集者、京塚は人気ホラー作家である。

ギャグだもの——京塚は泣いた。

「——笑かそうと思って書いたんだよう。僕だってたまには書きたいよギャグ」

「なにを寝惚けた戯言《たわごと》を吠《ほ》え狂っているんですか。あのね、先生が人気作家でいられるのは、誰のお蔭？」

「ど、読者」

「それから？」

「へ、編集者」

「それから？」

「しゅ、出版社」

良くできました——と言って千津は京塚の頭を撫でた。

「その読者と編集者と出版社が声を揃えて先生に血も凍るホラーをお願いしてるんですねえ。ほォらあ、ほォらあ、ホラ、大合唱です。聞こえるでしょう？」

「別に」

「き・こ・え・ま・せ・ん・か」

「す、少し聞こえるかな」

「じゃあ書いて」

「書いてって弓塚君、あれはもう、手がつけられない程にふざけた小説じゃないか。君も知ってるだろうに。題からしてパロディなんだし、シリアスなところはかけらもないんだよ。君だって笑ってただろ」

「驚愕のラストがあると思えばこその笑みです。発狂するような恐怖を予測しての乾いた笑いです。前半笑わせて、後で奈落に突き落とす、その落差を思えばこその頬の攣《つ》りです」

そう言われてもなあ——京塚はキーボードに背を向けて下を向いた。

「あんな小説、どういじくったって怖くなんかできないよ。それにあれは短編だろうに。続編書いてどうすんのよ」

「完結編千枚」

「そんなあ」

「合計千六十枚の超絶ホラーになるんだと編集長以下編集部一同、文芸局長や販売部長、社主にまで言いましたアタシ」

「どどどうしてそんなこと」

あのね——千津は立ち上がった。

「あの小説に出てくる千津川寿美子《ちづかわすみこ》ってのは誰がモデル？」

「そ、それは」

「アタシじゃあないんですか?」

「そ――そうだけど、それが?」

アタシはギャグ小説になんか出たくないんですッ――と千津は叫んだ。

「そ、それが理由か」

「理由ってナニよ」

「こんな山奥まで来て、一箇月も粘って」

けッ――千津は床を蹴った。

「帰りたくたって帰れないんですッ。知ってるでしょうにあの雪崩。ヘリでもチャーターしなきゃここから東京へは帰れないのよ。何もかも先生のお蔭なんですからね。責任とって貰います。続き千枚」

「雪崩は僕の所為《せい》じゃないよう」

いいえ先生の所為ですと、千津はきっぱり断言した。

「デビュー作の『血達磨《ちだるま》小僧《こぞう》がみぞおちを撫でる』以来、『耳からヤモリ』『ゾンビのディープキス』『素人蓄膿手術大失敗』と、次次に読者の心胆を寒からしめて来た先生が、いきなりギャグ小説なんか書くから雪が解けたんです」

ううん――京塚は頭を抱えた。

「先月書いたあの小説には――実はネタがあるんだよ弓塚君」

「そんなことはサッコファリンクスだって気がつきますよ。題名なんかそのまんまパクリじゃないですか。スー先生怒っちゃって大変でしたよ」

京塚は一層下を向いた。

「あの人は強そうだからなあ」

「強そうじゃなくて強いんです。鍛えていらっしゃいますもの。文壇一ですね。怒りを買うとクルーザーから鮫の泳ぐ海にポイですよ。ポイ」

嫌だなあ怖いなあパーティとかで会いたくないよなあ——京塚は終《つい》に股に頭をつけた。

「なら書かなきゃいいでしょうに」

「筆が滑ったんだよ。君も面白いと」

「だからアタシは先があると思えば」

うわあん——京塚は泣き出した。

「——そうじゃないんだ。元ネタの話なんだよ弓塚君」

小説家はむくりと顔を上げる。

「だから。それは続編まで映画化されて、完全版やら最終章やら——」

そのベストセラーの話じゃないのだ——京塚は真顔でそう言った。

「——それは題名だけ戴いたんだから」

「まあ——中味は似ても似つかない話でしたけど——それとも他にもまだ何かからパクってるんですか？」

「失礼だな。僕は内容をパクったことなんかただの一度もないよ。あのさ、僕の書いたのは読むと太っちゃう呪いの小説――って馬鹿な話だろ」

「今のところはね」

「永久にそうなんだって、しつこいな。その太る呪いってのがさ、この辺りに伝わってる伝説なんだ」

「太る呪いィ？」

まあ嫌だ――千津は己の両肩を抱いた。

ガリガリに痩せている。

「太っちゃうんですか？」

うむ――京塚は漸く《ようや》ホラー作家の相貌と威厳を取り戻した。

「僕がこの村外れに別荘を建てたのは、つい五年前のことなんだけれども――亡くなった忠臣寺の先代住職とは生前、そう、十年くらい前から交流があったのだな。その住職から聞いた話なんだが――まあ、今の若住職はなぁんにも知らないらしいんだがな」

「何なんですよ」

千津は椅子に座った。

「この村にはな、死人を三日間供養しないで放っておくと、屍体がむくむくと太るという言い伝えがあるんだよ」

「死人がですか？」

「そう。それを膨れ上がり、と呼ぶ。膨れ上がった屍体は息を吹き返して――」

「生き返るんですか？」

「そう。でもただ生き返るのじゃない。ただ生き返るならこれは禧《めでた》いことだ。だから、生き返るというより、キョンシーだのゾンビだのと一緒だよ」

「ゾンビならゾンビと言ってください」

「まあなあ。本物のゾンビと映画のゾンビは違うからやや抵抗があるんだが。まあ、蘇生した膨れ上がりはその手のものなんだ。生前の記憶があるのかないのか、それは判らない。そのうえ膨れ上がりはな――仲間を欲しがる」

「それって――殺すってこと？」

「殺す必要はないんだ。膨れ上がりは屍体を隠すんだよ。すると――供養されない屍体はまた膨れ上がる」

何だか気の抜けた話ですね――千津は肩の力を抜いた。

「血を吸うとか脳髄を啜るとかバラバラにして喰うとかそういうのはないんですか？」

「ない」

「こう、物凄い力で下半身を引き千切《ちぎ》って、臓物がベロンと出て、それをはむはむと」

「ないって」

「ないんだ」

「ない。でもな、連中は徒党を組んで――」

「で？」

「――村中の食い物を貪り喰う」

「何だかなあ」

怖くないですよ全然――千津は脚を投げ出した。ばたばたさせる。

「そんなの間抜けです」

そうかなあ――京塚は上目遣いになって体勢を低く取った。

「だって君、彼らは死人なんだぞ」

「死人って言っても実体がある訳でしょ。幽霊じゃないですもの。しかも強暴になる訳じゃないんでしょ。人に危害を加えないなら生き返ったのと変わりないですよ。単に息を吹き返しただけならゾンビとは言いません。それはやっぱり蘇生です」

「いや、死後三日を経て生き返って生前の記憶があるとは思えない。脳は酸欠に弱いからな。三日呼吸が止まっていれば完全に駄目になっているはずだ。それで動き回るなら、それは生物学的・病理学的に生者とは区別されるべきだろう。しかもだ」

「しかも何です？」

「奴等は――太っているんだぞ」

「そ、それが？」

「怖いじゃないか」

怖いですかねえ――千津は不服そうな顔で京塚を見据える。

「意識をなくして野獣と化した高木ブーや伊集院光や石塚英彦や松村邦洋やパパイヤ鈴木や内山信二やKONISHIKIが徒党を組んで攻めて来る情景を想像してみたまえ。そのうえ彼らは一様に知性を失い、ただ喰い物を見ると飛びついて貪り喰うんだ。もりもりと。わりわり喰うんだぞ。そしてむくむく太るんだぞ。ぶっくぶくに太りまくるんだ」

「ぶっくぶく？」

「むっしゃむしゃのぶっくぶくだ」

「それは何か——怖いかも」

怖いだろう——京塚は勝ち誇ったように言った。

「僕はそれで一本書けると思ったんだよ。でも書き出してみるとこれが駄目なんだ」

「駄目というと？」

「太った人は——いい人なんだよ、基本的に。現実にはどうなのか知らないがね。少なくとも小説に書いてしまうと、どこか愛敬のあるいい人になっちゃうんだよ。まあ、僕の筆が及ばないだけということなんだろうけれど——僕は、デブでホラーを書くだけの筆力を持っていなかったのだ」

「まあねえ」

「だからギャグに切り替えたんだよ」

何だか言い訳臭いわね——千津は脚を組んだ。

「そんな嘘臭い伝説があるのかしら」

「あるんだって」

「今の住職も知らないんでしょ？」

「あの人は経も知らないんだよ。先代が嘆いていたよ。本山に修行に出たはいいが、テレビばっかり見てて何にもしやせんのだと。金積んで坊主になったんだよ」

ありそうな話ですわねえと言って千津は脚を組み替えた。

「でも先生の与太話を裏付けるものではありませんわね。それに続編千枚を書かない理由にもなりません」

「だからさあ。短編の原稿の方はとっくに渡してるじゃないかよう。ホラー短編『海牛が顔に乗る』――気持ち悪いぞう」

「それはそれ。もう三日も前に編集部にＦＡＸしてありますから。今日中にはゲラが出ます。締め切りだいぶ過ぎてますから今日中に校正してくださいね」

するけどさあ――拗ねる。

「それより弓塚君。僕が気にしてるのはだね、その――」

「原稿だけ気にしてくれれば結構ですが」

そうはいかないんだ――今度は京塚が立ち上がった。

「何です？　怖い顔して」

「最近この別荘の周りで――デブをよく見かけるのだ」

「それが？」

「それがって弓塚君。この村に太った人は然《そ》う然《そ》ういないんだ。貧しい老人ばかりの村だからね」

「だって先生。先生は村人とほとんど交流がないじゃないですか。食料だって週に一度、矢《や》頭《がしら》商店ですか？　あそこから纏《まと》め買いしてる訳だし、顔見知りといえば煙草屋の娘さんくらいでしょうに」

「そうだが」

「村人全部の顔なんか覚えてないでしょ。いったい何人いると思ってるんですか。そりゃ東京にくらべたら少ないかもしれませんけど、村ったって五六人しかいないわけじゃないんですからね」

「そりゃそうなんだが——覚えてる者もいるんだよ。役場の者とか、不破さんのお爺さんなんかはよく知っている。それから松平さんね。村一番の金持ちでさあ。僕が小説家だと知るや、サインをくれと言ってここに来たからね」

「はーん」

「何だよ。その人を小馬鹿にしたような鼻に抜けるリアクションはさ。だからまあ、知ってる者もいるのだ」

「でも全員は知らないでしょ。いいですか、今の日本、不況だ不況だ言ってますけどね、餓死者がゴロゴロ出るような社会情勢じゃないんです。ですから、いくら貧しい村だって肥満体の五人や十人はいます」

「しかし今は県道が――」

「ライフラインが断たれたって言っても、電気ガス水道は生きてる訳ですし、天明の大飢饉じゃないんですから、全員痩せ細っちゃう程の食糧難じゃないですよ。元々太ってた人には良いダイエットってなもんですよ。この別荘だってストックが山程あるじゃないですか」

それが――京塚は暗い眼をした。

「大分喰われているんだよ」

「だ――誰に？　泥棒？」

千津の顔色が急激に曇った。

「ふ、不法侵入者がいるならすぐ駐在所に知らせましょうよ先生。先生一人ならともかく、今この別荘にはか弱い可憐な独身の美人女性編集者が滞在しているんですよ。そんな頻繁に住居侵入があるなんて――私の貞操が危ない」

「君は――心配ないと思うがな」

「どーゆー意味です」

「喰ってるのはたぶん――デブどもだ」

「え？」

「そこの裏の森に廃屋があるんだが――どうやら奴らはそこに住んでいる。しかもデブの一人は間違いなく不破のお爺さんだ。ついさっき――僕は顔を見たんだ」

「そ、それが？」

「不破さんは痩せた人だった。でもね、さっき森で見た彼は——ぶっくぶくに太ってた。まるまると、パンパンに膨れ上がってた。完全肥満、くびれなしだったんだ」

「それじゃあ——」

ああ——京塚は頷いた。

「不破さんは——四日前に死んだはずなんだよ。やっぱり変——だろ?」

変ですう——千津の悲鳴が響いた。

5

「変だって——変じゃないよ」

浅野巧巳は気色ばんだ。

「変じゃないかよ。なあ皆の衆。変だと思うべい。な？」

堀部安太郎が叫ぶ。

本堂に集まった村人達は力のない声でおおと呻《うめ》いた。

「おい浅野。おめえナニ企んでる」

「なにって——何も企んでないよ」

「だっておめえ、この狭い村で年末年始からこの二月にかけて死人が四十七人だど。おかしいな。俺は戸籍係だかんな。過去のデータ見たってこんなに人が死んだことたあねえど」

「そんなこと言ったたって」

「おかしい。おかしいな」

おう——力ない答え。

「おめえ——毒でも盛ったんじゃねえのかい？　その——東京仕込みの医術とやらを駆使して村人を次次と——」

馬鹿言うなよ——巧巳は怒鳴った。

「東京仕込みって何なんだよ。南蛮仕込みみたいじゃないか。何か？　東京の医大じゃ毒殺を教えてるとでも言うのか？」

都会は恐ろしいところだと聞くだがなあと安太郎は言った。

「医術は魔法じゃないんだよ。村民の亡くなった原因はほとんど風邪だよ、風邪。そもそもあのフンドシ祭とかを復活させたのが悪かったんじゃないのか？　この寒空に七十八十の爺さんを裸に剝《む》いて一晩中踊らせれば大抵どうにかなるぞ」

「地域の伝統行事を馬鹿にするでねえ！」

安太郎は板間を叩いた。

「褌《ふんどし》祭は三十年前に一度廃れたものの、何百年もこの村に伝えられて来た大切な祭だわ。そんな、おめえの操る南蛮渡来の怪しい医術とは違うど！」

南蛮渡来って何だよ——巧巳は呆れて静珍を見た。

「おい、何とか言ってくれよ」

「南ァー無ゥー」

「え？」

「ナムとか言ったぞ」

おもろいがな坊さん——トメがはしゃいだ。

次次と人が死ぬ——しかも骨も残らず焼かれてしまう——疑問を持ったのは安太郎だけではなかった。

しかも。

死んだ者を山の方で見かけたという者もちらほら現れ始めた。県道不通による危機感も日日増大して、村には暗雲が立ち籠めたのだった。事態を重く見た村の古老達は協議のうえ、魔除けの秘祭・褌祭を復活させることにしたのだった。

褌祭とは——村の若い衆が総出で褌一丁になり、深夜から朝まで寺の境内でくんずほぐれつ揉みしだき合うという、世にもおぞましい祭である。過疎化が進行するにつれ急激に参加者が減り、三十年前に中止を余儀なくされていたのだ。悪霊退散国家鎮護の想いを籠めて、これを復活させ村人の不安感を払拭しよう——という企画であった。

しかし。

村には若者がいなかった。数少ない二十代の青年——清水学は痔の具合が悪化して褌など締められなかったし、他の者も勿論参加に難色を示したのだった。浅野巧巳や吉良静珍も参加を拒んだ。結局祭は老人達と堀部安太郎で強行されたのだった。

祭の翌日——浅野医院は大騒ぎになった。次次と高熱にうかされた老人達が運び込まれて来たからである。

「非常識じゃないか。雪降ってたぞ、あの夜。零下何度だったと思ってるんだ。あんな祭強行したらどうなるか考えれば判りそうなモンじゃないか。自殺行為だよ。あの祭のお蔭で二十人は逝ったんだ。人殺しはあんただろうが褌祭実行委員長！」

「黙れバテレンの魔術師！」

「だ——」

巧巳は気の抜けた顔になる。

「——誰がバテレンなんだよ」

「おめえだ浅野！　おめえはたぶん、誰も見てねえところではフランシスコ・ザビエルみてえな襟の服着てるに違いねえんだ」

なあ皆の衆——おおという弱弱しい声。

「おい堀部。お前、いつの時代の人だ」

「自分でもよく判らなくなることがあるんだが——そんだらことはどうでもいい」

「良くないよ。何でバテレンなんだよ」

ふん——安太郎は鼻を鳴らした。

「それじゃあ尋《き》くがな浅野、死因が風邪なら、その風邪で死んだ爺さん達がどうして生き返るんだ？　裏山の林ン中を徘徊している爺婆を見た者はひとりやふたりじゃねえんだぞ。どうなんだ！　バテレンの魔術としか思えねえだだよ。なあ！」

おう——一層力のない声。

「それだよなあ——」

巧巳は静珍を見た。

「——本当に死んだ人間だったのか？」

「間違いあらへん」

トメが前に出た。

「あら松平の南京豆や。あんなけったいな面《つら》は間違えようがあらへんて。うすらペタンとしくさって。いくら肥えてもブ細工は直しようがないなあ」

何ですって――松平未亡人がヒステリックな声を上げた。

「なぁにを仰いますのかしらこちら。お聞きになりました皆様？　お下品な外国語をお話しにならないで戴きたいものでございますことよ。お下品過ぎてあたくしには何を仰っているのか全然解らないざます」

「誰が下品やちゅうねん」

「おっほほほほほ。誰ざんしょ。堀部様の奥様、じゃあお伺い致しますですでございますけれどもね、先日亡くなりました宅の主人が、何でございますの、林を徘徊して、お宅様のお台所に忍び込んだと、こう仰いますんでございますの？」

「まだるっこしい婆やな。ちゃきちゃき喋らんかい。その通りじゃ。己のとこのくたばり損ないが、わしとこの沢庵齧りよったんじゃ。返せ沢庵。一本まるまる喰いよったんやど。どないなってんねん」

どないになってるんだろう――と巧巳は言った。

「松平さんは確かにお亡くなりになっていたんだ」

「本当に亡くなっておったのか――」

お見立て違いではなかったのかなと静珍が尋いた。人前では口調も一応坊主ぶるらしい。

「お、お前まで何を言うんだ静ちゃん。大体松平さんは三日もご自宅に安置されていたんだろうに。そうですね奥さん」

「そうざます」

それは尋いているドラキュラの方の台詞だと安太郎は思っている。

「そうだ――あのご遺体ですが、そのご臨終の時と通夜の時では随分と体格が違っていたように思うのですが――」

「何でございましょうかねえ、こう、お腫れになりましたんでございますのよ。息子の話ですと、どうもドライアイスの所為じゃないかと申すんでございますんですけどね」

「ドライアイスでそないになるかボケ。冷やしたら大きゅうなんのんか。せやったらサンマ冷やしたらマグロになんのんか？　おんどれとこの息子もええ加減なガキやで」

「まあ失礼な。堀部の奥様ったら、宅の吉宗《よしむね》ちゃんを愚弄するんでございますの？」

「グロウって、烏《からす》のことでっか」

「それはクロウ」

「バットと」

「グローブ」

「黄金の夜明け団の分裂の契機となった二十世紀初頭の魔術師かいな」

「そ・れ・は、アレスタ・クローリーでございましょッ」

「あんたら何でそんなこと知っとる？」

安太郎は松平未亡人の自然な突っ込みに才能を感じていた。このコンビはイケるかもしれない――自分なんかの突っ込みよりも、老母のボケが活かされている――やはり婆ァの相手は婆ァに限るのだ。安太郎はぼんやりとコンビ名を考えていた。

「さ」

その時、安太郎の脳裏に海外の人形劇の音楽が啓示のように鳴り響いた。

「――サンダーバーさん」

「何やそれは？」

「な、なんでもない。とにかくおっ母、頼むからこんな時こんな場所でボケんでくれよ。松平さんも突っ込まないで」

「そうざんすか」

意識的に突っ込んでたのか。

「とにかく――」

巧巳が仕切り直した。

「――屍体がそんなに膨満するなんて症例は聞いたことがない。まさか体内でガスでも発生したのか――」

「それは屁っちゅうことでっか」

「まあお下劣な」

「下劣ってあんたかて屁ェコキますやろ」

「コキません」

「お。言い切りよったな！」

「や・め・ろっておっ母ァ」

「とにかく――」

　今度は静珍が仕切り直した。

「お亡くなりになった方が事実村村を徘徊しておると申すのならば、それは亡者。幽霊怨霊の類でございましょうな。何か成仏できぬ訳でもおありなのでありましょう。ならば拙僧の法力で――」

「ちゃうで。あれは幽霊やない。幽霊が沢庵喰うかい。尻尾まで齧りよってんど」

「宅の主人は沢庵などという下賤な食べ物は口に致しません」

「喰うとったがな。涎《よだれ》垂らして」

「まあお下劣な」

「下劣ってあんたかて涎垂れますやろ」

「垂らしません」

「お。言い切りよったな」

「やめちゅうとんのが解らんのかあッ」

　安太郎は正座した老母の裾を持って、思い切り引き倒した。妖婆はころころと後転し、本尊の前ですっくと立った。

「珍しい突っ込みやな」

「黙れ妖怪婆。あのな、吉良。あんた知らないだろうがな、あれは幽霊なんかじゃないぞ」

「死したる者が姿を現さばそれは即ち幽霊であろう」

「そうでねえ。幽霊ってのは霊なんだろ。あれは霊ではねえ。うちのおっ母ァの言った通り、実体を持っとるで」

「それは蘇生したということかな。しかし——当村は土葬の風習がある訳じゃなし、どうやったら死者が新しい肉体を得られると申すのだ」

「それが大丈夫なんだァ」

「何故だ」

「焼けてねえからだ」

「ご遺体は火葬に——なってるはずだが」

「うんにゃ。焼けてねえ。おい、こん中で最近死んだモンの骨拾った奴はおるか？」

返事をする者はいなかった。

ううむ、と静珍は唸る。浅野が問うた。

「こ、これはどういうことだ堀部？」

「ふん。知らないふりをして。火葬場の片岡な、あいつが——細工しやがったんだ」

「こう、角のある」

ぱん。

「どう考えたって焼いてなかったとしか思えねえ。幾ら窯の温度上げたって、跡形もなく骨が焼けちまうなんてこたァねえ」

何のためにそんな馬鹿なこと——静珍が顔を顰《しか》めた。

「それはあんたのお友達の、この蘭方医学の先生がご存知なんじゃねえですか」

「な、何を。お、俺はそんなこと」

「怪しいよなあ——」

安太郎は村人に問い掛ける。

ほう、と息が抜けるような返事。みんな空腹なのである。食料は大方の予想より遥かに早く底をついた。反面、県道の復旧は遅れに遅れていた。一旦は開通したものの一日と保たず、県道は再び雪崩で雪に埋没してしまったのである。

「俺はな、あの雪崩もおめえの仕業と睨《にら》んでるんだよ浅野」

「ど」

どうして医者が雪崩を起こせるんだと巧巳は叫んだ。

「魔法でも使ったと言うのか」

「語るに落ちたな。この魔法使いめ」

安太郎は巧巳を睨みつけた。

「最近——地響きが聞こえるな。あれはおめえの魔法だな。あれの所為で、かいてもかいても雪が落ちて来るんだ。いつまで経っても道は通じねえ」

「じ、自分の怠慢を他人の所為にするな堀部。こんな悲惨な状況になる前に、自衛隊にでも何にでも救援物資の配送を依頼しておけよ。このままだと餓死者が出るぞ」

安太郎は口をひん曲げた。

「計算ではあと一箇月以上は保つはずだったんだよ。それがみるみる減った。燃料なんかはまだあるんだが――」

「あいつらが喰っただ」

村人が言った。

「あいつらって――死人か？」

「そうだ。死人は夜な夜な村に舞い戻ってモノを喰うだだよ。おっかねえ」

「本当におっかないじゃないか」

震えたのは静珍だった。

「そんな怖いこと言うなよ。そういえば最近供物がなくなるんだよ。葬式続きでたんまりたまってたから喰うのを楽しみにしてたのに――」

「和尚様、喰ってただか」

「戒名代もボッてただな」

「何を言い出すんだお前達」

「そんなことは後でいいだに！　今はこの魔法使いのバテレン浅野を処刑するのが先だ。おい浅野――白状しろ」

「じょ冗談じゃないぞ堀部」

「いかんなあ」

トメが立ち上がる。

「じょ、冗談やないわいッ！　これくらいやらんと客には伝わらんであんちゃん。そないな細《こま》いリアクションでは客のハートは摑めんて。シロトやなあ。ほれ、もっとオーバーアクションで、じょじょ、冗談やないわいッ！　やってみ」

「そ、そうでっか。なら、じょ、冗談やないわい、と」

「まだ弱いわ。なあ松平の婆」

「さいざんすね」

「あのな」

安太郎は妖婆の頭をぶった。

「ええ加減にせんかいこの漫才婆。とにかく浅野。洗いざらい白状して懺悔せい。さあ、皆の衆、このポルトガルの悪魔を取り押さえるんだ！」

よろよろと老人達が立ち上がった。やめろよう――巧巳は泣いた。静珍は本尊の後ろに隠れた。その時、本堂の扉が開いた。

「あんた達そんなことしてる場合じゃないでしょうに！」

千津が立っていた。

「ここは今――デブに包囲されてるのよ。村は脂肪に囲まれている！」

6

「じゃあ――あれが伝説の膨れ上がりだって、ねいちゃんは言うのんか？」

「他にどう考えればいいのよ」

「そりゃバテレンの――」

黙って――千津は安太郎を制した。

「だって昔話よりはバテレンの方が」

いいから黙って――睨みつける。

「でも嘘臭ェ分には五十歩百歩で」

「うるさいなもうッッッ」

千津は手を振り上げる。安太郎は亀の如く首を竦《すく》めた。海千山千の作家どもを長年に亘って手玉に取って来た女性編集者の押しは、力士よりも強い。田舎の村役場勤務三十五歳、しかも母親芸人体質の安太郎では、最初から敵《かな》うはずもなかったのだ。

「大体あんた。フンドシ実行委員長！」

「へ、へえ」

「へえじゃない。あんたあのお馬鹿な祭の時にさ、壇の上に乗っかって、拡声器でもってなんて言った？　地域の伝統を守り抜くことが村民魂だとか言わなかった？」

「言ったださ」

「フンドシ祭と膨れ上がり伝説と、いったいどれだけ違うっていうのよ？　アタシには同じに思えるけど。そんなのダンゴ虫とワラジ虫程の差じゃないのよッ」

「へえ」

へえじゃないィッ——千津は安太郎の胸倉を摑んだ。

「あんたねェ、あのフンドシ祭。あんな祭さえなかったら、アタシは今頃東京に帰れてたのよッ。あの日の朝でしょうに。県道が一時的に開通したのは！　アタシが慌てて帰る準備してたら——何よ。フンドシ祭開催につき、翌朝まで通行止めだァ？」

「ひ、秘祭だもんで」

なめんじゃないワよッ——千津は安太郎を突き飛ばした。

「待ってる間にまた雪崩じゃん。何よふざけまくりやがって。アタシがいったい何日このエステもゲーセンもカラオケもない村にいると思ってるの？　三日の予定がもう二箇月近く経つのよ。二箇月よ！」

「それはその痛ぃ」

「ええで姉ちゃん」

トメが手を叩いた。

「ええド突きや。腰が入っとる」

「ありがとう婆ちゃん」

千津は素直に礼を言った。

「おっ母ぁ――」

「いいから泣かないで黙って聞きなさいよフンドシ委員長。いい？　そりゃあこの浅野とかいう医者は藪かもしれないわよ。いいえ、きっと藪に違いないわ。藪ね」

「ひ、酷いな君」

「酷くないわよ。その顔が藪じゃないよ。無医村に開業なんて格好つけてるけど、都市部では開業できなかったんでしょ？　大きな病院にも雇ってても貰えなかったに違いないわよ。何故なら――藪だからね。でも、いい？　この藪にそんな死人を蘇らせたり太らせたりするような器用な真似ができると思う？」

できんと思う――静珍が答えた。

「坊さんの言う通りよ。この人が、そんな凄いことができる程のマッドなサイエンティストなんだったら――きっともっと凄いことしてるでしょ？　世界征服とか企むでしょ普通。でもこの人は小物よ。そんなことできるとは思えない」

「そうだぞその通りだ！」

腕を振り上げてそう言った後、巧巳はげんなりした。決して褒め言葉ではない。

「すると」

「だから膨れ上がりだって言ってるのよアタシは。伝説あンでしょう？　誰か知らないの？　こんだけ老人が揃ってて！」

はぁい——五六人の老人が手を挙げた。

「いるじゃないのよ。あなたがたは今回の一件と村の伝説とをすぐに結びつけて考えなかった訳？」

「はあ、迷信じゃあ思うて。なあ」

「おうじゃ。そんだらことは迷信じゃて」

「迷信じゃなあ。大体のことは」

「そうじゃったかいの。迷信さんか」

「ワシは喰うたことがないがな」

「嘘こくでねえ。俺が迷信だで」

やめれやめれと安太郎が手を振った。それから禅委員長は怖ず怖ずと千津の前に出て、申し上げますだ——と言った。

「——祭みてえな行事は一種のイヴェントですだが、そんだら頭わりい伝説は常識的に信用しねえのが近代人たらいうものではねえですか？」

千津は溜め息をついた。

「いいわよもう。どーしてこうなんだろ。あんた達はノストラダムスとかUFOとか頭悪い与太を簡単に信じちゃうじゃないのよ。恐怖の大王とかを信じるくらいなら、迷信信じてる方が十兆倍ぐらい頭いいわよッ」

ハハァーッと溜め息とも何ともつかぬ声をあげて村民達は一斉に千津に額突《ぬかず》いた。

「科学的根拠とかはこの際どうでもいいのよ。とにかくこの村には、亡くなって供養せずに三日以上放置すると死人が太って生き返るという伝説があるんでしょ？　で、現実にそのままのことが起きている訳じゃないのよ。関連性を見出さない方がどうかしてるじゃないのよッ」

「そらァそうだがなあ」

「そうだがなあ」

「草加煎餅」

やめれやめれと安太郎が小声で言った。

「それで、その、なんとしたことかな」

「話を聞く限り、最初に膨れ上がりになったのは——松平さんのご主人のようね」

「宅の主人ざァますか」

「亡くなってからご自宅に三日間置かれたんでしょう？」

「でも——亡くなってすぐこちらの和尚様に来て戴きましたんでございますのよ」

「おい静珍」

巧巳が視線を送る。

「お前——何読んだ？」

「き、経」

「誰の歌っている経だ？」

「それはお前――」

静珍は本尊の後ろから顔を覗かせた。

「あ」

「何だって？」

「あやや」

「聞こえない」

「松浦亜弥さ」

カーン。

巧巳が鉦をぶつけた音である。

ドカボコブシ。

いろいろなモノが一斉に投げつけられた音である。

ドゴンバキボコ。

本尊が静珍の上に倒され、静珍ごと床を打ち抜いた音である。

「な、何もかも己の所為じゃないかこの腐れ坊主がアッ！　それに、慥か親本じゃ、SPEEDだっただろうが！」

「痛いよう」

「痛いじゃないわい！　己がちゃんと供養してれば済んだ話やないか！」

「だってSPEEDなんかとっくに解散しちゃったし。時事ネタは新鮮な方が」

「黙らんかい。今やあややでも古いくらいだわ。そういうネタは半年も保《も》たんのじゃ、このボケ。じゃあその後の葬式も——全部カラオケだった訳か！」

「最近通信入れてさ。本堂《ここ》でも歌えるが」

カーン。

ドカボコブシ。ドゴンバキボコ。

「まったくおどれは何たら腐れ坊主だ。どこの世界に葬式で松浦亜弥の曲語る坊主がおるだかよ！」

「だ、誰も気がつかなかったじゃないかよう。それより助けてくれよう」

「助けるかいこの罰当《ばちあ》たりが。俺は前前から変だと思っていただよ。先代様が偉かったから黙っておったが——俺なんか小学生の頃から見抜いておっただよ。おどれの馬鹿さ加減は皆承知じゃ。なあ皆の衆」

返事はなかった。

「おい」

「ほら。誰も気がつかなかったんだ。ほうれ見ろ」

「黙れバテレン坊主」

ボンゴ。

木魚が禿頭に跳ね返った音である。

「こ、今度は拙僧がバテレンかい」

「フン！　おどれは夜な夜なフランシスコ・ザビエルみてえな襟の服さ着てワイングラスで人の生き血を啜る隠れキリシタンだだな！　そういえばこの間、佐伯日菜子の写真見てネコアザラシとか呟いておっただ」

「違う。あれは上野なつひだ」

「そんだらものどっちだって構わねえだ。吉野公香だって加藤夏季だっていいんだ。おどれは悪魔に魂を売った転びバテレンの魔道士だんべ。老人どもは騙せても、この俺の目は誤魔化せねえど」

　安太郎はもう一度木魚を振り翳した。

　ぼんご。

　木魚は安太郎の頭部に打ち落とされた。

「よしなさいよフンドシ委員長。あんたさァ、バテレンとかザビエルに何かコンプレックスでもある訳？」

「だって」

「うちとこのガキ、どうも発想がステレオタイプなんやわ。ボキャブラリーも貧困で詰めが甘いしな。もう少し天然入ればボケとしてもそれなりに使えるんやけど――半端やから突っ込みも切れが悪くなるのんや。安太郎、精進がたらんでぇ」

「そうざます」

「はあ」

千津は溜め息を吐いた。

「あんた達さあ、どうしてそうなのよ。それはこの村全体の芸風な訳？　どーでもいいけどさ。アタシはさ、あんた達がのっぴきならない状況下にあると警告しに来た訳よ。急いでいる訳ね。なのにさっきからちぃッとも話が先に進まないじゃないよ。何なのよこの緊迫感のなさはッ」

ダン。

床を踏み鳴らす。

「まあそう怒らんでくれよ。筋が立ってるぞ。血圧も上がる――」

ここは自分の出番と巧巳が宥《なだ》めた。

「――で、何が緊迫してるんだね？」

ぱん。

回し蹴りである。

「解らんのか！　いい、森を徘徊してるデブどもは、つまりゾンビなわけよ」

「そ、そうなのか」

「あのね。繰り返すけどあんた一旦仮死状態になって太って生き返る薬とか盛った訳じゃないんでしょ？」

「そんな薬があれば世界征服を」

「ならあの人達は病死とか老衰とか、つまりは普通に亡くなった死人なんでしょ？」

「その通り」

「で、供養はしてない。で、森をうろうろ歩いてる。で、民家に忍び込んでは食い物を漁ってるのね」

「そうだのう」

「そうなのかいなあ」

「そうだったんじゃなあ」

「爽快。今月は神経痛さよなら特集」

やめれやめれ——安太郎が瘤《こぶ》を押さえて手を振った。

「あれはね、もうあなた達の知ってる爺婆じゃないの。いい？　妖怪化け物怪物モンスタークリーチャーになっちゃったってことよ。解る？」

「解るような、解らんような」

「解らんような、解るような」

「解る解れば解る時解れ解ろう」

解らんですと結局村人は答えた。

あーじれったい——千津は胸を掻《か》き毟《むし》った。

「もう。いい、あの死人デブどもは、もう人間の理性なんか持ってないのよ。食欲だけ。たぶん感情も記憶もないのよ。喰って太るだけの生き物になっちゃったの」

「そんな非常識な」

「いい加減非常識な言動ばかりしておいて肝心のところで常識人ぶるのはやめなさいよこの藪医者。それより問題は食料よ」

「腹減ったなあ」

「おなかがすいたのう」

「あーのんびりした口調ね！　あんたらはおじゃまんが山田君に出て来る福田か！　そういう問題じゃないのよ」

「し、しかし編集者様。この村の物資は底をつき、村人一同空腹で――」

「そんなことは解ってるのよフンドシ。村人が空腹だってことは、あいつらはもっと空腹だってことでしょ？」

「太ってるしなあ」

「太っとるかね」

「太っとるなあ大体」

「布団取り込まねばいかんか」

　きいい――千津は奇声をあげた。

「どうしただ編集者様」

「あのね、相手は食欲ゾンビなのよ。今まではストックがあったから良かったけど、食物がなくなったらどんな手段に出ると思ってるのよッ！」

「自給自足やな」

「はいはいゾンビが耕して種まいて水やって肥料やってって」

するかーッ——千津の正拳突き。

こけまくる堀部トメ。

「なんと切れのあるノリ突っ込みやろ」

「お見事ざんす」

「あーもう。どうでも良くなってきたわよ実際。あのね、私が言ってるのは、このままだとスティーヴン・キングというよりジョージ・A・ロメロになっちゃうっていうことよ！」

おお——一同に響動《どよめ》きが広がった。

観てるのかロメロ。

「わ——解って驚いてるのあんたら」

「去年公民館でロメロ特集やっただからなぁ」

「おう、そういえばやったな。オールナイトとかでなあ」

「ずんびに、ないと・おぶ・ざ・りびんぐ・でっど」

「死霊のえじき」

「し——知ってるじゃない」

千津は自分でふっておいて半ば呆れたようである。

「なら解るでしょ。この村があんな風にならないという保証はないのよ」

「ならんならん」

「あれは活動写真だからのう」

「しかも異国の作り話だべえ」

「それが身近に起こっているの！　ブレインデッドみたいになったって知らないわよ！」

「おお！　一気にそこまで行きますか編集者様」

「そこまでって何よ。観たのあんた？　そんなことより、飢えたゾンビデブが凶暴化して人を襲わないとどうして言い切れるのよ。喰われちゃうのよあんた達！」

「ひいいいい」

「元身内といっても関係ないのよ。無慈悲なの。捕まって腹なり頭なり齧られておしまいよ。スプラッタここに極まれりよ！」

「恐ろしいのう為造」

「恐ろしいなあ大体」

「なら早めに死んだ方がええぞ与吉」

「そうかのう。そりゃまた何でだね」

「死ねばその、ずんびとやらになるべい」

「なるなあ。坊主が生臭だで、ず、い、ずんびだ」

「ほしたら喰う方だでよ」

「おお、伍作は賢いのう」

「喰うよりは喰われる方が」

「そりゃ反対だあ」

「わっはっは」

「わっはっは」

「早くお迎えが来ねえかなあ」

「お迎え来いやあ」

「ああお迎えお迎え」

「南無阿弥陀仏南無阿弥陀仏」

堂内は念仏の合唱になった。

「む――村人はこれで全部なの？」

千津は念仏を無視して安太郎に尋いた。

「村長も大石木工の社長もゾンビになってしまっただしなあ――年寄り連中はこれで全部ですだ。若いのが何人か――風呂屋の学と煙草屋のあぐりがいねえかなあ」

「あいつらまさか逢引を」

巧巳が慌てて立ち上がる。

二人が危険よ――千津が言った。

7

村は——肉襦袢《にくじゅばん》で囲まれている。

あぐりは震えていた。

地響きが迫って来る。

奴らが山から下りて来たのだ。

死人が太って攻めて来るなんて、この世のこととも思えない。ゾンビというのはミイラみたいに乾いてて、青黒くて、少し腐ってて、血かなんかあしらわれていて、それでこそのゾンビじゃないか。

まるまる太って血行のいい、食欲旺盛な健康優良ゾンビなんてゾンビの風上にも置けないと思う。あの人達の場合、生前の痩せこけた老人姿の方が余程ゾンビらしかったのだ。生気が抜けていて、貧相で、まさに生ける屍という感じだった。それがどうだ。死後の奴等は死ぬ前よりずっと福福しくて、愛想まで良くなっているんだ。

生ける屍転じて死せる健康体。

あぐりは店仕舞いをして、しっかりと鍵をかけた。どうせ客など来ないのだ。来るとしたって山の小説家くらいのものである。

あぐりが施錠し終わったその時。

どんどん。

「ひ」

「あぐりちゃん。僕だよ学だよ」

「ああ」

最悪だ。

清水学——風呂屋の息子である。おどおどした腺病質な顔つき。いやらしい視線。煩悩が服を着ているような男。あぐりは学が大嫌いだった。音楽をやっているんだと公言しているが、楽器を持っているところなど見たことがない。

「さあ助けに来たよ。ここを開けて」

よりによってなんでこいつが助けに来るのだろう。それに助けるって、どうする気なのだ？

「僕と一緒に逃げるんだ」

「どこに逃げるの」

地の果てまでもさと学は言った。

「そんなところに行くのは嫌」

「じゃあ——取り敢えず隣村」

「もっと嫌」

「それじゃあ——大洗海岸とか」

「何でよ」

「ううん」

考えるなよ。

馬鹿だ。大体県道はまだ復旧していないのだ。どこへも行けやしない。あの巨体どもがどすんどすんやるお蔭で雪崩が起きるのである。

学は結局洒落た回答を思いつかなかったようで、再び戸を叩いた。

「開けて。一緒に逃げなくてもいいから」

「駄目よ。独りだし」

「な、何にもしないよ」

息づかいが荒い。凄く嫌だ。

「何もしないなら入ることないわ」

「いや、その何かはするんだが、いや、そういうことではなくてだね、あの」

むふうう——学は鼻から息を漏らしたようだった。

「と、とにかくここを開けてよ。あぐちゃんお腹空いてるだろ？　乾パン持って来たんだぜ。ビタミン剤もあるから栄養のバランスはばっちりだ」

——ばっちりだ。

何だかなあ。そんな言い回しをする二十代ってどうかと思う。それに——。

——あぐちゃんって誰よ。

「どこから持って来たの？」

「いいじゃないそんなこと」

「良くないわ」

「乾パンは去年帰省した大石木工の力也《りきや》から貰ったんだ」

「まあ力也君」

同級生だった。しかもジャニーズ系の。

「――お、脅し取ったのね」

乾パンなんか脅し取らないよう――と学は言った。

「乾パンじゃなきゃ脅し取るのね」

「取らないよ。僕は人を脅せる程度胸ないよう」

「この意気地なし」

じゃあ今度脅すからさと学は言った。馬鹿だ。

「いいわよ。じゃあ何、盗んだの？　お腹空いて乾パンくすねたんでしょ。泥棒」

「違うってば。その頃は別に食糧事情は悪くなかったじゃないかあ。道でばったり会った時にさ、くれたんだよ。万が一の時に役に立つって。備えあれば憂いなしだって」

「力也君はそんな爺臭いこと言わない」

「言ったんだよ。本当だって」

「大体何で道すがら乾パンなんか持ってるのよ」

「あいつ、サヴァイヴァルゲームに凝ってたんだよう。この間祖父《じい》さんが亡くなった時も山越えて来るとか言ってたしさ。結局来なかったけどね」

「ビタミン剤は？」

「そ——それは浅野医院から」

「泥棒」

「いや、ちゃんとしょ、処方して貰ったんだよぅ」

「浅野先生は処方なんかしません。藪だもん。どうせ——睡眠薬かなんか服《の》ませて私を眠らせてから悪戯でもしようって魂胆なんでしょ」

「あ」

「あ、って——何よ。どうして返事しないのよ。図星な訳？　酷ォい。じゃあ、やっぱり睡眠薬盗んだのね」

「ぬ、盗んでないって。あの、それより」

「泥棒は家に入れられませんッ」

あぐちゃあん、と学は泣いた。

ずしん。

「何よこの音。大きいじゃない」

「嫌だなあ。肚に響くなあ」

ずしん。

「何が来たの？　清水さん」

　ずしん。

「あ」

「何よあって。清水さん！　ねえ状況を説明してよ！」

「そ、そ、そんなことより、は、早く、ああ開けてよ。も、もう、こ、こ、ここまで来てるんだよ。ううん——あ」

「あじゃ解らないわよ。何が来てるのよ」

「何が来てるって——その、ええ、うん」

「何よ！　どうしたの」

　ずしいいん。

「ひゃあああ」

「ひゃあああじゃ解らないって清水さん。ねえ、どうしたのよ！　何があったのよ」

「で、で」

　ずしん。

「で——」

「で、って何よ？」

　——まさか、でぶのこと？

「うぐッ。も、もう駄目だああ」

「駄目？　駄目って何が？」

「で、で」

ぶう——断末魔のようである。

——で——ぶ！

ずしん。ずしん。

ずるり、と戸板を擦る音。学が倒れたのだ。もがいている。爪で戸板を引っ掻く。

「うぐッむふッ」

びちゃびちゃとシズル感溢れる音。

——な、何よ！

戸の外で何が起きているのか。

太っちょの死骸に貪り喰われるいけ好かない若者の図があぐりの脳裏に浮かんだ。

あぐりは戸口を離れ、裏口に向かった。

——お寺に行こう。

今、寺には村中の人間が集まっているはずだ。今朝、緊急村民会議だぞう——と役場の堀部が触れ回っていた。村人達が集まるとくッだらない話しかしないのが常だから、あぐりは行かなかったのだ。でも——背に腹は代えられない。くだらなくても馬鹿馬鹿しくても、頼りになんかならなくたって、人は大勢いた方がいい。

——盾よ。

この場合村民は盾である。老人を犠牲にしてでも生き残ろう、それが長い目で見れば地球のためである——と、若い娘は決心したのだった。

か弱い娘独りのところを襲われれば一巻の終わりだが、どさくさに紛れればそれなりに活路は見出せるだろう。

がらりと裏口の戸を開ける。

「どすこォい」

「いやあああ」

あぐりは失神した。

8

村人は——太っちょに囲まれていた。

「くっそう、か、囲まれたど。どうしたらいいんでごぜえやすか編集者様」

「あんたらがくだらないことばっか繰り返して話を進めないからこんなことになるんじゃないのよッ！」

「繰り返しはギャグの基本やで」

「そうざます」

「もういいわよ。こうなったら京塚先生に望みを託すしかないわね」

「京塚って——」

「古代人が食べた？」

「それは貝塚ざます」

「三途《さんず》の川の婆ァか」

「それは正塚ざます」

「ヒールでホールを」

「それはツカツカと」

「ホラー小説家の？」

「それは京塚昌彦っておうとるやないけ」

　静寂。

「気が済んだ？　京塚先生は火葬場の片岡さんのところに行ったのよ」

「片岡の？　どうして」

「だって——いくら膨れ上がったたって、焼かれてしまえばそれまででしょ？　復活はできないわ。松平さんが膨れ上がりとして復活した以上、その片岡って人は膨れ上がった松平さんを焼かなかったってことになる。そしてそれ以降も——遺体を焼かずにどこかに隠して——次次膨れ上がりを作った訳でしょ」

「そうかぁ。やっぱりバテレンはあの片岡だったか。浅野、疑ってすまなんだ」

「いいんだ堀部。そうだよ。片岡が」

「そうじゃ。片岡が悪い」

　カーン。

「痛いよ。もう」

「悪いのはお前だ静珍。片岡が隠そうが何しようがオノレがちゃんと供養してればこんなことにはならんかったのだ。死にくされ。クソ坊主。で、弓塚さん——でしたか。京塚先生は片岡と会ってどうするつもりなんです？」

「知らない」

「え？」

「知らないわよ。ただ先生は火葬場の男に会いに行くと言って別荘を出たのよ。どんな算段があるのかは知らないわ。私は無駄だと思ったからこっちに来たのよ。人が多い方が助かる率も高いでしょ」

「うーん」

「打算よ。老人より若いアタシの方が素早く動けるし。でも——その片岡という人は何を考えてるんでしょうね？」

ずうん。

「ひい。包囲網が狭くなった」

ずうんずん。

本堂の中心に村人達は固まった。

「まずいやんけ。逃げられへんで」

「何とかしろ静珍。法力とか念力とかないのかよ」

「そんなものがあったら世界征服しているわい。ああもう駄目だ」

ばりばりばり。

四方の扉が破られた。

ずらりと並んだ半裸の肥満、四十七人。

ずん。踏み込む。

「な、なんやねん。太っとるかて爺ばかりやないけ。かかっていかんかい！」

「こっちも爺ばかりだでなあ」

「おまけに婆まで多いでなあ」

「残りは馬鹿だし」

「南無阿弥陀仏南無阿弥陀仏」

「ええいうるさい」

飛び出したのは巧巳だった。

「俺だけ助かる！」

ばおん。

故・大石木工社長のタイヤチューブのような腕で悪徳医師は弾き飛ばされた。受け止めたのは故・松平儀助である。

「うひゃあ助けてくれ。喰わないでくれよう。喰うなら丸呑みにして」

「何を言ってるでごわすか」

「ごわす？」

「浅野先生。それより、今さっき煙草屋の前で風呂屋の倅《せがれ》が脱糞して倒れておったでごわす。腹でも毀《こわ》したようでごわしたから、診てやってくださらんか」

「清水が？　腹毀した？」

「そうっす。汚物に塗《まみ》れて異臭を放っておったので、連れてこんかったでごわすが――いくら儂《わし》らが死人と雖《いえど》もあれは臭《くさ》か」

「そ――そうか。あの馬鹿、ビンのラベルを信用して、しかも大量に飲んだんだな。それであぐりちゃんのところへ――」

「ラベルには何と？」

「バイアグラ」

「実際は」

「下剤」

それでごわしょう――故・松平儀助は力強くそう言った。

「そうとう苦しかったようでごわすな。儂らが行った時、あの若者は必死で煙草屋の戸を叩いておりもうした。もう駄目だ、ここまで来てる、出るう――と断末魔の声を上げて脱糞でごわす。戸板掻き毟って悶絶の表情でごわした。あれは括約筋が切れる程に堪えに堪えた顔でごわす。思うに、煙草屋で便所を借りようと思うたんでごわしょうな」

「ごわしょうなって、あなた」

松平未亡人が疑問の声を発した。

「いつからそんなお下品なお言葉を」

「死んでから」

「さいざんすか」

納得するよりない。

「ど――どういうこと？」

老人を盾にしていた千津が前に出た。

「あなた達――生前の記憶イキてる訳？」

「まあ、物忘れの激しいのは生きてる頃からそうでごわすが」

「感情もアリ？」

「まあ、だいぶん鈍感になっておるのは生きている頃からでごわすが」

「人は喰わないの？」

「人を喰った話は生前から好きでごわす」

「うーん」

千津は腕を組んで長考の態勢に入った。

「うーん」

「編集者様。これはどうしたことで」

「うるさいフンドシ。アタシは考えてるのよ。うーん。生前の記憶があって、理性も感情もあって、それでそうして元気に太ってるってことは――死んだというより健康になってるじゃないのよ」

「生前より健康でごわす」

「ごわすって、じゃあ尋くけど、あなたたちは――そうよ。生きてる時と何にも変わりないんじゃない？」

「でも死んでごわす」

「何でよ」

「そ、そう言われても――」

肥満死人達は一斉に首を傾げた。

ちょっと愛らしかった。

「僕が説明しよう」

脂肪の塊を掻き分けるようにして登場したのは、あぐりを伴った京塚だった。

「先生。生きてましたか」

「原稿はできてないが。彼等はね弓塚君。どうやらエネルギー代謝のシステムが生きている時とはまるで異なっているのだ。僕は科学者じゃないからよくは解らないけれど、喰えば喰っただけ太る。猛烈な運動をしなければ、肥満で動けなくなる」

「喰わなきゃいいじゃないですか」

「それがそういう訳にもいかないんだな。喰わなきゃ喰わないで、猛烈に腹が減るんだね。空腹で空腹でどうにもこうにも堪らなくなるんだそうだ。そりゃあもう、お腹ぺこぺこの飢餓状態になる。でも」

「でも？」

「どおんなに腹が空いてもだな、餓死することはないのだな。何しろこの人達は死んでるんだから」

「それって――」

どうなんだろう。

どうなんだろうなあと京塚も言った。

「空腹っす」

死人が答える。一種の地獄ではある。

京塚は何度か頷いてから続けた。

「実はね、最初に膨れ上がったのは片岡君だったのだ」

「え？　片岡——死んでたんですか？」

「そう。彼は何だかよく解らんのだがうっかり死んでしまったんだそうだ」

なんだそれは。

うっかり者だったからなあと静珍が言った。おうじゃおうじゃと老人達が頷いた。

「しかしね、彼は独り暮らしだろう。誰も彼が死んだことに気がつかなかったんだなぁ。都会の孤独とよく言うが、山村も変わりないぞ。で、三日たったら——」

「復活したんだよう」

「か、片岡ッ」

相当に肥えた片岡が境内に立っていた。

「最初は死んだ気はしなかったのね。ちょっと太ったかなッて感じね。でもどう考えても生きていないのね。でも動けるし、意識もあるから普通にしてたのねッ」

い、医者に来いよと浅野が叫ぶ。

「だって浅野ォ、お前藪じゃないよ。どうして捻挫したのに下剤くれるのよう」

「そ、それは」

「そのうちに松平の爺ちゃんがね、火葬場に運ばれて来たのね。僕は一目で解ったのね。この膨張は僕とお・な・じ——」

ごっつあんです——松平が一礼した。

「——復活すると知ってたら焼けないでしょ普通。生き焼きって酷いものね。だからこっそり棺から出して隠しておいたら、案の定、復活したのね。そうなると——」

片岡は羞らうように下を向いた。

京塚が受けた。

「来る屍体来る屍体、皆復活するんじゃないかという気がして来て、片岡君はぜぇんぶ隠したんだな。隠した屍体は悉く復活した。もちろん——」

ろくな供養をしなかったからだね——と言って京塚は静珍を見た。

「睨むなよう。そんなんで死者が復活するなら日本中の屍体は生き返ってるだろ。そんな話、オカルト雑誌にも載ってないぞ。きっと新種のウィルスとか、何かそういう科学的根拠があるんだよう」

「ないのよ。今回はスーパーナチュラルなのよ。残念ね坊さん」

千津はそう言った。

松平がしみじみと語り出した。

「そういうことは儂、よく解りゃせんのだがね――とにかく死んだ人間が家に戻っちゃいけんと、最初は廃屋に隠れておったでごわす。でも空腹には堪えられなんだ。儂らはすこぶる健康なんじゃ。つい村に下りて――」

「ワシとこの沢庵喰いおったな」

「ああ――一度喰うてみたかったんでごわす。ごっつあんです」

「なんや水臭い。ええがな金貰えれば」

「あげないざます」

「ドけち」

どん。

松平が四股《しこ》を踏んだ。

「でも――バレちゃったでごわす」

どおん。

四十七人が四股を踏む。

「だからお別れに来たでごわすう」

「お別れって」

「生者と死者は共存できんでごわす」

「せやけど、それやったら前と同じなんやから一緒に暮らせばええやないの？」

「そうはいかんとです。儂らと暮らすとエンゲル係数が高くなる」

それは深刻じゃ——全員が息を吐いた。

「それにずっと死なない」

それも深刻じゃあ——全員が頷いた。

「どうあれ、儂らはもう人間じゃあないんでごわす。共同体の中には居られん。だからこれから巡業の旅に出るでごわす」

「巡業？　巡礼じゃなくて？」

「さすらいの死人相撲取り集団・全国北から南素人ゾンビ相撲巡業ツアーでごわす。一箇月猛特訓したでごわすよ」

「じゃあああの——地響きは」

「四十八手の特訓でごわす。あと一手残して完全修得でごわす！」

「その一手とは」

「頭捻《ずぶね》り！」

またかよ。すいませんね。

理油《りゆ》（意味不明）

京極夏彦

京極夏彦（きょうごくなつひこ）一九六三年北海道生まれ。『魍魎の匣』で第四十九回推理作家協会賞長編賞、『嗤う伊右衛門』で第二十五回泉鏡花文学賞、『覘き小平次』で第十六回山本周五郎賞、『後巷説百物語』で第百三十回直木賞受賞。長く実在の人物と思われていたのだが、実は――。

理由
宮部みゆき
一九九八年／朝日新聞社刊
二〇〇二年／朝日文庫
二〇〇四年／新潮文庫
多彩なジャンルで活躍する宮部みゆきの異色ミステリー。朝日新聞連載当時から話題を呼び、第百二十回直木賞を受賞。

理油《りゆ》
（意味不明）
京極夏彦
Natsuhiko Kyogoku
集英社文庫

――宮部みゆき先生の作品とは無関係です。見逃してください。

1

地響きがする——と思って戴きたい。

これが書き出しである。その小説の題名は『脂鬼《しき》』、著者は京極夏場所《きょうごくなつばしょ》。掲載は集A社発行の『小説すばR』誌3月号である。

内容は——大変にくだらない。

死者が肥満して蘇生し、閉鎖された集落の食料を喰い漁《あさ》り、挙げ句相撲取りになって巡業に出掛けるという——いったい何が言いたいのかよく解らない——ホラーともSFともつかぬ、いや小説なのかどうかすら怪しい、荒唐無稽で品性下劣な小説であった。

筋立てもさることながら、文章がまた気品も格調もない駄文で、とにかく何ひとつとして評価できる部分はない——それが文壇や出版業界を含めた世間一般が下した判断であった。

評価できるとしたら多分無理矢理に描かされたのであろう、しりあがり寿《ことぶき》氏の挿絵《イラスト》くらいのものであったろう。

しかし、そうしたテキストの不出来に取り敢《あ》えず目を瞑《つむ》ったとしても、その作品は本質的にまともな土俵で勝負しようとして書かれた作品ではない——と思われた。

何といってもタイトルからして某ベストセラーからの戴き物である。設定や展開も、それに倣ったものだった。しかも白地《あからさま》に、である。

ここまで白地だと剽窃《ひょうせつ》の類《たぐい》とは思えない。

執筆の意図も発表の意図もよくは解らないが、いずれ確信犯的行為としか考えられまい。そうでないのなら、作者は相当の馬鹿である。

稚拙《ちせつ》であるが故にパロディとも言い難い。

原典を本歌取《ほんかど》りしているらしい箇所もないではなかったが、如何《いかん》せん小説が下手なので中中そうとは知れないのだ。かなり考えないと解らない。解ったところで面白くも何ともない。というより、寧《むし》ろ類似しているが故に原典である名著の感動が殺《そ》がれるような思いに駆られた読者も多くいた筈である。下手なパロディは真摯《しんし》な読者心理を逆撫《さかな》でするような効果しか持ち得ないのである。

これが確信犯ならやり方が下手過ぎる。結局ただの馬鹿と見るのが妥当なのだろう。

業界も、世間一般もそう捉えたのだろう。評価に値しないならしないで話の種くらいにはなるものだが、一切話題にはならなかった。

馬鹿は構わぬに限る。

それはそうだろうと思う。

でも、ひとつだけ気になることがあった。

ペンネームである。

いずれ巫山戯《ふざけ》た名ではあるのだが、ここまでしたなら普通は著者名も模すのではないか。

筆名だけ題名や設定を借りた作品の著者とは別の人物から採るというのは不自然である。

京極夏場所――。

それは、私の筆名の下手なパロディだったのである。

2

早速、集A社『小説すばR』編集部の担当であるH女史に連絡をとってみた。紋切り型で問い質《ただ》すような問題ではないと判断し、予《かね》てより懸案事項になっていた短編の件と告げた。まずは締め切りや枚数などの確認をし、内容の打ち合わせなどをした後に、世間話を装いながら京極夏場所なる人物に就《つ》いて簡単に質問をしてみた。

しかし、普段は快活な女性編集者の反応は酷《ひど》く鈍《にぶ》いものであった。

「その件に就きましては——その、何かそちらにご迷惑がかかったりしてるんでしょうかぁ」

詳しい質問をする前に、まず予防線を張るような言葉が返って来た。

その時点では実害は一切なかったから、その旨《むね》を告げ、単に興味があるからと言って、作者に就いての情報提供を求めた。

「情報——って、やっぱりなんか怒ってませんか？」

若干舌足らずな話法に変わりはないが、必要以上に気を遣っている様子である。

とにかく他意はないことを繰り返し、取材を続けた。

「すいません。私、よく知らないんですけどォ——ごめんなさい。あの、実は——それより次の締め切りなんですけど、お忙しいところ本当に申し訳ないんですがァ」

その話は先程したと答えて、引き続き取材を続けた。

「ええ——その、何か似た名前だなぁとは思ったんです。でも、ほんとそれだけなんですよ。で——取り敢えず次の枚数なんですけど、いつもより少なめで？」

それもさっき決めたじゃないかと答えて更に取材を続けた。

「そうでしたっけ。え？　じゃあ何枚書いていただけるんですか。もしかァ、多めにいただけるんでしょうか」

あまり恍惚《とぼ》けると原稿は書かないと宣言して、取材を続けた。

「そんな、それは困ります。絶対に駄目です。お話ししますから書いてくださいね。今お話ししますから。ええと——あ、編集長が呼んでいる♪」

H女史は電話を切ってしまった。

私の疑問は一層に深くなった。

直接『小説すばR』の編集長に問い質すことも考えたが、それでは流石《さすが》に角が立つように思えた。H女史の口ぶりから類推するに、先方はこの問題をこちらが考えているより遥かにデリケートな問題として捉えている節がある。もしかしたら、事態はより深刻なものなのかもしれなかった。

そこで、業界内の情報収集をするべく、周辺調査をしてみることにした。

「しっかし馬鹿なことしたもんですね。何か血迷ったって感じで」

開口一番そう言ったのは新C社文庫編集部のA氏である。

新C社は『脂鬼』が底本にしたと思われる名著の出版元である。

A氏は、部署こそ違うが社内の事情はある程度知っているはずで、取材対象としては格好の立場にあると思われた。

「何つうんですかね、自爆というンですかね。自殺行為というんですか。まあ折角積み上げてきたものが一瞬にして崩れ去ったといいますか。O先生のファン敵に回しちゃこの世界じゃ生きていけないっつうか。どわっはっは。お悔やみ申し上げます」

O先生というのはその某名作の作者である。幅広く熱狂的な人気を誇る、ベストセラー作家である。

A氏はOさんの直接の担当でも文芸担当でもないのだが、文壇の事情通ではある。そのA氏からして『脂鬼』を書いたのは私だと信じて疑わぬ様子であった。

事実関係の誤認を指摘しても、A氏はまったく取り合わない。

「なァに今さらいい訳してるんですか。パロディにするにしても、もう少しやり方があるでしょうに。ぷッ。吹き出してしまいました。笑っていいですか。わははは。失礼。で、何ですか、あのどすこい小説は。ぶふふッ。また笑っちゃいました。失礼。あれ、読者馬鹿にしてます？」

していないと答えて、更に誤解を解くべく説明を加えた。

「だから。いい訳しても駄目ですって。もう、本当は馬鹿だって、バレちゃったんですから。どォう言い繕っても、もう駄目ですよ。無駄」

無駄って言われてもなあと答えたが、取り合って貰えないので諦めて一旦引き、A氏の周囲の反応を取材した。

「O先生の担当者はかんかんに怒って『小説すばR』を引き裂いたって——まあ女性ですからそんなに力はないですが、とにかく怒ってましたねえ。剃刀の刃を十枚くらい買ってたって、それも嘘ですが。ただ彼女のロッカーに入っていた藁人形と五寸釘を目撃したのはひとりや二人じゃないですね。僕も見ましたからって、それも嘘だけど」

その担当者も書いたのは私だと思っているのだろうか。

「当然でしょ」

もしかしたら世間の人は皆そう思っているのだろうか。

「当然でしょ」

当然らしい。巷間《こうかん》の反応は、予想したものとはやや異なっているようである。それならば『小説すばR』側が慎重な対応に出たことも頷《うなず》ける。

新C社文芸部や、ましてO先生の担当者に取り次いで貰うのはやめた。危険を伴う。続いて、K談社の私の担当であるD氏に率直なところを尋いてみる。

「しくしくしく」

泣いているようである。重ねて忌憚《きたん》のない意見を求める。

「おいおいおい」

泣いているようである。どうやら率直に忌憚なくすると——悲しいようである。

「どうしてあんなことしたんですかぁ」

何もしていないと説明した。

「僕を慰めていらっしゃるんですか？　いいえ、そんな慰めは効きませんよ。効きませんってば」

埒が明かない。

話は相当に拗《こじ》れているものと思われた。

一般読者としての立場から、出版関係以外の職に就いている数名の友人に意見を求めた。

「知らない。何のこと？」

室内装飾施工業（35歳・男性）の意見である。年間に二冊程度しか本は読まないという。百万部を超すような大ベストセラーの書名も正確には知らないようで、これは仕方がない。

家事手伝い（30歳・女性）は週に一度は書店に通うという読書好きで、こちらは当然、元になった名作の方は知っていた。

「知ってる知ってる。あのぶ厚い上下二冊のやつでしょ。あれ怖いんでしょ。売れてるみたいね。どこも平積みに——え？　違うの？　雑誌？　『小説すばR』？　聞かないなあ。なあにそれ。雑誌なの？　そういうのあるの。ふーん」

それでも『小説すばR』は知らなかったようだ。ふーん、という結びのあたりに最近の文芸誌に対する一般読者の評価の片鱗が垣間見られるというものである。

淋しい。

「お前、あれは差別だぞ」

と憤慨するのはプラスチック加工業（36歳・男性）である。

「誰が何といったって差別だよ。体格のいい人間を揶揄《やゆ》してるじゃないか。そうだよ。屍体が太る呪いだ？　その設定からして、太ることとイコール良くないこと、太った人間イコール劣った人間という構図を内在しているじゃないか。そうさ」

どうやら憤慨しているようである。取材の趣旨とは異なるが、憤慨する理由を詳しく尋《き》いてみることにした。確かに『脂鬼』は駄作だが、肥満はモチーフとして採られているだけで、決して否定的な論調では書かれてはいないように思ったからである。

「確かにデブが悪いとはひとことも書いてないさ。でも笑い物にはしてるだろ。何にしたって肉体的欠陥を論《あげつら》って馬鹿にするのは差別以外の何ものでもないよ。何だって？　それはそうだろうが、太っていること自体は欠陥じゃないだろう？　まあ――そうなんだけどさ。そうだよ。健康を害するような太り方は問題だけどさ。うん。解ってるんだよ俺も。喰い過ぎるのが良くないんだ。それから運動不足な。うん。そうなんだ。この歳でさ。糖尿の気があるんだよな俺。そう。でもやめられないのよ寝る前のフライドチキン」

彼は百キロを超す巨体である。

しかしプラスチック加工業の言葉にも一理はあるだろう。それに就いては『脂鬼』を一読した際、若干なりとも感じたことではあったのだ。著者に差別的な意識はなくとも全ては受け手の判断することである。

「うん。まあ俺のことはいいんだよ。実際、あの小説自体は問題じゃないんだ。あれは寧ろ、世間のそうした風潮をこそ揶揄してるんだろうな。解ってるんだよ」

慥《たし》かに――プラスチック加工業のいう通り、『脂鬼』という駄作は、差別のある社会自体を哂《あざわら》っているようにも読めないことはないこともない。しかし全体の仕上がりが不細工で下品だから、やはりそんな深奥なテーマ性が内在しているとは考え難い。内在していたとしても汲み取ることは難しいだろう。

「それより問題は世間の方なんだ」

プラスチック加工業は更に主張した。

「みんな暑苦しそうな目で人を見やがって。そりゃ夏場は汗かくし場所取るし嫌だろうさ。でも一番暑いのは俺自身だし、窮屈な思いしてるのも俺なんだよ。ふんッ！ 自己管理が出来ないだと？ そんなこといい出したアメリカ人自身はどうなんだよ。物凄く太ってるアメリカ人はいっぱいいるじゃないか。奴等に比べたら俺なんかまだスリムだぞ。その独善的な体質をなんとかしろ！ うおお」

プラスチック加工業は最後に一声吠えて誤魔化《ごまか》したが、結局『脂鬼』の作者に就いての見解は聞くことができなかった。

続いて中学校教員（28歳・女性）に尋ねてみた。

「読みました。凄いですねえ。感動しました。名作ですわ。泣きましたもの」

読んでいない。

しかも作者は私だと思っているらしい。

内容と事情を説明する。

「まあお冗談のうまい」

本当だと念を押す。

「――って、まあその、ええと」

慌てているようである。

「それって、その――何とお下劣なお話。そんなもの印刷するのは紙の無駄ですわ。そんなの文壇から追放すべきです。酷いわねえ。酷いわあ。酷過ぎて言葉がないわあ、さようなら」

とっとと帰ってしまった。

次に話を聴いたのは大手電機メーカー勤務（30歳・男性）である。

「読みました。凄いですねえ。感動しました。名作ですよ。泣きました」

読んでいない。

と思いきや。

「もう、号泣ですよ。だって太っちゃうんでしょ、屍体が。むくむく。いいなあデブゾンビ。好きだなあ。襲われてみたいなあ」

読んでいた。世の中には変わった人間がいるものである。しかしご多分に漏れず、作者に就いては勘違いをしている。誤解を正しておく。

「え？　そうなの。残念だなあ。漸《ようや》くまともな作品を書いたなあと思っていたのに。今後はあれ見習って勉強して」

本当に色色な人間がいるものである。

肯定派ではこんな意見もある。

「あのね、あの『脂鬼』ね、この『脂』って字がね、その字がいいね。いい。だって脂肪の脂でしょ。旁《つくり》の旨ってところが痺れちゃうね。それからね、地響きが云云って書き出しのさ、その『き』ね。『き』はいい」

コンピュータ・プログラマー（21歳・男性）は執拗に平仮名の『き』に固執した。何故か。

「だってさ、『さ』よりも横棒が一本多いでしょう？　なんか得した感じ」

それだけなのか。

だから何なんだよ。

本当に色色な人間がいるものである。

結局知人友人などの狭い範囲でのリサーチからは何の収穫も得られなかった。これは、単に私の身の回りの人間が馬鹿ばかりだった——ということもあるのだろうが、結局どれだけ多くのサンプルから取材したところで、個人で収集できる程度の情報量では統計をとって一般的なモデルを抽出するには到らないということである。

そこで目先を変え、実作者——作家の方方に見解を伺ってみることにした。

「いかんなあ」

開口一番叱られてしまった。

いつも怒っているらしいと評判の京都在住のミステリ作家A氏である。氏は件《くだん》のO先生とも親交がある。もしやO先生周辺の反応などもご存知かもしれぬと考えたのであるが——。

何がいけないのか尋いた。

「だから、やっぱりイメージってのがあるでしょ。読者の抱いてる。それをね、壊しちゃいけないでしょ」

O先生の読者が怒っているというのだろうか。

「それは違う。Oさんの読者はそんなん読みませんって。仮令《たとえ》ね、読んだとしても、洟《はな》もひっかけんというか。くだらんのひと言ですよ。問題は京極さんの読者。失望する訳でしょ、こういうのを読むと。ああ、本当は下品な人なんだな、考えなしの馬鹿なんだなあ、って思うでしょうに」

だからそれは。

「え？　違うの？　だって京極——あッ夏場所か。いや、これは判らないでしょう普通。夏場所って名前はないやん。これは詐欺でしょう。だいたいこんなん許しちゃいかんでしょうに。あんたが悪い」

結局叱られてしまった。

何も収穫は得られなかった。

取材を続けていくうちに、ひとつだけ明確に判明した事実がある。

京極夏場所なる者は私なのだと、殆《ほとん》どの人間がそう考えてるらしい、ということである。私をよく知る者も、同業の作家や編集者までもが、何の疑問も抱いていない。読者に到っては推して知るべしである。

これは少少――拙《まず》い展開だった。

取り敢えずO先生の誤解だけでも解いておかなければなるまいと考え、恐る恐る連絡をとってみることにした。

O先生は完全な覆面作家で、性別を除けば一切の私的情報を公表していない。著作に著者近影の写真すら載せないという徹底ぶりである。読者との接点をテキストだけに絞り込むという考え方は大いに賛同できるし、常常見習いたいと思っている。

幸いO先生とは何度か仕事をご一緒させていただいている。

逡巡の挙げ句、受話器を握った。

「何にも気にしてませんよ」

電話口のO先生は予想に反し、大変和やかな口調でそう言った。

「京極さんが書いたんじゃないことも知ってますし」

え。

だ。

誰が書いたのかご存知なのですかと尋いてみた。

「書かれたご本人を直接知っている訳じゃないんですけど——あれ慥か、集A社のCさんのお知り合いだとか」

物凄い情報を得てしまった。

「そういうのが載るっていうことは予《あらかじ》めCさんから連絡受けてましたし」

Cさん——といえば。

3

C嬢といえば、知る人ぞ知る元『小説すばR』のヴェテラン女性編集者である。現在は文芸書籍編集部に異動している。

O先生の口から彼女の名を聞いた私は、はたと膝を打った。

思い当たる節があったのである。

件の『脂鬼』の作中には弓塚千津《ゆみづかちづ》なる女性編集者が登場する。細身だが切れるとサディスティックな暴走を始める強烈なキャラクターであった。

そこは不出来なうえに荒唐無稽で下劣な小説であるから、登場人物の人物造形も粗雑でまるでリアリティがないものばかりなのであるが、その弓塚というキャラクターだけは妙に描写に実在感があった。

それもそのはず――実は弓塚千津のキャラは、C嬢そのままなのである。そう考えて読み返してみると、益々似ている。女性編集者という設定もそのままである。京極夏場所なる人物が彼女をモデルにしたことは間違いないようだった。

C嬢に事情を問い質す必要があるだろう。

連絡を取ってみた。

C嬢は中中捕まらなかった。

考えて見れば午後五時出社午前五時退社も当たり前という激務である。普通の時間帯に電話をしても捕まる訳はない。

編集部に再三電話を入れたが、出掛けていますの食事していますの席をはずしていますの連続で、そのうち誰も出なくなってしまった。やむを得ずＣ嬢と親しい作家に連絡を入れてＣ嬢の携帯電話の番号を聞き出した。再三かけてみたものの電波が届きません電話に出られません電源が切れていますの連続で繋がらない。

結局、連絡がついたのは午前四時三十分だった。

「あ——どうもォ——え？　すいません聞こえなくって。は？」

電波状況が悪い訳ではなかったのだが、物凄く聞き取り難かった。電話の向こうに喧騒が広がっている。

「何です？　え？　場所？　場所って、ここは神楽坂《かぐらざか》ですけど。そうじゃない？　何ですか？　夏場所？　何のことですかぁ。あ——次アタシでぇす。すいません曲始まっちゃうんで。明日また」

切れる寸前に、聞き覚えのある翻訳家のＯ氏のよく響く歌声が聞こえた。

カラオケボックスにいやがった。

翌日、都内某所の喫茶店でＣ嬢と面会した。現れたＣ嬢は、髪型が少し違っているだけで、普段とまったく変わった様子はなかった。

「どうもォ御無沙汰しておりますぅ。短編集のことですねぇ。実はもうゲラが」

違うと言った。

「それじゃあ新しい企画のことですか。それでしたらちょっと考えがありまして。実は書き下ろしの」

違うと言った。

「それじゃあうちの猫のことですか」

違うって。

「判った。この間Nさんと一緒に食べた特製茶わん蒸しのレシピのこと」

あのなあ。

無理矢理話題を選んでいるなと言った。続いて何か隠していることはないか問い質した。

「え？　それって三年前にアタシが誤植を見逃したのを指摘されて印刷屋さんの所為《せい》にしちゃったことですか」

そんなことがあったのか。

「それとも目次の写真を他の人のと入れ違えちゃったことですか？　まさか巻末プロフィールに載せる年齢をずうっと間違え続けてたこと？」

おいおい。

どれも気づいていなかったと伝えた。

「わははははは。墓穴を掘ってしまいましたねェ。全て聞かなかったことにしてください」

そうは行くかいと答えた。

「おほほほほ。じゃあこれで」

待たんかい。

夏場所について問い質した。

「あ、今度枡席でも取りましょうか。一度ご一緒に相撲観戦も良いかなーなんて、思ってはいたんですゥ」

あくまで恍惚《とぼ》けるつもりらしい。大きな誤解があることも含め、京極夏場所について徹底的に問い質した。C嬢は誤魔化し切れないと観念したものか、

「ふっふっふっふっふ」

笑った。

「背後にアタシがいると、よく判りましたねえ」

O先生に聞いた旨を告げると、C嬢は指を鳴らし舌打ちをして悔しがった。

「チッ。しくじったなあ。口止めしておくんだった」

ほとんど小説のキャラそのままである。しかしその口ぶりからも知れる通り、彼女が今回の一件の鍵を握っていることは間違いないようである。『脂鬼』掲載に到る事情を問い質してみた。

「事情を問い質してみた——ってさあ。いい加減に大文字の作者気取るのよしてくださいよ。やり難いから」

やり難いと言われても。

「所詮この手法はギャグには向きませんって。書くのも疲れるでしょ。いちいち応答するのも疲れるんですよ。普通の会話にしてくださいよ」

指示されてしまった。

「だから。やめてくださいって。こりゃ、格調高い社会派小説でも何でもない馬鹿小説なんだから、一人称の小説にしちゃった方が簡単だし読み易いでしょう。登場してる方の身にもなってくださいよ」

「しかしなあ——あッ」

つい地の文以外で語ってしまった。

「あッじゃないでしょうに。事情をお話ししますから。ね？　なァんかいつもの調子が出ないんですよォ」

いつもの調子というのはブチ切れてぶったり蹴ったりする調子のことだろうか。

「勘違いしないでくださいよ。それは小説の中のアタシであって実際のアタシではないの。アタシ、実際には一度として暴力行為を働いたことはないですよ」

C嬢はそう言ったが、現在そのアタシなる人物は小説に出ている訳だから——。

「ふっふっふ」

不敵な笑いである。

「よく気がついたわね。だから、早くこのノンフィクションっぽい書き方をやめて小説内に登場しなさいよ」

登場人物が地の文に話しかけてくるなどという展開は予期していなかった。一瞬怯む。私が怯んだその途端に――。

「いいから。こちらへいらっしゃい」

C嬢の眼が怪しく光った。まるで、『脂鬼』に出て来た弓塚千津そのものである。取材をやめた方が無難だろうか。

「だから。アタシはその地の文の問いに答えるべきなの？　それともどうなのよ」

「あーもう本当に面倒臭い」

私は小説に登場した。

「あーなんかせいせいした」

「そうでしょう。気取ったって駄目なんだから」

C嬢はそう言って脚を――。

「その仮名もやめれば夏美《なつみ》ちゃん」

「はあ。そうします。慣れないことはするもんじゃありませんね、千津野《ちづの》さん」

私はそう言って千津野久美《くみ》を見た。

私の名は京極夏美（23歳・女性）。一昨年ヤングアダルトノベル『すずめの夏』でデビューした、駆け出しの小説家である。

「あなた――新虫《しんちゅうしゃ》社の青田君とか棺談社《かんだんしゃ》の鑼木《どらき》さんに脅かされたの？」

「脅かされたって言うか――その」

青田さんはお悔やみ申し上げますと言い鑼木さんは泣くばかりだったと告げた。

「青田さんの話だと——小野田冬彦《おのだふゆひこ》先生の担当の方は凄く怒ってるとか——」

怒っちゃない怒っちゃないと言って千津野は掌《てのひら》をひらつかせた。

「腹抱えてげらげら笑ってたって。だいたいあんなどーしようもない短編一本で名作『死期』の売上に影響が出るわけないでしょ。読みが同じだってだけでパロディにも何にもなってないんだから」

「でも『小説すばR』の箱井《はこい》さんの態度もなんか変だったし」

「あの娘《こ》はいつもそうなの。それにこの件に関してあの娘はなぁんにも知らないンだから。尋かれても答えられないから誤魔化したのよ。全部アタシがひとりで企んだことなんだから」

「企んだって——」

「だから、あなたの原稿と偽って掲載したのよ。以前預かってたものだって嘘吐《つ》いたのね。疑いやしないわよ。誰もそんなことすると思わないでしょ。丁度一本落ちて誌面に穴が空きそうだったから却って喜ばれたわよ。ただ、本当に京極夏美名義で載せちゃうと詐欺になるから、校了の時にこっそり目次と扉に赤入れて夏場所に変えたのよ。巻末のプロフィールも削除したわ」

「どうしてそんなこと——」

編集者としての良心よ——と千津野は言った。

「そうじゃなくて、その、何だってそんな嘘を——」

「いやあ。本当は小野田冬彦先生の原稿と偽りたいところだったけど、流石にバレるじゃないよ」

「バレますか」

あったり前でっしょうが——千津野は大声でそう言った。

「どこの世界に自分の作品ネタにして馬鹿小説書く小説家がいるのよ。それに小野田先生の原稿をアタシが持ってるってのも不自然だし、出来に差がありすぎるから編集部に渡した段階で判っちゃうわよ」

「それって——私なら判らないという意味でしょうか」

判らなかったじゃないよと千津野は勝ち誇ったように言った。

結構ショックだった。

「私って——あんなに下劣で下手くそなんでしょうか——」

「まあ、それもあるけど」

「あるんですか」

「あるけど、と言ってるの」

「あるんだ」

かなりショックだ。

「だから、あるけどよ」

「まだ他にも理由が？」

「あるわよ。あなたが一番怒らなさそうだったからに決まってるじゃないの」

「へ？」

「他の作家の名を騙《かた》ったりしたら、下手したら提訴されかねませんからね。そうでなくたって執筆拒否とか版権引き上げとか長文ＦＡＸ攻撃とか色色あるでしょ。そういうのはごめんよ」

「ごめんよって」

あなたは怒らないわよね——千津野は決めつけた。

「怒らないって——」

だって怒ってないでしょ——千津野は断言した。

「まあ——」

慥かに怒っている訳ではないのだが、だからといって——。

怒ってもいい状況だろうとは思う。

千津野はぐいと顔を寄せた。

「怒ってないね」

「いや」

「お・こ・っ・て・ない」

「は、はい。でも」

「でもなに」

「こ。困って——そう困っています」

けらけらと高笑い。

「な、何が可笑《おか》しいんですかッ！　酷いですよ。私、阿鼻叫喚丸《あびきょうかんまる》先生に叱られちゃったんですよ。あんたが悪いとかって」

「阿鼻叫さんはいつだって怒ってるのよ。きっと別の用件で連絡したとしたってあんたは叱られてたハズよ」

「でも——世間の人はみんな、あれは私が書いたものだと思ってるみたいじゃないですか」

「そりゃあんたが悪いのよ」

「え」

「だって、それはあんたが作家として揺るぎない地位を築けてないという証明だし、あんたの作品が確固たる評価を得てないってことでもある訳でしょ。苗字が同じだとしたって夏美と夏場所じゃぜんぜん違うんだから、普通はあんたのことだなんて思わないわよ。思われたって関係ないって言い張ればいいじゃないよ！」

「言ったんですけど」

「誰も聞いてくれないんでしょ？　当然だわよ。そもそもアタシがあんたを選んだ理由からして——やっぱりあんたが悪いんだわ。気が弱くって腰が低くって押しがなくってさ。付け込みやすいの夏美ちゃんは。気をつけなさいよ！」

「ご、ごめんなさい」

「また謝る」

「ご、ごめんなさい」

「だから。そうやって謝るから、こんな妙なことに巻き込まれたり、それでもって結局あんたの所為にされちゃったりするんじゃないよ。反省しなさい反省を」

いったいどっちが悪いんだか。

「何よその顔は」

いや、だから。

「何か文句あるワケ？」

たぶん、まあ私が悪いんだろう。

「で——千津野さん、その、あの」

「何？」

「だからどうしてこんなこと」

「どうしてって、あんたの物腰が作家らしくないから、アタシが親切に説教を垂れているんじゃないよ」

「そうじゃなくて、その、どうしてその、夏場所なんて」

「だって夏みかんより作品にあってるじゃないよ」

どう尋けばいいのだろう。

「だってあんた、夏美ちゃん。考えてもみなよ。あれ、最終校了の僅かな隙を狙ってこっそり直したんだから。いい名前を考えつかなかったのよ。急いでたのよ。夏太郎とか夏兵衛とか変でしょうに」

夏場所よりは変じゃない。

「そこまでして『脂鬼』を掲載しなければならなかった理由って何なんです？」

「そこまでって、大したことはしてないわよ。あんたの名を騙っただけじゃない」

「で・す・か・ら」

「何よ」

「本当の作者は誰なんです」

「うーん。秘密なんだけど――名前使わせて貰った借りもあるからねえ」

ふ――と千津野は場違いに寂しげな笑みを浮かべた。

「何気取ってるんです。そもそも京極夏場所って誰なんですか」

「本名は大石倉夫《おおいしくらお》。大学生よ」

「大学生――なんですか？　じゃあ素人」

そうよォと千津野はシナを作った。

「久美さん、あなたまさか」

「まさか何よ」

「わッ、若い男の色香に迷ったンじゃないでしょうね」

「い、色香?」

「判りましたよ千津野さん! その大学生は作家志望ね!」

「そう——だけど」

「でも下手でモノにならない」

「まあねえ。あなたも読んだなら判るでしょうけど、あの程度よ」

「あの程度? あの程度なんてものじゃないですよ。ひ、酷いものだったわ。あの『脂鬼』は股関節脱臼《こかんせつだっきゅう》した蚰蜒《げじげじ》が触角で書いたような小説だったもの」

「蚰蜒に股関節ないぞ」

「いいんです。とにかくここ数年、いや、数十年来、商業誌に掲載された小説の中で最低の作品だった。普通は絶対に載りません。同人誌だって拒否すると思うわ。子供が読んだって下手なのは判る。サナダムシに識字能力があって、もしあの作品を読んだなら、絶対に自ら下っちゃいますよ。そんなこと、何百年も編集者をやってるようなあなたに判らない訳がない。つまり——あの作品は絶対に日の目を見ることのない作品のはずでしょ。でも——だからこそあなたは——雑誌に掲載してやると約束したのね。甘い言葉で釣り上げて、その大学生を玩《もてあそ》ぼうという企みでしょう。ひ、卑劣だわ」

「違うわよ」

「違う? わ、判った。あなた——交際してたんでしょ」

「してないって」

「してたのよ。そうか、あなた、ひょんなことから彼とその、行きずりの関係を結んでしまったのね。きゃあ、ふ、不潔だわッ。それでもってきっと、あなたは若い彼の肉体の虜《とりこ》になってしまったんだわ。彼にしてみればたった一夜の気の迷いでも、あなたの方はそうじゃなかった。男というものに縁遠いあなたは、真剣になってしまったのね。それで、ずるずると関係を続けていて——そうか。遂に別れ話を持ち出されたんだ！　だって彼はそんな爛《ただ》れた関係に飽き飽きしていたに違いないもの。若い彼には前途があるわ。あなたとの関係は、その明るい前途を閉ざすだけの鬱陶《うっとう》しいだけのものに外ならないものだもの。あなたはウザいとかババァとか言われたに違いないのよ。そうなるともう崖ッ縁よね。最早大人の女の魅力だけでは繋ぎ止められないと考えたあなたは——そこで奸計《かんけい》を巡らせたのね。何という未練がましい人なの！」

「あ、あのなあ」

「だッ、大学生なんて、息子程齢《とし》の離れた男の心を引き止めようと。こんな小汚い手を」

ぼんご。

「痛いじゃないですか千津野さん」

「ムッ、息子程齢の離れたたァどういうことよッ！」

「だって」

ぼんご。

「痛いよう。だから小説に出たくなかったんだよう」

「泣くな小娘作家。その湧水のようにこんこんと噴き出て来る頭悪そうな妄想を作品に生かせよまったく。なァにがずるずると関係を続けてェ、よ。爛れた関係ってのは何なのよ。そんなだから股関節脱臼した蚰蜒が触角で書いたような小説に名前使われちゃっても、誰も他人が書いたと思ってくれないんだぞ」

「そんなあ」

「あんたの妄想はまるはずれよ。大石君ってのは小野田先生の大ファンで、相撲部に所属しているごっつい男よ。汗臭い男の世界でムンムン暮らしてるから女っ気はまったくないの」

「す、すると——そこに大人の女が」

ボンゴ。

痛いよう、と私は泣いた。

4

大石倉夫はじゃが芋に黴《かび》を生やしたような不細工な男だった。どこから見ても女の子にモテそうにない。裏返しても叩いても布を被せても美しくは見えない。いくら男日照りの千津野が若い男に飢えていたとしても
ばぐッ。

「痛いなあ。地の文にまで手を出さないでくださいよ」

「煩瑣《うるさ》いわね。何が男日照りよ。地の文で書かれたことは事実として受け取るのが作法でしように。そんな風に書かれたら真実だと思われるでしょう。嫁入り前の美人編集者捕まえて何を書きやがるんだこの小娘作家！　アタシが登場人物だからって勝手なこと言わないでよ」

「だってェ。これは私の一人称だし。私の感じたことをそのまま」

ぼかッ。

「だからあんたがそういう風に感じてるというその認識を改めいと言うておるんだアタシは」

「あのう」

「何よ」

「わしはその」

「ああ──大石君いたの」

「わしもその、随分な書かれようで」

「それは真実だからいいじゃない。紹介するわ。この小娘が『盲腸のハコ』やら『抜け毛の始末』の京極夏美先生ね」

「あのう、わしは──」

「このじゃが芋に黴生やしたようなのがあんたの名前を騙った悪人の大石君。見て判る通りの相撲部」

裸にマワシ。判り易い。でも、せめて人に会う時くらい何とかして欲しい。

「この度は本当にすまんこってす」

大石は頭を下げた。

「わし、それはまずい、やめようと、随分言ったんでごわすよ。でも千津野どんが相手は小娘だから構わん構わんと」

「お黙り。何よ小躍りして喜んでた癖に」

「ごっつあんです」

割り込めない。

「実はね夏美ちゃん、こいつ、これで相撲が嫌いなのね」

「どすこい」

大石は右手を張り出す。

「──嘘」

「うッ、嘘じゃないでごわす」

大石は樹木に張り手をかましながらそう言った。

嘘だ。

「ほッ、本当でごわす。えいッ。えいッ。わしは、中学の時は刺繍部、えいッ。高校ではポエム部でごわした。どすこおい」

「ぽ。ポエム部？」

「ぽ、ポエム部でごわす。えいッ。今だって文学部に在籍しておりまっす。そりゃ。どすこおいッ」

めりめりめりめり。

大石、とうとう木を倒してしまった。

文学青年なのよォ──と千津野は気怠い声で言った。どっすーん。木が倒れる。

「ここ──アタシの母校なのね。つまり、こいつは後輩」

「後輩っす。ごっつあんでぇす」

はっはっはっ。

玉の汗である。

「せっ、世話になってるっす。はっはっ」

「千津野さんも――」

相撲部だったんですか――と尋いた。

千津野は眼を細めて私を睨みつけた。

「阿呆。なんでアタシがマワシ一丁で四股踏まなきゃならんか。アタシは漫研とミステリ研の掛け持ち。実はね、こいつ、高校時代からミステリとホラーに嵌《はま》っちゃってさ。ミステリ研に入りたがってたの。将来は作家か、出版社にでも入りたいって言うもんだから、後輩連中がアタシを引き合わせた訳」

「はあ。でも――だって」

見る。

「どすこいッ」

大石は今度は塀に張り手をかました。

「わっ、わしはッ、すッ、相撲が、大ッ嫌いじゃあああッ」

ばりん。

塀が傾く。

「どこが嫌いなんですか。とてもそうは見えませんよ。相撲大好き人間以外の何者にも見えないですよ。何なんですよそのリアクションは」

「すまんこってす」

首だけ下に向けて青年力士は謝った。

「わし、他人の視線を感じると、つい稽古をしてしまうんでごわす。そういう体質なんでごわす」

「本当？」

見る。

「どすこおおおい」

ぶつかり稽古だ。

慌てて身を翻《ひるがえ》す。大石はベンチに向けて突進した。

どかんばかばこ。

ベンチ倒壊。

「あ——危ないじゃないよ夏美ちゃん。あんたは馬鹿か」

「馬鹿かって——どっちが馬鹿ですか」

わしが馬鹿でごわすぅ——大石は号泣した。千津野が面倒そうに説明した。

「この大石はね、生まれた時から相撲の英才教育を受けて育ったのよ。子守歌代わりに相撲甚句《じんく》を聞かされ、ボールの代わりに塩を投げ、服は制服以外マワシしか買って貰えなくって、勉強部屋はなかったけど土俵はあった。おかあさんといっしょもポンキッキーズも観せて貰えず、来る日も来る日も過去の名取組のビデオを観せられて、張り手やらうっちゃりやらすくい投げやら、何だか知らないけどそうして育ったの」

それって——。

継ぎの当たった茶系の服を着たイカツい親父が太い眉毛を吊り上げて夜空を指差している。その下に、頬に三本の線を入れ力士養成ギプスを塡《は》められた裸の子供が、眼に焰《ほのお》を燃やしてシコを踏んでいる。

見ろ、あれが角界の星だ――。

と、とうちゃん――。

「そういうことですか」

「まあ――そうね。でも何なのよ、そのイメージは」

あるいは――。

大きな石造りの力士像――はっけよおいのこったの姿勢の、その口のところに立っているシルクハットにマントの男。そう、そこはヒマラヤの秘密力士養成所、関取の穴である。渋い声で男は言う。

横綱だ、お前は横綱になるんだ――。

♫丸い土俵のジャングルにぃ、今日も張り手が吹き荒れるゥ――。

ボンゴ。

「何するんですかぁ」

「何故歌うんだ夏美ッ」

「か、梶原一騎尊敬してるもんで」

大石はばごばごと腕を鳴らした。

「わし、とにかく飯喰ってる時と寝てる時以外はずっと稽古させられてたっす。ちょっとでもサボろうもんなら、父ちゃんがバットでぶったり鉄下駄で蹴ったり」

「見守る姉ちゃんはいなかった？」

「男所帯でごわす」

「だからこいつ、人の視線を感じると躰が勝手に稽古を始めてしまうのよ」

「本当？」

見る。

「どどどどすこおおい」

擦り足擦り足擦り足。

右手左手右手。

「やめなさいって危ないから。まあそういう訳なのよ」

「ううん。これはお囃子を聞いた風大左エ門《かぜだいざえもん》のようなものなんですね？」

「夏美ちゃんさあ。あんた、そういう稚拙な喩《たと》えしかできんのかい。あんたは懐かしのマンガ大全集か。まあ、慥かにそうなんだけどさ――」

千津野は大石を見た。大石は、二本目の木に張り手をかましている。

「か、躰が勝手に動くでごわす。えいッ。はいッ。しかし心《ハート》は繊細でごわすよッ。こうしている今だって、こ、心には風にそよぐスイトピーちゃんに戯れるモンシロ蝶さんを思い描いているでごわすぅッ。ひらひらあ、ひらひらあ、それッどすこうい！」

ばしん。

めりめりめり。

「でもわしは、文学を愛するんじゃあ」

どすん。

「と──いう訳でサ」

千津野はそんな大石を見捨てるように顔を背けた。

「こいつ、もうすぐ強制的に赤穂《あこう》部屋の入門テスト受けさせられるとこだったンよ。で、これはこれで頑なンとこあるからさ、すごい抵抗した訳。相撲取りは嫌だあ、小説家になりたいようっ──て。そこで、散散言い争った挙げ句──」

「一箇月以内に雑誌か何かに作品を発表することができたなら──わしの才能を認めて、角界入りは諦めると、父ちゃんはそう約束してくれたでごわす」

「そうなのよ。つまりこいつを相撲取りにするのを諦めて、そっちの道に進むことを拒まないと、父親が約束したんだってさ」

「それで──？」

「まあそういうことよ。そういう訳だからさ、ま、何でも良かったのね。載れば。だからとにかく何か書けと言ったのよ。そしたら──あれでしょう」

千津野は落胆したような顔をした。

私の落胆だって負けないんだけど。

「あんなの貰っちゃったらもう、非合法な手を使うしかないじゃないのよ。あんたも言ってたじゃない。手の入れようがない駄作の頂点よ」

「だからって私の名を騙ることはないじゃないですか！」

「正確には名を騙ったんじゃなくて似た名前をつけただけでしょ。アタシが騙したのは編集部員だけよ。読者は騙してない。世間の人は勝手にあんたが書いたと勘違いしてるだけ。何度も言うけど、夏美と夏場所じゃウナギとモグラくらい違うわよ」

「ウナギと——ドジョウくらいの差じゃないですか？」

「それだって結構違うでしょ。時間的にぎりぎりだったから書き直させる暇はなかったし、手を入れようにも入れようがないのよ。志《こころざし》低いし。文章腐ってるし。プロット幼稚だし。頭悪過ぎ」

「ひ、酷い言いようでごわす」

「わ、私もそう思う」

まるで自分が誹謗《ひぼう》されているような気になってきたのだった。ついさっきまで蚰蜒《げじげじ》が書いたとか評していたくせに。

大石が大きな顔をぐいと近づけた。

「な、夏美先生もそう思ってくれるでごわすかッ。わし、理解者が少なくて遺憾に思ってたでごわす」

汗臭い。

「夏美ちゃん。あんた発言に気をつけなさいよ。こいつは見かけによらず卑怯者なんだから。嘘吐きだし。今回の悪巧みだって――さっきはアタシひとりで企んだようなこと口走ってたけどサ、本当はアタシ以上に乗り気になってたの。あわよくば京極夏美を追い落として自分がなり代わろうと――」

「ほ、本当なんですか！」

どちらの言葉も信じられない。私は当惑し、大石を見た。

「どどどすこおい！」

擦り足擦り足擦り足。

パンパンパン。

「見ちゃ駄目だって。夏美ちゃんもこんな素人に脅威を感じてどうするのよ。それにしたって大石、お前も怖いもの知らずよねえ。よりによって『死期』パロるか？」

あれは愛っすよ――大石は両の拳を握り締めて主張した。

「小野田先生最高ッす！『闘鶏互角《とうけいイーブン》』最高ッす。『獣煮《じゅうに》料理人《コック》記』最高ッす。『灰汁《あく》の量がいっぱい』最高ッス」

「だからってあんなモン書くなよ大石。小野田先生だって嫌だろうに」

「熱いオマージュでごわす」

「ものは言いようだわよ。どうせ直前に読んだから影響受けただけだろうが」

「ご名答」

「まったく、相撲嫌いだとかほざいてるくせに無理矢理相撲取りなんか小説に出してさぁ。アタシの身にもなってよもう」

私の身にもなって欲しい。

「だって――少しは自分らしさを出しておかんと、父ちゃんにわしの作品だと思って貰えないでごわす。読者のみんなにも小野田先生の作品だと勘違いされてしまうでごわす。だからわざと力士を」

「勘違いしないって誰も。ド下手なんだから。だからアタシはわざわざこの――」

何で私を見る。

「――ま、そういう事情なのよ。もう判ったでしょ夏美ちゃん」

判ったことは判ったが。

判ったんだけど――納得できない。

「納得できませんよう」

「いいじゃないよもう」

「だって。で――お相撲さんにならなくても良くなった訳ですか？　この人は」

「相撲部屋入門の話は取り敢えずなくなったんだけどね――」

「けど？」

「ん――見ての通りよ」

見る。

「どすこおおい」

雲竜型だ。

「ううん。力士体質になっていた？」

「それもあるんだけどね。この男——こうやってのべつ稽古してないと、死んじゃうことが判ったのよね」

「死んじゃう——？」

奇病か？

「そう。太っちゃうのよ」

「太ってますよ」

「もっともっと太っちゃうのよ」

「どうして——そんな——まさか呪い？」

呪いなんかある訳ないでしょうと千津野は大いに笑った。

「それに、あったとしたって呪いなんかかかるような上等な生き物じゃないでしょう、こいつは。単純な話よ。この男の家は、朝昼晩三食ちゃんこ鍋てんこ盛りなのよ。鬼のように喰うから運動しないと太るってだけ」

「ううう」

「なに犬みたいに唸ってるのよ」

「じゃあその——無駄だった訳ですか。あの——『脂鬼』を掲載したことは」

まあ無駄といえば無駄ね——千津野は軽く言い放った。

「でも——まあこの稽古体質だから就職するのは難しいだろうけど——相撲を続けながら小説は書ける訳じゃない。でも、こいつ才能ないから書くだけ無駄って気もするけどサ。そういう意味では無駄ね」

無駄よ——千津野は駄目押しで言った。

「む・だ」

「酷いですよう」

酷かあ——大石も泣いた。

汗臭い。

「もう納得したでしょ夏美ちゃん」

「納得できません」

「何でよ」

「だって——そんなの、仮令《たとえ》どんなに巧妙に掲載したとしても、載っちゃえばすぐにバレることじゃないですか！」

「バレなかったわよ」

幸いにもあんたの評価が思った以上に低かったからねぇ——千津野は悪魔のような顔で笑った。

「そ、それは——で、でも、少なくとも私にだけは判ることじゃないですか」

「判ったって、現にどうにもできてないじゃないのよ。無力じゃん」

「そ、それも——でも、そうだ。編集長だって——騙されっぱなしとは思えないですよ。それとも編集長もグルなんですか」

「アタシを誰だと思ってるのよ」

ケケケケケ——怪鳥のような笑い声。

「実はね、アタシはあの人の弱みを握ってるの。編集長はアタシの言いなり！」

「な——何という卑劣な」

「卑劣？　処世《よわたり》の智恵とお呼び。伊達《だて》に長い間編集者やってる訳じゃないのよ」

「で——でも、そうなら余計怪しいです」

「な、何よ」

「千津野さんが何の見返りもなくそんな危ない橋を渡るとは思えないです」

「うッ——」

詰まっている。

「——な、中中鋭くなって来たじゃない小娘のくせに」

「小娘をなめちゃいけません。私、こう見えてももう二十三ですし」

ぱこッ。

「何するんですかあ」

「アタシの前で歳の話はするな。ま、白状するわよ。こいつの——見るんじゃないわよ。この大石倉夫の父親——大石倉吉《くらきち》はねえ、その——」

「なんです？　千津野さん、なに踏ん張ってるんです？」

あんまり力むと血管切れますよ。オナラ出ちゃいますよ」

「り、力んでなんかないわよ」

「だって。顔が赤いです」

「は——」

ぱこッ。

「——羞らってるのよッ！」

「いッたあ。羞らい？　千津野さんが？」

「悪い？　もういいわよ。こいつの親父はね、あたしの——初恋の人なのよッ」

「は？」

「初恋よ」

「初？　初って初めての初？」

「そうよ。それが何よ。昔のことよ」

「明和元年とか？」

ばぎゅッ。

「あたしは八百《はっぴゃく》比丘尼《びくに》か？　サンジェルマン公爵か？　それとも火の鳥に出てくるハナのでっかい男か？」

「それ面白いです」

「面白くないわよ。たった何年か前のことよ。その頃アタシは花も羞らう中学生。倉吉さんは高校生で、少し翳《かげ》りのある文学青年だった。それは素敵な人だった——」

「でも——こいつの親父でしょ」

「どすこおい」

パパンパン。

「ひえええ」

「見るなって夏美。あのね、思うにこいつはきっと母親似なの。若い頃のあの人は、こんな腐乱したボンレスハムじゃなかったのよ」

「ふ、腐乱って何でごわす？」

「お前のことを褒めているのよ大石。とにかくあの人はいい男だったのよ。新御三家よりも素敵だったわ」

「御三家って——水戸尾張紀伊《みとおわりきい》」

パシン。

「おい。せめて西郷輝彦舟木一夫橋幸夫とか言いなさいよ。それも違うけどサ。アタシは歴史上の人物じゃないの。新御三家よ。郷ひろみ西城秀樹野口五郎よ」

「そんな武将いましたっけ？」

「いいから素敵な人だったと思いなさいよ。まああんたの趣味は判らないけどサ」

「私は男の趣味いいですよ。一番好きなのは石立鉄男」

「は？」

「次は遠藤太津朗《えんどうたつお》――」

遠くで大石が二宮金次郎相手にぶつかり稽古をしている。三度ぶつかって銅像は倒壊した。ニュース映像のレーニン像みたいだ。

燕《つばめ》が飛んで行く。

「なに黙ってるんです千津野さん！」

「ご、ごめん。開いた口が塞《ふさ》がらなかったのよ。まあいいわ。まあ、そういういい男だったのよ彼は」

「だった、ってことはもう違うのね。老いさらばえて見る影もないとか――あるいはもう五十年も前に亡くなったとか」

「だからアタシは幾つなのよ。ほんの何年か前のことだって言ってるでしょ。でもまあ、あんたの言う通りよ。彼は――変わってしまったわ。変貌してしまったの」

「あ。遠い目をした」

「浸っているのよ。この大学はね、彼の母校でもあるのよ。そう、だから私もこの学校を志望したんだわ。でも――アタシが入学した時、あの人は疾《と》うにここを卒業していたんだけどね――」

「千津野さんが落第したのね」

「ちゃうわい。齢《とし》が離れてたの」

「じゃあ意味ないわ」

「それを承知で入学したのよ。あの人が青春を謳歌したキャンパスの、その同じ空気を吸いたかったのよ」

「変態」

「純情とお言い。ああ過ぎ去りし多感な時代――でも、夢多き少女の憧れはやがて過酷な現実に組み伏せられるの。風の噂に聞いたわ。あの人が――結婚したって」

「失恋ね。絶望なのね。嫉妬よねぇ」

「つたく気に障《さわ》る小娘ね。失恋じゃないわよ。アタシは彼が幸せになったならそれで満足だったのよ。ところが――」

千津野の眉間に皺《しわ》が刻まれた。

「――ところが――そう、あれはアタシがここを卒業して、集泳社に入社するのが決まった頃のこと――」

「それは遥か昔――まだ豊臣秀吉が木下藤吉郎と呼ばれていた頃の話――」

ばき。

痛かった。

「再び風の便りに悪い噂を聞いたの。彼が奥さんに逃げられたって」

「わしの母ちゃんでごわすな」

「そうあんたの母ちゃん——って、ああウザッたい！　アタシの美しい思い出に紛れないでよ顔面膨満感」

「でもそうなんでごわす。わしを産んで暫《しばら》くして、母ちゃんは逃げたんでごわす」

「どうして？　放蕩？　浮気？　暴力？」

「肥満よ」

「は？」

「あの人——大石倉吉は、何故か突然、物凄い勢いで——太っちゃったのよ」

何だかなあ——。

大石倉吉は、もうどうしたらいいのか判らないくらい太っていた。これを美男子だと言い張るのだから千津野の美的価値判断の基準というのも理解できない。デブ専なのか、さもなければ余程の男日照り

パシパシパシ。

「だから地の文にそういうことを書くなって小娘作家が。倉吉さんは——その昔は細面の、まるで貴公子のような面差しのお方だったのよ。それが——」

千津野は浴衣姿の巨漢を盗み見る。巨漢は大抵表情がない。太り過ぎていて笑っているか怒っているか判らないのである。いずれ顔面の筋肉までパンパンなのじゃ仕方がなかろうが。

「久し振りじゃのう。久美ちゃんか。おまはんはチッとも変わらんのう」

「というか——倉吉さんが変わり過ぎたんですよ——」

千津野は私を見た。

「この小娘が何か疑いの眼差しを投げかけて来るんです。昔の写真はありませんか？」

「なか」

「一枚も？」

「一枚もじゃ。全部逃げた女房が破り捨ててしもうた。詐欺じゃあ言うてな」

「詐欺――ですよホント」

今何キロなんです――と千津野は泣き声で尋いた。倉吉は二百くらいかなと簡単に答えた。

「二百――って、あの頃倉吉さんは」

「四十キロ台じゃったなあ。情けなか体格じゃったなあ」

百六十キロ増。慥かに詐欺だ。

「女房――と言うても、もう、十八年も前に逃げてしもうた女じゃがな。あれは随分と変わった女でな。ワシが太るのが嫌だと言うて。そのうえ、ワシがこの倉夫を将来関取にするいうのが嫌だちゅうてな。ヒステリー起こしてな、ワシが壁際に寝返り打って寝たふりしてる間に出て行ったきりじゃ」

「時代色を出してますね旦那」

「そんなことで喜ばないでよ夏美ちゃん。アタシは結構深刻なんだから。噂には聞いていたけど――それなりに覚悟もしてたんだけどさ。それにしても――」

千津野は初恋の男の巨体を眺め回した。

「――理由は何なんです？」

「何の理由じゃ」

「だから――その、太った理由ですよ」

「そりゃ強くなるためじゃ」

「強く？」

「強い相撲取りになるためじゃ。体格は武器になる。歳を取ってから志を立てたワシには、技を磨くことよりもまず、貧弱な体格をなんとかすることの方が問題だったのじゃ。体重だけでも優位に立たぬと——ワシに勝ち目はない」

「勝ち目って——倉吉さん、相撲取りになろうとしたんですか？　だって慥かあなた、文学青年で、将来は翻訳の仕事がしたいと」

しぇからしかッ——と倉吉は言った。

「しぇからしか？　あなた出身地まで変わっちゃったの？」

「男らしか話し方ばァ学んだでごわす」

「ほ、翻訳家志望だったあなたが——？」

「そぎゃんこつは夢のまた夢。もう忘れたでごわす」

「ごわすって——でも、あなた結婚した時、もう二十歳《はたち》越してたはずでしょう」

「二十二の時でごわした。ワシが志を立てたのはその二年後。たった三年の結婚生活でごわした。今はまるで他人《ひと》ごとのような思い出でごわす。大恋愛でごわしたが——それもまた夢。男子の大望の前にはただの絵空事でごわす」

「ごわすって——だから、そんな齢になってから、いったいどうして相撲取りなんかを目指したりしたんですか」

倉吉は口を閉ざし——鍋からお玉でちゃんこを掬《すく》い、丼にあけた。

もうもうと湯気を立てた特大の土鍋が目の前で煮えている。ぐつぐつと滾《たぎ》る鍋の中には果たしてどんな具が入っているのだろうか。そこはもう、最大級のカロリーの坩堝《るつぼ》である。ぼたぼたと汗が落ちる。

夏なのに。

「しかし——」

「しかし？」

千津野はいつになくしんみりとして真剣である。それもそうだろう。数え切れぬ程に齢《よわい》を重ねた海千山千の老獪な編集者は、若き日の青臭い思い出をきっと得難い宝物のように大切にしていたに違いないのだ。千津野はそれが汚され、傷つけられるのがきっと怖いのだ。しかし、それは既に汚濁に塗《まみ》れて目前にあるのである。相当なショックなのだろう。何しろ若い時代は彼女には二度と訪れない。

バキぼこドカッ。

「いったあ。なんです急に」

「その地の文をよせちゅうとンのンじゃ。こんど勝手なこと吐《ぬ》かしたらそこの倉夫をけしかけるぞ。あんた死ぬよ夏美」

けしかけるって——犬か。

ごほん、と倉吉が咳払いをした。

「しかし、ワシは負けた。結局ワシはあの人には勝てなんだ。だが——二十歳を過ぎていたワシには後がなかった。だから」

倉吉は息子を見つめた。

倉夫は反射的に土間に転がり落ちて稽古を始めた。

「どすこいどすこい。父ちゃん、ほらわしサボってないよう。どすこいどすこいどすこい」

倉吉は大きく頷いた——のだろう。巨大な肉塊はやや前傾した。

「——デブは嫌いじゃ、息子は将来歌手にするんじゃと女房は言った。でもワシは耳を貸さなんだ。ワシは全てを託したのだ。この——倉夫にな。さあ倉夫。まあ、プロの力士にならんでもええ。小説を書くのもいいだろう。しかし稽古は怠るな。そして稽古の合間には喰え。肥えろ。そしてこの父を越えろ。別に洒落じゃないぞ。サアちゃんこがいい具合だ。腹が空いただろう——」

倉夫は父の許にすっ飛んで来て盛られたちゃんこを貪《むさぼ》った。さっきも食べたのに。

「美味いよ父ちゃん。美味過ぎる。わし、我慢する。相撲はどーしても好きになれないけど、ちゃんこは好きだぁ——喰い終わったら稽古するから！」

ごっつあんです——と倉夫は言った。

千津野が叫んだ。

「い——いったい何があなた達親子を突き動かしているの！　その理由は何！」

「理由か——」

「それは儂《わし》が説明しよう――」

突如襖《ふすま》が開いた――。

そこには――。

裸にマワシ。

「ま、また、またお相撲さん！」

三人目の相撲取りが立っていた。

大銀杏《おおいちょう》を結った、どこから見ても紛うことなき角力である。ただ皮膚には張りがなく、結い上げた鬢《びん》にも幾筋か白いものが混じっている。老人である。しかも物凄くまずい面だった。作り物でももう少しマシに作るだろう。人三化七《にんさんばけしち》どころの騒ぎではない。そこは角力であるから勿論痩せてはいない。ただ、倉吉のように、もうどうしようもない程太っている訳ではなかった。

「ち、父上――」

倉吉が嫌ァな顔をした。

まさか倉吉の――父親なのか。

「ち、父上ェ？」

千津野が妙な声を上げた。

「相撲取りの子だなんて――知らなかったわよ。だって倉吉さん、あなた――」

しかし倉吉はその言葉には取り合わず、鍋を庇《かば》うようにして立ち上がった。

「――父上が混ざると、ちゃんこの取り分が減る！」

「案ずるな。全部は喰わぬ」

不細工な老人力士は座の中心にどっかりと座り込んだ。

「それよりそこの女ども」

「はい？」

「儂を誰だか知っておるか」

「全く知りません」

「答え早ッ。ホントに知らんか？」

全然知らなかった。記憶にない。見たことも聞いたことも嗅いだこともない。

「知らないかのう。結構有名だと思うとったんだがなあ。まあ、昔のことじゃからのう。儂の口から言うンじゃ気が引ける。それにくどくど説明するのは面倒じゃわい。そこの小娘、取り敢えず儂が語ったことにして、地の文で説明してくれや」

――そんなこと急に言われても。

倉夫の祖父――倉吉の父、大石倉兵衛《くらべえ》はその昔、無敗を誇った連戦連勝の伝説の力士であった。シコ名は大石山《だいせきざん》――これでいいでしょうか。

「いいじゃろう。そんなところだ。儂は伝説の力士じゃった」

「大石山ン？」

千津野が邪悪な顔をした。

「――く、倉吉さん。あなたのお父さんは慥かお医者さんだったんじゃないの？　あなたは資産家の医師の一人息子の翳りある文学青年だったんじゃなくって？」

「そりゃ亡くなった養父だ」

「養父？」

「ワシの母上はその昔、この父上に愛想をつかして、幼かったワシを連れて逃げ、そして医者をしていた養父と出会ったのだ」

「待ってください――」

私は倉吉の話を止めた。

「――愛想をつかした――ということはですね、その、つかす前は愛想があったということですか？」

「妙な言い方でごわすが――ま、ワシが生まれたのが証拠でごわす」

「だってこの顔ですよ」

「指差すなよ小娘」

「だってねえ。だってこの顔ですよ。そう思うでしょ千津野さんだって」

「ふ、振らないでよ怖いもの知らず」

千津野は身を引いた。大石山は不細工な顔を歪めた。

「角力は顔ではねえ。技じゃ」

「技？　何の」

「馬鹿たれ。相撲の技じゃ。現役時代の儂はな、モテモテじゃった。その華麗な技のキレは誰にも真似できんと随分と話題になったものだ。人呼んで土俵上のテクニシャンとは儂のことだ。おなごなんかきゃあきゃあ言って寄って来たものぞ」

「そういうもんですかねえ」

「当然じゃ。選《よ》り取《ど》り見取りじゃったわ。儂はな、その中から一番の別嬪《べっぴん》を選んで嫁にしたのじゃ。それがどうだ。儂を置き去りにして、この倉吉連れて逃げおった」

「うーん。親子よねえ」

不細工な伝説の老力士から超肥満の元美男中年力士に視線を移動させてみる。共に妻に逃げられた哀れな過去を持っている。

ごっつあんです——倉吉が前傾した。

「逃げた理由は——やっぱり肥満？」

「そんな訳はないわい。若い頃、儂は今より肥えとったわい」

憔かに——結婚後に変貌した息子倉吉の場合とは違い、相撲取りの許に嫁いでおいてデブが嫌——というのも妙な話である。

「じゃあ何なんです？　奥さんの逃げた理由は——その顔？」

「うーん。言いにくいことをずけずけ平気で言う小娘じゃなあ。しかし顔は関係ねぇ。つまりだな——ああ面倒臭い。さっきのように説明しろ小娘」

地の文を強要する登場人物がいるだろうか。

天才と謳われた大石山は破竹の勢いで勝ち進み、目にもとまらぬ速さでどんどん昇進した。これは横綱昇進最短記録更新か、史上最強の青年横綱誕生かと世間の注目を一身に集めたのだったが——ここで優勝すれば横綱間違いなしという、大切な場所の大切な取組を目の前にして、何故か、何故か大石山は突如角界から姿を消してしまったのである——と、こういうことでしょうか。

「そういうことじゃ。一生を左右するだろう大一番を儂は放棄した。対戦相手だった吉良《きら》錦《にしき》は不戦勝で優勝したわい。大石山は畏れをなして敵前逃亡した腰抜けだ、急に臆病風に吹かれたのだ——と世間は噂した」

「腰抜け」

「う、煩瑣い小娘。勝算は十二分にあったのだ。所詮、あんなへなちょこは儂の相手ではなかった。その証拠に、吉良錦の奴が優勝したのはその時一回だけ、以降は落ち続け、結局奴は横綱にはなれなかったのじゃ。奴はとっとと廃業して屋上怪獣縫いぐるみショーとかに出ておったのじゃぞ。まああの屁っぴり腰じゃ、部屋持ちの親方にもなれなかったろうし、仕方がないが——」

「でも、じゃあ何で逃げたんです？」

「逃げたのではない！　出られなかったのじゃよ。儂はな——儂は著しくプライドを傷つけられて、とても土俵に上がれる精神状態ではなかったのだ。女房はそれを詰《なじ》ってなあ。腰抜け取的《とりてき》、駄目力士、馬鹿相撲取りと、そりゃあ口汚く罵り——」

「腰抜け取的。駄目力士。馬鹿相撲取り」

「うおおおお」

不細工な老力士は泣いた。

「ちょっと夏美ちゃん。あんた小娘のくせに物凄い性格してないか？」

「え？　千津野さんに言われたくはないですよう。ほら面白いですよ。駄目力士ィ」

「うおおおおお」

「腰抜け取的ィ。駄目力士ィ。馬鹿相撲取りィ。やーいやーい」

「うおお父上ェお気持ちお察しするでごわすゥ！」

「どすこい父ちゃんッ」

どすううん、どすううん。

親子三人がシコを踏んだ音だ。

ちゃんこが波打った。

「それじゃあ――」

その姿を悲しそうな目で見つめ、千津野が沈痛な声を発した。

「――倉吉さん、あなたは――こちらの大石山関――お父様の跡目を嗣《つ》いで――力士になろうと思った訳？　挫折したお父様の角界での夢――綱取りを叶えるために、それで――それで美貌と妻と、翻訳家への道までも捨てたの？」

「違うでごわす」

「違うの？」

違うのだ。では。

「じゃあ――あなたがさっき自分には勝てなかったとか言っていたのは――もしやこのお父様のことなの？　そこの大石山関と一番取り組んで勝つために、父親を乗り越えるためにあなたは肥え――そして勝てなかったから、今度は自分の息子にその夢を？」

「それも違うでごわす」

「それも違うんだ」

「なら理由は、理由はなんなの！」

どすこおい――老人力士と中年力士と学生力士は、揃って拳を握った。

「儂が――横綱昇進を捨てて角界を去ったその理由は」

「ワシが、翻訳家への道を諦め、妻に逃げられてまで肥え太って相撲取りになろうとしたその理由は」

「わしが何だか判らないけど相撲を仕込まれた理由は」

それらの理由はみな同じ――と三人の相撲取りはミュージカル映画のように声を揃えて言った。

それは、とどの詰まり私が名前を騙られて迷惑した理由でもあるんだろう。

「それは――」

「勿体つけないで早く言ってよ」

「お前言え」

「父上こそ」

「じゃあ孫」

「わし——実はよく知らないんで」

「言ってなかったかな？」

「ただ稽古しろと」

「えー言ったよぅ」

「聞いてないでごわす」

「じゃあやはり父上から」

「儂は言いたくない」

「お前らなあ」

千津野が立ち上がった。

怖い。

「言う。言う。怖いおなごじゃな、お前の幼なじみは。実は——儂らの敵は、ただひとりなんじゃ。儂らは共通の敵を倒すために日夜稽古に励んでおる」

「敵？」

「そうじゃ——」

老兵・大石山は訥訥《とつとつ》と語った。

「儂は——まだ物心のつかぬうちから地面に輪を書いて近所の子供と相撲を取っておった。一度も負けたことはない。その後、神社の奉納相撲だの町内相撲大会子供の部だのに出て、どれも軒並み完全優勝じゃ。学生になってからは学生相撲でやはり無敗を誇り、浅野《あさの》部屋の匠山親方《たくみやま》に声をかけられて角界に入ったのじゃ。そこでも負けたことがないわ。儂は無敵じゃった。一度も土がついたことがない。天才じゃ天才。横綱も目じゃないと思ったわ。そこで——愈々《いよいよ》へなちょこの吉良錦を捻《ひね》り倒せば横綱確実という日の前日のことじゃった。一通の果たし状が儂のところに舞い込んだのじゃ」

「果たし状？」

「左様。手紙にはこう記されておった——おのれは日本一強いと思っておろう、しかしその日頃の驕慢《きようまん》ぶり目に余る、何の大石山、その天狗の鼻を折ってやる——」

「ははあ」

「身のほど知らずの馬鹿めと思うたわ。儂は慥かに驕《おご》っておった。まるで銭湯にでも行くような気持ちで果たし合いの場所——松のヶ原に向かったわい。そこに待っておったのは」

「待っておったのは？」

「儂の親父——大石倉太郎《くらたろう》じゃった」

「親父？　あなたのお父さん？」

「ワシの祖父様《じじ》だ」

「わしの曾祖父《ひいじい》ちゃんか」

「お宅、ヒイ爺ちゃんまで相撲取りだったんですか？」

「儂の父は床屋じゃった」

「床屋さんがどうして――」

「それは息子の慢心に一石を投じようという親心な訳ですか？　いくら強かったとしても力士たるもの謙虚な気持ちを忘れずに稽古に精進しろという――よくあるじゃないですか。ねえ千津野さん？」

千津野は暫く黙っていたが、ぽつりと、

「違うと思うわ」

と言った。

「違いますかね」

「夏美ちゃん。あんたまだ人間観察が甘いわよ。その程度じゃあいい作家にはなれないわ。所詮は小娘作家ね」

余計なお世話である。

「この親子三人の血を引く――というよりこの三人の大本である人間が、そんなスポ根親父のようなまっとうな動機で行動すると思う？」

「鋭いの」

大石山はその醜い顔を千津野に向けた。

「親父殿は儂に嫉妬したのじゃ」

「嫉妬ォ？」

「その顔に？」

「いや、この顔だから——じゃ。この面でなお、相撲が強いというだけで若いおなごにちやほやされておる儂が、羨ましくて悔しくて堪らなかったのじゃな。何しろ儂のこの面は親父譲りでな。見合いで一緒になった儂の母は、親父の顔がまず過ぎてどうにも我慢ができず、里に帰った程じゃ」

本当に——血は争えない。

不細工、落ち込み、肥満と、理由こそ違うものの、親子三代に亘って女房に逃げられるなんて——何だか凄い。

「そんなだからな、人気絶頂の儂を打ち負かしておなごにモテようとしたのじゃな。ひ弱だった親父はいつ鍛えたものか、虚仮《こけ》の一念でっぷりと肥えておってな。そのうえ髷《まげ》まで結いおってな。こう、仁王立ちになって、吉良錦と戦いたくばこの父を倒してみよ——と吐《ぬ》かしおったわい。で——」

で。

儂は負けた、負けたんじゃあと、大石山は泣き崩れた。

「生まれて初めての敗北じゃった。儂は目の前が真っ暗になってしもうたのじゃ。翌日の取組にはとても臨めなかった。儂は落ち込み、相撲が取れなくなった。そして女房は、儂が何故落ち込んでおるのか理解できずに、こいつを連れて家を出た」

「まあねえ」

何というか。

「儂はまるまる一年思い悩んだ。人生に絶望したのじゃ。もう角界には戻れない。でもな、儂から相撲とったらただの不細工じゃ。儂はふらふらと全国を放浪した。そしてある日こう思った。何をして生きて行くにしても、あの親父を倒さなければ、儂に未来はない——とそう思ったのじゃ」

そんなこと思わなくても。

「儂はそこで出羽の山中で三年間、必死で修行をした。そして——親父に決闘を申し込んだのじゃ」

「お父さんは——どうしてたんです？　あなたを倒してモテモテに？」

「そううまく行く訳ないじゃろう。不細工だからなあ。相変わらず醜い床屋をしておった。ただ、どういう訳か髷を結っておってな。それを売りにしようと思ったらしいが、その所為で店は潰れそうになっておった。これは勝てると思ったわ。だが——」

「負けたの？」

大石山はうん、と頷いた。

「親父は勝ち誇ったように笑いおった」

「床屋さんにねえ」

「儂は修行をし直し、稽古を重ね、その一年後、また親父に戦いを挑んだ。でも」

「負けたのね」

「うん」

「もしかして――翌年も挑んだのね？　それで負けた？」

「うん」

「判った。それ以来――ずっと負け続けなんでしょう。負け負け負け。星は黒黒黒」

うえええん、と老力士は泣いた。

「十五年。十五年負け続けた。そこで儂はこの息子に再会したのじゃ」

「そうでごわす。結婚し子供も生まれ、翻訳の仕事を始めていたワシは、ひょんなことから父上に巡り合い、そして深く胸を打たれたのでごわす。これが男でごわすよ。親父殿の生き様を目の当たりにしたら、もう翻訳なんてやってられなかったでごわす。そこで――打倒祖父を心に誓い、食事を十倍にして――」

「だからって倉吉さん。そこまで太ることはないんじゃないの？」

千津野が眉を顰《ひそ》める。

「いいや久美ちゃん。父上には磨き抜かれた相撲の技があったのでごわす。その父が敵わなかった祖父じゃもの。俄《にわか》力士のワシ如きがどれ程必死に稽古したところで、技では父上には及ぶまい。父に欠けているもの――それは体重じゃ。パワーじゃ。だからウエイトで勝負するのが得策じゃと、ワシはそう思うた――」

「それで太った？」

「そう」

「それで奥さんに嫌われた」

「煩瑣《うるさ》いわ」

「でも負けた」

「うん」

「負けたんだ。負けちゃったんだ。だから息子に――」

「わし？」

倉夫がじゃが芋の顔を指差した。

「――正直に言うとな、ワシ、勝てるとは思わなかったんでごわす。ワシは運動が苦手でごわしたから。だから、いいだけ太って、言葉づかいも変えて、形だけは力士になったものの、自信はなかったでごわす。そこでワシは生まれてまもないこの倉夫に相撲の英才教育を施したのでごわす」

「それでとうとう捨てられた」

「煩瑣いわ。でもそうなんだけどね。まああの祖父《じじ》様は強い。以降十八年――ワシと父上は挑んでは負け、負けては挑み続けたのでごわす。しかしのう、人間は衰えるものでごわすよ。ワシらも老いるがあいつも老いる。しかし倉夫は育つ。だから、ワシらはこの秘密兵器――倉夫をな、時間をかけて養成したのでごわす」

「これが秘密兵器ねえ」

見る。

「どどどすこおい」

バシバシバシ。

「まあ、何か秘密兵器っぽいけど」

「そうじゃろう。ワシも父上も、何度負けようと悔しくはなかったでごわすよ。相撲は、心・技・体と言うでごわす。技の父上、体重のワシ。その二人が丹誠込めて作り上げたこの秘密兵器は、力と技の、まさに生きる相撲マシンじゃ。だからワシはな、祖父と対戦させる前に、この倉夫の実力を試したかったのでごわす」

それで、倉吉は倉夫を相撲部屋に入門させようとしたのだろう。しかし——。

倉夫はじゃが芋な顔を歪ませている。

「どうした倉夫。ワシがお前を厳しく鍛えたのには、そういう海よりも深く山よりも高い事情があったのでごわす」

「あの——あのひいじいちゃんは、そげに恐ろしか男だったでごわすか——」

怖いよう——倉夫は震えて泣いた。

心・技・体——惜かに大石山には体が欠けていた。その息子倉吉には技が欠けていた。しかし、孫の倉夫には——。

見る。

「あら、どッすこいいいい」

心が欠けている。

「待ってよ――」

そこで沈黙を守っていた千津野が混乱気味の座を制した。

「――倉吉さん――歳のことは尋きたくないんだけど、あなた幾つになったの？」

「ワシ？　ワシは四十二でごわすが」

「じゃあ――そちらのお父さんは？」

「儂は今年で六十四じゃが」

「じゃあ――そのヒイ爺さんは？」

「今年で八十八じゃ」

「八十八ねえ――」

「それが何か？」

「は――八十八のジジ相手に一勝も出来んのかあんたらはッ」

だんッ。

千津野は片膝をついた。

「ただぶくぶく太りおってからにッ！」

「だって――強いんだもの」

「おい大石山ッ」

切れた。遂に切れた。

「おのれは伝説の力士とか吐かしくさって本当は無茶苦茶弱いんじゃないのッ！　そんなよぼよぼのくたばり損ないにも勝てないなんてどうかしてるじゃないのよッ」

「いや、その」

「そのじゃないッ。おのれが弱いばっかりに無関係な倉吉さんまで巻き込んで！　見ろ。あんなに美しかった美青年が、まるでミシュランのマークのキャラみたいになっちゃったじゃないかッ。どうするんだこの五重顎。何とかしろこの六段腹。責任をとれこの贅肉の大洪水！」

「し、しかし」

「しかしじゃない。おまけに孫までこの通りじゃないか。よく見てみろ！」

見る。

「どすこいッ」

パンパンパパン。

「どうするんだこのパブロフ力士ッ！　これじゃ相撲バカ一代じゃないのよッ」

「煩瑣《うるしゃ》い！」

突如──上の方から声がした。

階段の上に異様な老人が立っていた。

「人がせっかく演歌の花道を観てるちゅうのにどすこいどすこいって煩瑣《うるしゃ》くてかなわんわ。静かにせんか馬鹿者ども──」

「親父殿」

「お祖父様《じじ》」

「ひいじいちゃん」

「あれが？」

スウェットを着て帽子を被った、ただの小太りの汚い老人だった。老人は不敵に笑って帽子をかなぐりすてた。大銀杏――。これが四人目の相撲取り――一家四人力士の、最後のひとりなのだ。

「おや――なんだ若い女人《にょにん》がおるでないのよ。むっふうん。これはもしや、噂に聞く合コンってやつけ？　そうなのけ？」

「ひとりはそんな若くないです」

バコ。

「痛い。本当じゃないですか。ん？」

何か――臭い。

「何か異様に臭くありませんか？」

「誤魔化すな夏美ッあんたきゃあ」

千津野の悲鳴。

妖怪ヒイ爺いが千津野の背後に擦りよって、肩を抱き竦《すく》めている。

「けっけっけ。どうじゃねえちゃん。二階で一緒に浪曲でも聴かんか？」

「き、聴かないわよッ。離して！　離しなさい。わあ」

振り向いた千津野の首がふらりと揺れて膝がカクンと折れた。途端に——切れると猛獣より恐ろしい千津野久美が、へなへなと床に崩れ落ちた。

私は我と我が目を疑った。信じられない光景である。あの、バッファローでさえ秒殺すると噂の高い、業界一凶暴な編集者が、いとも簡単に
「み、妙な地の文を書くな夏美ィ」

千津野が情けない声をあげた。

「久美ちゃん！」

倉吉が巨体を揺すった。

「祖父様、それはワシの——」

「ワシのなんじゃと？　お前のモノはこの爺《じい》のものじゃ。そうじゃろが。ん？　なんじゃお前ら、またちゃんこ喰うとるな？　喰う時はこの爺に一番美味いところを寄越せといいつけてあるだろが」

「し、しかし親父殿、今は客が」

「口答えするな倉兵衛！　客が客がって、この女人はほとんど箸をつけていないではないか。喰うちょるのはお前らだけじゃ！」

妖怪爺いは大石山を蹴った。

「この爺に逆らうなんぞ百年早いわ。なんだ倉吉、その反抗的な顔は」

「お。お祖父様――」

「ふん。この家で一番偉いのは誰だ？　そりゃ一番強いこの爺じゃないか。ならこの爺の言うことに従うのだ」

凄い。肥満顔の表情を読んでいる。

「じ、祖父様、そんなことを言うが、この家だって財産だって皆ワシの養父が遺したものでごわすよ。祖父様が仕事もせずに毎日毎日ゴロゴロ寝て暮らせるのも――」

「黙れ黙れ。そんな生意気な口を利くなら一勝でいいから勝ってみ。このヘボ力士どもが。何年経っても弱いわい。この爺に土をつけてみ。出来ねーんだろ。へらへらへら。このヘボ力士どもが。何年経っても弱いわい。あの日からもう三十三年もの間、お前らこの爺に一勝も出来ないじゃねえか」

何で――そんなに強いんだ？

どこから見たってただの小太りの老人である。しかもこの爺さんは、元相撲取りではなく、元床屋なのである。そんなに強いはずがない。幾ら弱いといったって、体格を考慮すれば倉吉に勝てないはずがない。

「はっはっは。返す言葉もないようじゃなあ。この腰抜け力士。馬鹿相撲取り」

「くっそおう」

大石山がすっくと立った。

「親父殿、勝負」

大石山は土間の土俵に駆け降りた。

「望むところだこの不細工力士が」

自分の顔を棚に上げている。

「はっけようい」

見合う親子——。

「のこったァ」

がっぷり四つ。へなへなへな。

沈んだのは——大石山だった。

「親父殿ォ——」

ゆさゆさと肉をふるって倉吉が駆け降りる。老兵を助け起こす。

「くっそう——次はワシでごわす」

「望むところだ。このデブ力士が」

力士は大抵デブだが。

「はっけようい」

見合う孫祖父——。

「のこったあ」

張り手張り手。前褌《まえみつ》。くらくらくら。

転がったのは——倉吉だった。

「倉吉さん！」

腰が立たない千津野が泣き声を出す。こんな太ってもまだ未練があるのか。でも。

——おかしぃ。

絶対におかしぃ。

「倉夫——倉夫、後を——」

倉吉は手を伸ばして息子を見た。

「ど、どすこおおい」

パパンパン。パン。

「こんな時に何を稽古しておるんだ倉夫。標的は土俵の上でごわす!」

「わ、判ってるんでごわすが、躰が」

どすどすどす。

大ちゃんだもんなあ。

「わははははは。愚か者ども。この爺には勝てんのじゃあ。この爺には負けない理由があるのだぁ。無敵じゃ無敵!」

土俵の真ん中で、妖怪爺ぃは髷を直しながら声高らかにそう言った。

——負けない理由。

理由——。

理。

「判った!」

私は柱を打ち続けるじゃが芋大学生の側《そば》に駆け寄った。汗臭い。

「ねえ倉夫君、判ったのよ、あのヒー爺さんの強い理由が！」

「へ？　で、わ、わしにどうしろと？」

「どうもこうもないでしょう。お父さんとお祖父さんの仇を討つの。三十三年間の恨みをあなたが晴らすのよ」

「で。でも」

「大丈夫よ！　私はこう見えても京極夏美よ。謎を解いたのよ！」

「謎？　謎ってなんでごわす」

「ヒー爺ちゃんの強い理由よ。それさえ判れば勝ち目はあるの。そう——あなた、お相撲の技は幾つ知ってるのよ？」

「い、一応、えいッ。一応四十八手は。それッ」

「稽古はいいから。なら——何かないの、こう、顔を下向けてさ、頭下げて、こうドドォーって突っ込んで行くような技は」

「ええ——まああるけど。えいッえいッ」

「稽古やめなさいって。ほら、標的は向こうよ——」

私は倉夫のいがぐり頭を摑んで無理矢理土俵の方に向けた。

汗臭かった。

「倉夫——倉夫ォ」

「ほら、お祖父ちゃんとお父さんが泣きながら呼んでいるじゃないの。さあ闘うがいい。パブロフ倉夫。あんたを見ているのは土俵の上のヒー爺ちゃんよ！　行け！　シコ名は——夏場所山だッ！　さあ見合って」

倉夫は腰を低くして土俵を睨んだ。土俵の上には邪悪な床屋が身構えている。

「はっけよういのこった！」

「ど、どすこいッ」

倉夫は土俵目がけて猪突猛進した。

がつんとぶつかる。頭を下げたまま四つに組む。

じゃが芋は床屋爺の胸にいがぐり頭をぐいと押しつけて食い下がり、ヒー爺の差し手を抱え込んで——そのまま頭を軸にしてぐいっと——。

捻り倒した。

「あああ」

「ああ」

「あ」

「夏場所山、夏場所山ァ！」

軍配は上がった。

倉夫が——勝った。

「ご。ごっつあんです！」

倉吉が泣いた。そして大石山が泣いた。大石家三代に亘って、三十数年間君臨しつづけていた悪魔の曾祖父は——土俵の上で気絶していた。

「どういうこと！　ねえ夏美ちゃん」

千津野が尋いた。

「見ての通り、そのヒー爺ちゃんは凄く弱いんですよ。一回投げられただけで気絶しちゃう程なの」

「し、しかしワシは十八年間勝てなかったのでごわすよ」

「十八年がなんじゃ。儂なんか三十三年勝てなかったのじゃあ」

「そう、あなた達は勝てなかったの。猛稽古をして、猛烈に体重を増やしても、一度も勝てなかった。でもその爺ちゃん、たぶん一度も稽古なんかしたことないと思います。体格だって、それは単なるデブです」

「じゃあ何で」

「爺ちゃんが負けなかった理由は——その大銀杏です」

「大銀杏？」

「そうです。千津野さん、ちょっとその大銀杏の臭いを嗅いでみてください」

何でよ——とぶつぶついいながら、千津野は伸びている老人の頭に顔を寄せた。

「うぎゃあああ」

悶絶。

「な、何じゃあこの臭いは。は、鼻が曲がり落ちるわよッ。下手すれば死ぬわよ。頭がくらくらする――あ、そうか！　アタシはさっき、これでやられたんだ」

「そうじゃ」

むっくりと――。

ヒー爺が起き上がった。

「よく気がついたな小娘。この特製鬢付《びんつ》け油の秘密に――」

「特製ビンつけ油ァ？」

「その通りじゃ。この大銀杏にねっとりと染み込ませておる油はの、この爺が工夫に工夫を重ね苦心惨憺の上で調合した、世界で一番臭い、飛ぶ鳥も落とすという特製の鬢付け油なんじゃあ」

「ぐふッ。げええ。主成分は何よこれ」

「魚醤《ぎょしょう》やら大蒜《にんにく》やらドリアンやら――いいや企業秘密じゃ。真似される」

「真似せん。絶対真似せん。真似するとしたらどっかの国の軍部だけよ。うげええ」

「ふっふっふ」

「き、汚かぞ祖父様。そんな――」

「そうじゃ卑怯じゃ親父殿――」

「お前ら何十年もこの臭い嗅ぎ続けて気がつかなかったのかい！」

「うーん」

「その瞬間の記憶がないのよきっと。お相撲で組むと、まあ――ほとんどこのクッサい鬢が顔の横に密着する格好になるでしょう。これ、相当来てるから、まあ意識を失うか、そうでなくても混濁状態になるんですよ。それでコロッと」

「き、汚かぞ祖父様。そんな――」

「そうじゃ卑怯じゃ親父殿――」

「でも夏美、さっき倉吉さん物凄い張り手攻撃してたじゃない。その場合はどうなるのよ？密着しないわ」

「さっき見てて判ったんだけど、そういう張り出し相撲とかの場合は、多分そのヒー爺ちゃんは、こうブンブン頭振って躱《かわ》すだけなのよ。するとその臭い油がこう、ぴッ、ぴッと飛んで、直接――」

「うげえええ最悪」

「だから祖父様は――平素から大銀杏を結い、しかもその上から帽子を被って暮らしていたのでごわすか！」

「自分は臭くないのか親父殿！」

「ははは。儂は鼻が悪いのじゃあ」

「くっそう」

「それで――」

千津野は鼻を抓《つま》んで気取った。

「——それで夏美ちゃんはあの技を」

「そう。臭いさえ嗅がなければこんな人ただの因業《いんごう》高齢者よ。勝てるの。顔を下に向けて突っ込む技なら」

「そうかッ。じゃあ」

「い、今の技は——」

「はあ、はあ、ず、頭捻《ずぶね》りでごわす！」

「頭捻り！　あの——」

「理由は油——理油ねえ」

「理油。駄目？」

「この小説って夏美、『脂鬼』よりくだらなくないか？」

悪いとは思ってるんです。

なら書くなよ。

ウロボロスの基礎代謝
両国踏四股

両国踏四股（りょうごくふみしこ）一九七〇年本所生まれ。ノンフィクションライター。十二代続いた生粋の江戸っ子である。先祖の日記を元にした『本所宇兵衛日記』で脚光を浴びる。その後ミステリ作家に転身し、活躍中。

ウロボロスの基礎論
竹本健治
一九九五年／講談社刊
今や伝説的な作品となったウロボロスシリーズ第二弾。実名の作家が登場する虚々実々のミステロイド小説である。

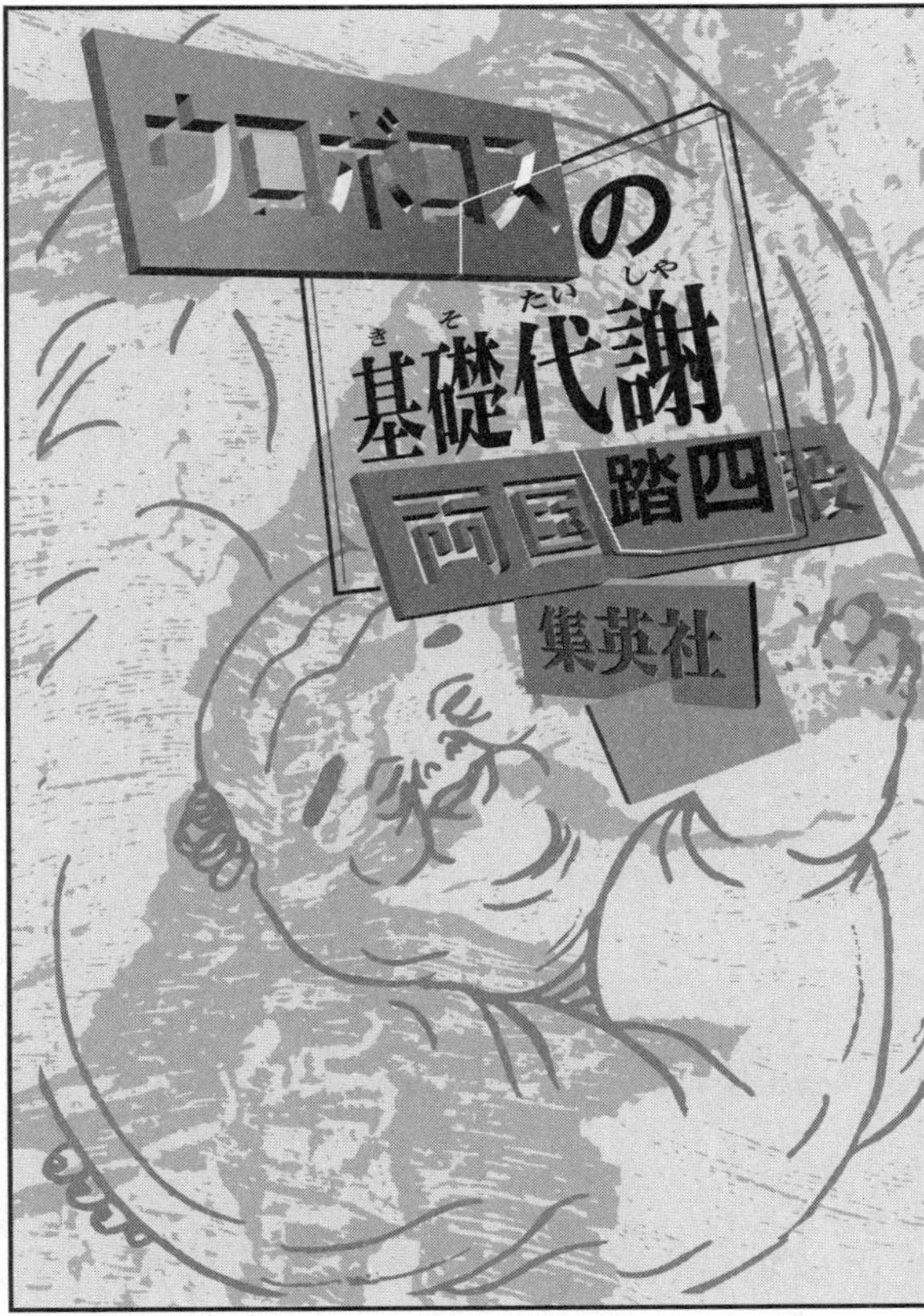
ウロボロスの
基《き》礎《そ》代《たい》謝《しゃ》
両国踏四股
集英社

——竹本健治先生の作品と無関係とは申しませんがね。

1

地響きがする――と思って戴く必要はない。

夜更けの猿楽町はとても静かだった。そこには乱れた酔漢《すいかん》の姿も、屯《たむろ》する若者の姿もなく、去来する自動車の影も見当たらなかった。地響きどころか跫《あしおと》すらしない。どこか遠くの街の喧騒《けんそう》が、季節はずれの遠雷のように微かに空気を振動させているだけである。

地殻変動かテロリストの破壊活動でもない限り地響きが聞こえる訳がない。

とにかく夜の街は静まり返っていた。

その、時が止まってしまったかのように動きのない静寂の景色の中――。

殺伐としたアスファルトの表面に、すっと――靭《しなやか》な影が伸びた。

女の影である。

街灯の下に佇《たたず》むその女は――。

明らかに寝不足だった。

肌がパサついている。眼が充血している。唇が乾いている。髪がほつれている。ファンデーションが浮いている。シャドウが流れている。ストッキングが伝線している――。

装いが実年齢をカヴァーしきれなくなっている。

何もそこまで言わなくてもいいだろうと、女は思っているに違いない。

実際そこまで言うことはない。遠目に見る分にはそれでも十分行けていると、取り敢《あ》えずつけ加えておこう。やや痩せぎすではあるが一重《ひとえ》瞼《まぶた》の切れ長の眼と肺病《はいびょう》病《や》みの遊女の如き鎖骨はそこそこ魅力的ではあった。ただ、女は憔悴《しょうすい》しているだけではなく、どうやら苛苛《いらいら》していた。目つきが悪くなっている。のみならずその左手の小指は、何故か小刻みに動かされていた。これは所謂《いわゆる》貧乏揺すりと同じようなものであろう。単純な反復作業で緊張感を紛らわせている。

女の忍耐が限界を迎えようとした、その時。

ふっ、と影の数が増えた。

複数である。

五六人はいるだろうか。大半は男であった。

女は人影を見渡す。

「揃った？」

「いや——ひとり足りない、あ、ええと、この間文庫に異動になった——」

影のひとりがそう言いかけた途端、道の向こうから上杉謙信の髭を剃ったような顔をした男が小走りに駆けて来て——道の半ばで転んだ。

「痛たたた」

「あたたた。いやはやすいません。何か奥歯が痛くってバランス崩しちゃった――って関係ないですね全然。今朝っから耳鳴りもしちゃってるし。お腹もゆるいし」

「あんたの健康状態なんか聞いてないのよ青《あお》ちゃん――」

女が睨む。

「――最近キャラが壊れて来たんじゃないの。新しい職場――辛いの？」

「社風ですって。それより皆さん――その後どうなんです」

男達は一様に首を横に振った。

「やっぱり――誘拐？」

「誘拐というよりは――失踪と考えた方がいいんじゃないですかね」

答えたのは長身の男だった。

「――身代金の要求などは一切ないようですから」

「失踪――しますかねあの人が」

「かなり忙しそうでしたからねぇ――」

縁のない眼鏡を掛けた丸顔の男が低い声で言った。

「――限界だったんじゃないですか」

「なァにを他人ごとのように。ガシガシ仕事振ってたのは誰ですか」

「そ、そりゃ御互い様ですよ」

「おい――」

「お宅に言われたくはないわなあ。ねえ」

うんうんと数名が頷《うなず》いた。

「酷《ひど》いなあ。弊社《うち》の所為《せい》だとでも？」

「そうですよ。お宅——季刊誌と月刊誌と連載二つも取っといて、何を今更」

「そうそう。贔屓《ひいき》ですよ贔屓。僕のところなんか四年待ってまだ短編二本ですよ」

「ひ、贔屓じゃないっすよ。人徳ですよ」

「嫌がってましたけどねえ月刊連載」

「師匠を担ぎ出して断れなくしたって噂ですよ」

「外堀埋めるの得意ですからねえ」

「な、何を言ってるんですか。それを言うなら御社だって週刊誌連載に季刊誌連載取って、そのうえ書き下ろしまであるんじゃないですか。弊社は書き下ろして貰えなかったんです」

「そうですねぇ——それに関してはこちらの仰《おつしや》る通りですよ。お蔭で私のところの二冊目が出ないんですから。ノベルスに落とす時だって遂に顔を合わせる間がなかったんですよ」

「た——単行本が出てるとこはまだいいですわ。うちなんか前振りだけですからねぇ」

「前振りったって、月刊誌に対談企画連載させてたじゃないですか。そうだ。きっとあれが厭だったんじゃないですかねえ」

「本人は結構喜んでいたと信じていますけど」

「色物好きでしたからね意外と」

「そりゃあんたのとこがやらせてたからでしょ」

「み――」

見苦しいッ――と最初に現れた痩せた女が叫んだ。

「――不毛ですよその会話。それより――捜索願は」

お出しになったようです――と長身の男は答えた。

「――ご家族も大層心配なさっていて――ただ、失踪当時の状況があまりにも非常識なものですから――警察での説明には苦労されたようですね。信じてくれない」

「宇山《うやま》さんが一緒だったんでしょ？　いなくなった時」

「そうなんですよ。その日はたまたま僕が同席出来なかったんですよ。町内会の避難訓練がありまして。当番だったものですから――今日も編集部に警察の人が来たんですけど――宇山の証言を信じてくれないんですよ。まるで。笑うんです」

宇山さんだからねえ――と、四五人が異口同音に言った。

小説家の京極夏彦が姿を消してから――丸一週間が過ぎようとしていた。

深夜の路上で密談――と言うか雑談を交わしているのは、秘密結社の構成員でも新興宗教の信者達でも異国の秘密工作員でもない。勿論日本の歴史を陰で操っている謎の一族の末裔達でもないし、白鳥座から降臨した知的生命体の仮の姿でもない。一見してそう思われても仕方がない怪しい連中ではあるのだが、それでも彼等は立派な社会人である。

彼等は――各出版社の京極担当編集者達なのである。

これは、作家に前触れなく雲隠れされた編集者達が一様に戸惑っているという図なのである。

どうやら誘拐の疑いもあるらしく、失踪は表向き伏せられているようである。従って彼等は隠密裡に情報交換をするためにこんな時間、こんな場所に集まったのであろう。深夜の路上に集合したのもその所為であり、決して悪事の相談をしているのでもストリートパフォーマンスをしようと企てている訳でもないのである。

しかし――こうして聞いている分には、小説家の身を案じているというより各々業務遂行上の心配をしているようにしか聞こえない。依頼していた仕事はいったいどうなるのか、トドの詰まり肝要なのはそこなのである。それ故に、それぞれ適当に勝手なことを言っているのだ。

「どういう状況だった訳ですか」

白髪交じりの髭に眼鏡の男が問うた。

「噂では――何か大男に攫《さら》われたとか」

大男――妖怪ですかと転んだ男が言った。

「大入道とか」

「大入道ってなんですか。巫山戯《ふざけ》ないでくださいよ。茶化してるでしょ」

「ですから社風ですって。だって、大男といえばねえ。妖怪でしょう」

「慥《たし》かに妖怪じみていますけれども――そうとは限りませんよ」

白系ロシア人を思わせる風貌の男が言う。

「プロレスラーのような屈強な男という意味ではないのですか」

「もしかしたらメン・イン・ブラックみたいな奴じゃないですかぁ」

ショートヘアの小柄な女がそれを受けて言った。

「——本当にいるらしいですよ。ブラックメン」

深刻な表情である。丸顔の男が頬《ほお》を引き攣《つ》らせて低い声で言う。

「あの黒服の？　映画じゃないんですよ。UFOの写真でも撮ったっていうんですか？　京極さんが？　あの人、宇宙人とか嫌いな人でしょ。まるで信じてなかったでしょ」

「信じてなくたって核心に迫る写真撮っちゃう場合もあるかもしれませんよぅ」

「まあそうだとしたら——如何《いか》にもお宅の怪談の本に載りそうな話ですけどねえ。どうなんです？　そういう連中だった訳ですか？」

それが——と、長身の男は口籠った。

「それが——力士だって言うんですよ」

「は？」

「力士です。り、き、し。チカラに武士のシ」

「へ？」

「ですから京極さんを攫ったのは力士だと——宇山は言うんです」

りきしィ——と全員が高い声を上げた。

「力士って──相撲取りですか？」

転んだ男が尋いた。

「そう」

「こう、はっけようぃとやる、相撲取り？」

「そうでしょ」

「のこったのこった、ってやる相撲取り？」

「ですからそうですって。力士。相撲取り。取的。角力。横綱大関関脇小結前頭十両幕下褌担ぎアンコ型。世にいうおすもうさんです」

そんなものがどうして──と髭の男が問う。

「何だって──力士だと判ったんでしょ？　宇山さんがその大男を力士と判断した基準は何なんでしょうね。躰《からだ》が大きいというだけじゃそんなの判らないですよね」

「そりゃあ──髷《まげ》でしょうね」

「ま、髷結ってたんですか？」

「髷結って浴衣着てたとか？」

それがですね──長身の男は眉間《みけん》に苦悩の色を浮かべた。

「──うちの部長が言うには、その──裸でマワシだったとか」

「裸でマワシって──だって、攫われたのは銀座かどこかじゃないんですか？」

「帝国ホテルを出たところです」

そりゃ非常識だわ——丸顔の男が一層低い声で言った。

「本当に妖怪ですよそれじゃ」

「妖怪好きでしたからねえ」

「好きでしたからねえ」

そういう問題じゃないのじゃありませんと、派手な服装の女が言う。

「——どんな格好の相手だったにしても、暴力的な手段を以て攫ったのだとしたら、それは犯罪ですよねぇ。宇山さんはどうしてすぐに通報しなかったのでしょう」

「宇山——見蕩《みと》れていたんですよ」

「見蕩れてたって——宇山さんはそういう——趣味なんですか？」

「あの人は何でもアリでしょ」

「しかし、それにしたって相撲取りですよ。見蕩れますかね？」

「まあ——吃驚《びっくり》はするだろうね。そんなものが街中にひとりでもいれば」

「ひとりじゃなかったらしいんですよ。力士」

「は？　じゃあ二人？」

「大勢ですよ。四五十人はいたそうです」

わあお——転んだ男が声を上げた。

「そりゃゴージャスだ。グレートおすもうフェスティヴァルですよね。さぞやファンタスティックな光景だったんでしょうね。それは見蕩れるわ。うん。僕も見たいわ」

「何を考えているんですかあんたは」

「社風ですって。でも本当ですかその話は」

「彼の中では歴然とした揺るぎない真実だそうです」

「ミステリですな。幻想的で不可解な謎だ」

「でも——合理的な決着はつけられないでしょうねこの場合は」

つけられますよ——それまで黙っていた小柄な初老の男が言った。

「お。流石《さすが》本格ミステリの牙城の城主。どう決着つけるんですか」

「簡単。宇山さん——酔ってたんでしょ？」

おおッという響動《どよめ》きが一同に巻き起こった。

酔ってたんですか——と、一同は問い質《ただ》す。

当然ですすねと長身の男は答えた。

「いつものようにしたたかに酔ってましたね。へべれけにべろべろに酔っていました」

「それじゃあ」

「だから失踪ではないかと僕は主張してるんですよ。すべては宇山の幻覚だった——という決着が、この場合は一番納得できる合理的決着なんです。京極さんは度重なる過労に嫌気がさして、同行していた宇山の隙を狙って——パーティ会場から遁走した」

「遁走ねえ」

「そんなことしますかねぇ」

「そうですよ。厭なら別に失踪なんかしなくても書かなきゃいい。約束したってずううっと書いてくれない作家は多いですよ。誰とは言いませんけどね」

「そうですよ。そういえば——京極さんが書かずに済ますノウハウを書かない作家に尋《き》き回っていたというような証言もある」

「そ、そんなことを教える人がいるんですかッ」

「誰とは言いませんけど」

「そりゃ由由しき問題ですよ。作家がみんな書かなくなったら商売あがったりだ」

「しかしその場合は作家の方も商売あがったりですからねぇ」

「まあねえ」

「僕が言うのも何ですが、引き受けるからいかんのですよ。絞り込まにゃ」

「あの人はお人好しでしたからねぇ。頼めば何でも引き受けてたでしょ。文士劇とか」

「別に好きでやってた訳じゃないんですよ、きっと。お宅の雑誌なんか随分馬鹿なことさせてたでしょうに。負担だったのじゃないですかねえ」

いきなり振られて痩せた女は激しく手を振った。

「じょ、冗談じゃないですよぅ。うちは無関係で」

「勿論冗談じゃないです。京極さんはお宅の企画で引っ張り出されるまでカラオケも行ったことがないような人だったんです。それをまあ何だかんだと妙なことをさせてましたよねえ。時代劇の格好させたり特殊メイクさせたり。怪獣のかぶり物させる企画もあったとか」

「ゲゲッ。でも怪獣は中止になったんです。山口《やまぐち》さんが厭だと仰って」

「山口さんまで色物企画に担ぎ出そうとしてたのかッ！」

「で、でも、あたしンとこは一切無理強いはしてませんから。知らず知らずのうちに仕事するハメに持って行くような、どっかの会社とは違います」

それはうちに対する当て擦《こす》りですか――と、丸顔の男が不満そうに言った。

「まあいっぱい仕事は頼んでましたが、弊社との関係はきわめて良好でしたよ。企画だって京極さんが出してくれてた訳だし。別に嫌われてたとは思えない」

「サービスですよサービス。無理してたんでしょ」

「サービスされるのも人徳ですって」

「師匠の水木先生の人徳ですよ」

うーん、と全員が唸った。

「でも――」

髭の男がしんみりと言った。

「――家族残して消えますかね」

そこなんですよ――と言って長身の男は顔を顰《しか》めた。

「――仕事より家庭が大事という人でしたからねえ」

「でしょ。失踪はしませんよ。精精《せいぜい》仮病とかかね」

「するとやっぱり誘拐――ということですか？」

「誘拐だとしたら――営利目的じゃなくて、ミザリーみたいなストーカーとかじゃないの。ほら、ヤオイ本とか出てたんでしょ」

「ヤオイの人達とストーカー一緒にしちゃ拙《まず》いですよ。なんでもかんでも一緒くたにしちゃ駄目。オタクと同人誌の人達は別物ですし、コレクターとマニアも別。そういう大雑把な括《くく》り方でものごとに当たるからいけないの。編集者なんだから勉強しなくちゃ」

「あんたが異常に詳しいだけだと思うけどなあ」

「どっちにしてもそういう電波系のファンは少なかったようですけどねえ。意外に」

「少なくたってひとりもいないとは限りませんよこのご時世。迷惑してる作家の人だっていますからねえ。隣人が怖い世の中ですよ」

「ストーカーねえ」

「それにしたって力士はないでしょ。電波系のストーカー力士がいますか」

「そうねえ。しかもそれが何十人も徒党を組んで現れる――訳がないですよねえ。それは宇山さんの幻覚ですよ。そんなに酔ってたんなら確実でしょう」

「しかしですね、宇山は酔った状態が通常なんです。機嫌は良かったようですから、寧《むし》ろ会議中の彼なんかよりは冴えていたのではないか――という疑いもある」

「ううむなる程――」

全員が納得した。

「――説得力があるなあ。すると真実なのかな」

「でも相撲取りがそんなことしますか。しませんよ。だって日本に相撲取りっていったい何人いるんです？　何人いたって全部相撲協会入ってる訳でしょ。新弟子だって地元じゃ有名人ですよ。そんな妙なことしたらすぐにバレちゃうでしょう。もし本当に犯人が相撲取りだとしたって、そうなら余計に相撲取りだとバレない格好に変装しますよ。裸でマワシなんて馬鹿馬鹿しい」

「それがカムフラージュなんじゃないの」

「でも——化けるにしても一番化け難いでしょ、裸の相撲取りってのは」

「太らなきゃいけないものなあ」

「化ける意味ないしねえ。全然意味ない」

「ミステリというよりホラーだなこれ。じゃあお宅の専門」

「ホラーじゃないですよ。そんなくッだらないネタはホラー文庫には入れられませんよ。それ巫山戯てますよ。ギャグですよ」

「ギャグですよねぇ。ドリフターズのコントですよ。もしかしたらそれ、肉襦袢《にくじゅばん》を着たコメディアンだったんじゃないですか？　吉本とか」

「ナマの肉だったと宇山は言い張っています」

「なら——本当にお相撲さんの恨みでも買ったんですかね、京極さんは——あッ」

転んだ男が声を上げたのと同時に、全員が最初に現れた痩せた女の顔を見た。

「な、何ですよ」

「なんですよじゃないでしょう。そうか。失念していた。やっぱりギャグですよギャグ。京極さんで力士といえば——接点は集英社さんしかないじゃないですか！」

「え？　うち？」

「だって——ほら、この前『理油』とか書いてたじゃないですか『小説すばる』に」

「そ、そりゃ書いて戴きましたけど——で？」

「あれは慥か相撲取りの話ですよね」

「そうだ。力士を不当に笑い物にした話ですね」

「しかも宮部さんの名作のパロディじゃないですか。それも劣悪な」

「せ、正確にはパロディじゃないんですけどォ。あれは——そのですねぇ」

言い訳を聞く耳は持ちません——全員が言った。

「全国の宮部ファンの怒りを買ったこと間違いなし！」

「それだけじゃない。京極ファンも怒っているに違いない！」

「いいやまだある。力士を敵に回したことは疑い得ない事実だァ！」

遅塚《ちづか》さんッ——と、編集者達は揃って女に顔を寄せた。

「あ——あたし？」

「そうですッ。どうしてくれるんですかッ」

「ど、どうしてって——あれはですねェ、そうだ。今、『小すばる』の担当は私ではなくて」

「立ち上げたのはあんたでしょうが。あんたに善く似た編集者も出てるじゃないか」

「あ、あたしはあんなに凶暴じゃないですぅ。濡れ衣ですよ濡れ衣。ね？　ほら」

「そうとは思えないな。大体何だってあんなもの書かせたんですかッ！」

「かかか、書かせたのではなくて書きたいと」

「怪しいなあ」

「怪しいねえ」

「作風がねえ」

「違うものねえ」

「な、なんですよぅ。待ってくださいよ。それじゃあ京極さんは、『小すば』に力士の小説書いた所為で力士に恨み買って連れ去られたと——皆さんはそう仰るんですか？」

「それが——今のところの各社の統一見解です」

「ねー」

「異議なァし！」

声が揃っている。

「ななな何を馬鹿な——そんなんで誘拐しますか？　そんな理由で誘拐するの非常識ですよ」

「裸形《らぎょう》の巨人達が帝国ホテルの前で作家を連れ去ること自体非常識ですから」

「そうだなあ。非常識な出来事の原因は非常識であるべきだな」

「決まりだ」

「決まりだって——じゃあ京極さんは本当に相撲取りに拐《かどわか》されたというんですかッ」

「だって目撃者がいるしな」

「都合のいいこと言わんでください。さっきまではみんな証言の信頼性を疑ってた癖に」

「しかしそれでも見たと言うておるし。酔っていたとはいえ、宇山さんといえばこの世界では名前の通った大物ではないか」

「酔っているが故に——名が通ったという見方もあるが」

「すると京極さんは今ごろ、大勢の力士に取り囲まれて——拷問三昧か」

「やはり石抱きかな」

「三角木馬かも」

「百叩きに水責め」

「ローソク責めにスパンキング」

「それじゃ女王様だよ。相撲取りだぜ」

「そうか。じゃあヒールはないな。張り手かな」

「ただ密着して来るというのはどうだ？　暑苦しくて汗臭いだけという責めもあるかも」

「ううん。そりゃ結構高等なプレイだな」

「プレイじゃないって。拷問だろうに。あんた本当に風俗好きなんだから」

「風俗自体が好きなのじゃなくて風俗業界を取り囲む環境や人間を社会科学的に観察するのが好きなんですよ僕は」

「言い訳だよなあ。何となく」

「いずれにしても五十人からの相撲取りに責められたのじゃ」

「再起不能かな」

「再起不能でしょうな」

「と、いうことは——諦めるよりないですかなあ」

「見切りをつけて他の仕事に専念しましょうかねえ」

「そうですなあ。小説家はまだ大勢いますからねえ」

「薄情なようですが、これ以上は時間の無駄ですな」

「まあ、惜しい人を亡くしたということで」

「南無阿弥陀仏南無阿弥陀仏」

「しかしねえ。あのどすこい小説が命取りになるとはねえ」

「南無妙法蓮華経南無妙法蓮華経」

「う」

うるさあいッ——女——遅塚が叫んだ。

「さっきから聞いていれば得手勝手なことばかり並べ立てくさって！」

カンッ。

乾いた音が夜の猿楽町に響いた。

ヒールを踏み鳴らした音である。

「ほら見ろ！　ま、まるで小説の中の編集者と一緒じゃないか」

「そうよ。悪い？　いいのよそんなこたァどうだって。あのね、困ってるのはアタシんとこも一緒なんだから。いい？　うちはね、後書き下ろし短編一本あがれば単行本が出せるの。全然書いてないところは諦めもつくでしょうよ。それからもう出ちゃったとこはさっさと諦めなさいよ。でもうちは諦めようにも諦められないんですッ。もう九割がた出来てるの。装幀だって祖父江《そぶえ》さんに頼んじゃってるの。挿絵もしりあがりさんに頼んでるんですッ！　ゲラも殆《ほとん》ど出てるんだから。どうするのよッ！」

どうしましょうねえ——一同は首を捻《ひね》った。

2

「困ってるんですよぅ」

六本木のマンションの狭い個室で、疲れた二人の女が対峙している——という図である。

ひとりは——前夜集中砲火を浴びた集英社の文芸編集者・遅塚。もうひとりは人気ハードボイルド作家・大沢在昌《おおさわありまさ》氏のマネジメントをしている大沢オフィスの敏腕女性マネージャーである。

困ってるんですよねぇ——とマネージャーは再度言った。

「全然連絡取れないの。まあ仕事は軒並み断りゃいいんですけど、何でもかんでも断ってるとまた変な記事書かれちゃうでしょ。こっちの事情も知らないで——」

京極は失踪するまで大沢オフィスに電話受付業務を委託していたのである。京極への仕事の依頼は一旦この事務所を通す仕組みになっていたのだ。直接電話を受けると断れないという、腰の引けた部分をカヴァーするための契約であったらしい。

「——捜索願まで出てたのねぇ」

「知りませんでした？」

「知りませんよ。プライヴェートな連絡先の方には電話しませんから」

「何か知ってるのじゃないかと思って来たんですけどねえ」

「何も知りませんよぅ。ただ困ってるだけ」

「アタシも困ってるんですけどね」

「そりゃそうでしょうけど。困りましたねえ」

「大沢さんは何か知りませんでしょうか」

「さあ。京極さんに限っていえば、おねーちゃんと駆け落ちするとかいうこともないでしょうし、呑んだくれて一週間遊びまくってるってこともないでしょ。一週間飲まず喰わずでゲームすることもないでしょうしねえ。まあ一週間時代劇見続けてるとか、一週間本読み続けてるとか――そういうのは失踪って言わないわなぁ。大沢曰く、京極君は山寺にでも籠って修行でもしてるんじゃないか――とか言ってましたけどね。ありそうでしょ」

「ま、まあありそうですけど」

「だけど善く考えると短絡的ですよねえ。それって馳《はせ》さんがチャイナマフィアに暗殺されたとか綾辻《あやつじ》さんが不思議な館で殺されたとか、瀬名《せな》さんが実験中にバイオな怪物作っちゃってそりゃあもう大変なことになっちゃったとかいうのと同じレヴェルでしょ」

「え、ええまあ同じですよね。喜国雅彦《きくにまさひこ》さんがハイヒールで踏まれると凄く喜ぶというのと同じですか」

「それって本当なんじゃないんですか」

「あ――」

何故か、沈黙。

「——ま、まあそれはそれとして。あのですね、こないだうちの雑誌に掲載した『理油（意味不明）』ですけど、その——宮部さんはどのような反応をなさっているので——ございましょうか」

京極が失踪直前に発表したくだらない小説『理油』は、直木賞を受賞した宮部みゆき氏の小説『理由』に材を採ったパロディもどきなのである。そして、その宮部氏もまた、大沢オフィスと契約している作家のひとりなのだ。

「みゆきちゃんは——ただ笑ってましたけどね」

「引き攣った笑いではありませんでした？」

「電話ですからね。顔は判りませんって」

「そ、その笑いの背後に怒りは感じられませんでした？」

「裏表のない人ですからねえ。ないと思いますけどォ。何で？」

「おほほほほ。宮部さんが良くできたお方だということは誰もが承知してます。でもですね、矢張り肚《はら》に据え兼ねるということもおありではないかと——」

「だからないって」

マネージャーは眼を細めた。

「遅塚さん——なんか隠してるでしょ」

「ゲゲ」

「あたしを騙《だま》そうなんて五十年早いっすよ。京極さんはただの失踪じゃないんですね」

「ゲゲゲ」

「何なんです。こっちも困ってるんですから白状せい」

「ゲゲゲの鬼太郎」

「誤魔化《ごまか》すなッ」

御免なさいッ——と編集者は頭を下げた。

「しゅ、集団の相撲取りに誘拐されたァ？」

「そうなんですゥ」

編集者は小さくなった。別に自分が悪い訳ではないのだが、阿呆らしすぎて口にしただけで肩身が狭いのである。

「ンな馬ッ鹿な話はないでッしょう。なァにそれ？　スモウマフィア？　それともバイオ相撲取り？　そんなんいる訳ないじゃろがッ」

「ですからァ。アタシも申し上げるのを憚《はばか》っていたんですゥ」

「憚りも便所もないでしょうに。そんなこたァ嘘に決まっておるだろうがッ」

「だってェ」

「だっても幸手《さって》も切手もないわい」

「な、なんか——アタシとキャラ被ってませんか？」

先手を取られてしまったようである。

「どうも普段のキャラが発揮出来なくって——調子が狂っちゃいますよ」

「何を訳の解らんことを。あたしはずっとこうなの。それより——相撲取りなんて馬鹿な話は置いておいても、誘拐なら大変じゃないの。犯罪でしょ。捜索願じゃ済まんでしょうに」

「でも犯人が相撲取りだけに——真面目に扱って貰えないようで」

「目撃したのは宇山さんだけ？」

「それが——ホテルの従業員も見ているようなんですね」

「従業員も？」

「それに——実はこの間和歌山で行われた世界妖怪会議」

「ああ、京極さんが出てるやつ」

「あの会議の時に——パネラーの荒俣《あらまた》先生がそれらしきものを」

「あ、あ、荒俣先生が？」

「ええ。地響きが——聞こえたんだそうです。何だろうとふと見ると、木立の間、熊野古道を地響きを立てて行進する裸の力士らしきものが——」

「本当に？」

「妖怪だと思ったとか仰られてましたが」

「そりゃ——荒俣先生の冗談じゃないの」

「地響きだけなら——やはりパネラーの妖怪研究家・多田《ただ》さんも聞いてるようです」

「ご自分の跫だったとか」

「怒られますよそれ。荒俣先生は流石に冷静で、力士の数まで数えたって仰るんです」

「数？」

「四十七人だったと」

「宇山さんが見たのも四五十人——数は合ってる訳ね」

「そうなんです。集団で野山を移動する妖怪もいるらしいですが——七人ミサキとか七人同行とか。でも四十七人ミサキなんてものはいないから、一体なんだろうと」

「何だろうって——何でしょうねえ。四十七人の力士ねえ」

「そう、四十七人の力士。まあ編集者も何人か同行してたんですが、アタシも含めて、気づいた者はいなかったようなんですけど。水木先生は——」

「え！　水木先生も見たの？」

「見たような気もするが忘れた——と」

「忘れた？」

「必要ないことはお忘れになることにしていらっしゃるらしいです」

まあ不必要なことだわなあ——とマネージャーは言った。

どう思います——と編集者は尋いた。

「どうって——その妖怪会議の時、京極さん自身はその相撲取り軍団を見ている訳？」

「何も言ってませんでしたね」

「荒俣先生も、多田さんも気がついてたのに？　話題にはならなかった訳？」

「そういえばそうですねぇ。でもその場では話題にならなかったような——」

判った——とマネージャーは言った。

「判ったんですか？」

「判ったわ。これ、京極さんの冗談ですよ」

「冗談って、どういうことです？　それって、仕組んだのが——京極さん自身だというんですか？」

「そうでしょう。悪戯《いたずら》よ悪戯。もしかしたら宇山さんも共犯なんじゃないの？　ああ、でも従業員も見てるのか——じゃあやっぱり狂言ね。失踪するにあたって——いっちょ宇山さんでも騙くらかしてやろうとか思ったんじゃないの？　そうよ」

「じゃあ——力士を雇って狂言誘拐を？」

「阿呆らしくって無意味で人を馬鹿にしてて、如何にも京極さんが考えそうなことじゃない。そこまでイカレてると警察も相手にしないという計算よね。警察だけじゃなくて誰も信用しないと踏んだのじゃないの。そうねえ、妖怪会議の相撲取りは——たぶん話をややこしくするための伏線ね」

「伏線——張るために力士を大挙して和歌山まで呼んだって言うんですか？　手が込み過ぎてるでしょそれは。いや、手が込んでるだけじゃなくてお金もかかってますよ。ボランティアで狂言誘拐してくれる相撲取りなんかいませんよ。いったい日当いくらで雇えるんですか力士は。四十七人ですよ四十七人。往復含めて何日の拘束ですか。アゴ足含めていくらになります？」

「違うかな」

「違うでしょ」

「そうだよぅ」

「ううん――」

そうだとしても何の解決にもならないッ――と、二人は頭を抱えた。

3

「で――我我を集めてどうしろと」

「何の見解も持てませんがねえ」

「おまけになんの感慨もない」

「仕事も忙しいと言うのに」

「麻雀もせねばならんし」

「ゲームの途中だというに」

「賞の審査もせねばならんし」

「書き下ろしも佳境だというに」

「で――我我を集めてどうしろと」

どの発言が誰のものなのかは定かではないが、集英社の会議室に当代きっての売れっ子ミステリ作家が集められている――という図なのである。

集めたのは勿論、前日大沢オフィスでキャラを発揮出来なかった編集者・遅塚である。何の方策も立てられず、当然何の解決もしないため、打つ手に詰まっての結果であった。常人には思いも寄らぬ奇想を巡らせ、名探偵を自在に操るミステリ作家に相談し、策を講じようというのであろう。ですから――と、遅塚は控え目に口を開いた。

「で、ですからご意見を——伺いたいと思いましてですね」

「意見と言われてもねえ。俺達は謎を作るのが商売なのであって、別に謎を解くのが得意な訳じゃないんだよね。よく事件が起きるたびにコメント求められたりするんだけど、そもそも作家なんてのは社会性に乏しい連中がなってる訳でさ。現実に起きた事件に対して有益なコメントが出来るとは思えないんだけど」

「そう。山口さんの言う通り。乱暴な言い方すれば、僕らは自分の作った謎だから解けるの。純粋な思考実験ですよ本格ミステリってのは。実際の事件は論理的ではないケースの方が多いでしょ。例えば科学の実験は実験室で行うでしょ。条件を整えるためにそうする訳。行うたびに条件が違ってちゃ正確な結果は得られませんよね。実際の事件というのは、屋外で設備もなしに実験してるようなものだからさ。純粋な論理だけでは導き出せないのね」

「そ、それは解りますが二階堂《にかいどう》さん。あの——今回はですねぇ」

「幻想的な謎？」

「そ、そう。幻想的なの。そうですよねえ綾辻さん」

「幻想的かなあ。相撲取りでしょ。なんかちょっと、僕のセンスには——ねえ。ああ、力士が悪いと言っている訳じゃないですよ。力士は力士で構わないんだけど、何というのかなあ。雰囲気的にも本格の風格に合わないというか。それはね、京極さんが失踪したというのはショックなんだけど、相撲取りに連れ去られたというのはなあ。何だか僕は興味が持てないな」

「そりゃ綾辻さんの嗜好には合わないでしょう。それはまあ十分解るんやけど、遅塚さんが相談したいのはそういうことやないんと違う？」

「そ、そうです。我孫子《あびこ》さんの仰る通り」

「これは——謎解きとかそういうこととちゃうんやないかと。現実に起きた事件なんやから、寧ろ京極さん本人に何があったか——それを作家仲間である僕らに尋きたいと——そういう趣旨やないんかと僕は思った訳だけれども。違います？」

「そ、そうとも言える——というか、そうです」

「そうでしょ。まあ僕は心当たりはないんだけれどもね。この前——半月程前かな。電話で話した時も仕事の話しかせえへんかったし」

「僕は京極さんと丁度十日前に電話で話しましたけどね」

「え？　ほ、本当ですか！　貫井《ぬくい》さん」

「本当ですけど。何か？」

「だって十日前なら失踪の前日じゃないですか。何か仰ってませんでしたか」

「はあ。別に」

「何の話をしたんです？」

「ええ。お互いの子供の話と——後は時代劇の話で」

「またかい」

「またです。いいじゃないですか好きなんですから。ひとしきり盛り上がって」

「盛り上がって？」

「それで終わりですけど」

「終わり——なんですか」

「あのう、遅塚さんね」

「何です？　き、北村《きたむら》先生何かお心当たりでも？」

「いやいや。心当たりなんてものはないですよ。ただお伺いしたいのはですね、これは誘拐なんですか？　それとも失踪なのか——誘拐だとしたら、これは前以て京極さんの言動に不審な点というのは現れない訳でしょ。失踪なら——まあ別なんですけど、お話を聞いている限りただの失踪では——これ、ない訳でしょう。そこを明確にしておきませんとね、話す方も聞く方もどうしていいのか、非常に摑み難い訳ですよ」

「それは——そうなんですけど。正直解らないんですよ。ただ、誘拐だとしても」

「狂言誘拐？」

「そうです。その疑いは」

「でも」

「何です法月《のりづき》さんッ」

「いやぁ、そんな怖い顔で見ないでくださいよぉ。ま、僕が考えるのは、京極さんのことだから、もし狂言なんだとしても、というより、狂言ならばこそ、余計に悟られないようにしたんじゃないかと。だからこうした詮索はそもそも無意味ではないかと」

「それは法月君の言う通りだね」

「か、笠井《かさい》さんまでそんなこと」

「そんなこと、と言うけれど、どうであれこの会合が無意味であることに変わりはない訳。この場でどれだけ有意義な意見が出たところで無駄なんですね。意見を一本化して司直に提出するようなことはあり得ないんだろうし、したところで参考程度にしか耳を傾けて貰えないことは明白な訳です。だったらね、それで京極君が見つかる訳ではないのだろうし、彼の空けた原稿の穴は埋まらないのですよ。こんなことに時間を割くくらいなら、ここにいる全員の尻を叩いて作品を書かせた方が建設的ではないかと僕は思うな」

「それは——そうかも」

「じゃあ解散——ですか。これを理由に仕事の催促をされては堪らないし」

「でも、それも薄情な気がするなぁ」

「竹本《たけもと》さん——何か妙案でも」

「妙案？　さあ。ボクにそんなコト期待しないで。ただここでこうして京極さんサカナにして喋ってるのも愉しいかなあ、と思ったダケだから」

「パーティでもないのにこれだけの面子《メンツ》が顔合わせるのも珍しいですしねえ」

「そうでしょ」

「有栖川《ありすがわ》さんとか小森《こもり》君とか、麻耶《まや》君とかも呼べば良かったのに。井上《いのうえ》さんとか」

「これから大森《おおもり》さんでも呼んでカラオケでも行きます？」

「ボク、カラオケ苦手。だらだらしてる方がいいな。タバコ吸っていい？」

「だらだらね。だらだら。いいんじゃないですか」

「あ。でも笠井さんが睨んでる」

「竹本にはつき合い切れないな」

「まあまあ。遅塚さんが切れそうですから、もう少し京極失踪事件に就いて語りましょう」

「北村さんは優しいなあ」

「まあね。先程我孫子さんがね、非常に現実的なことを仰ったけれど、私はやはり、ここはミステリ書きとしての見解を求められてるんじゃないかとも思うんですね。笠井さんのご意見も尤もなんですが、作家、誘拐、力士という三題噺を合理的に結びつけることは、これはやはり警察には無理なんだろう、とね」

「馬鹿馬鹿しいし」

「幻想的じゃないし」

「くだらないしなあ。巫山戯てる」

「まあそうですね。ここで——やはり問題になるのは京極さんの最後の小説でしょう」

「あのう——まだ死んだものとは」

「ああ、今のところの最後。最後は——『理油』ですね？」

「ええまあ」

「あれが京極さんと力士の接点——というのは異議のないところでしょうね」

「異議ないでしょうね。だから僕はね、再三注意しとったんですよ。ああいうくだらんモノを書いてはいかんと。品性が著しく欠乏しとるでしょう。知性も欠けてるやないか、と。ファンに失礼ですよ。だから僕が散散叱っておいたのに書くんだから」

「我孫子君。君、お笑いはいかんというんですか」

「ひ、東野《ひがしの》さんのお書きになってるお笑いは品性も知性もあるからいいんです。しかし京極さんの書いているのは——どれも下品でしょ」

「下品なんですが、僕は認めるな。志《こころざし》だけ」

「志も低いと思いますけどねぇ。とにかくあれはいかん。相撲取りに反感を買う」

「反感は買わないでしょ。力士は出て来るけど——実際に怒るのは寧ろ読者ですよ」

「まあ、待ってくださいよ。こうして聞いていますとね、相撲取りばかりクローズアップされていますけど——私も読んでみたんですがね、あれ、大石《おおいし》という人が出て来ますね」

「出てたかなあ」

「覚えてないな」

「出ているんです。大石。それから吉良錦《きらにしき》というお相撲さんも出てきますね。そして、京極さんを誘拐した力士は四十七人。四十七人で大石、吉良といえば——」

「忠臣蔵ですかあ？」

「忠臣蔵です。京極さんはあれ、寧ろ忠臣蔵として書いていたのじゃないでしょうか」

「どうしてです？」

「忠臣蔵は史実であると同時に歌舞伎ですね。『仮名手本忠臣蔵』です。あれは何段もあって長いものですが——その、『仮名手本忠臣蔵』の幕間に上演するために書かれた名作がありますね。山口さんご存知でしょ」

「え？　急に振らないでくださいよォ。慥か『東海道四谷怪談』じゃなかったかな」

「ご名答。四世鶴屋南北の『東海道四谷怪談』です。ところで、京極さんが『小すば』に載せていたギャグのシリーズが書かれた時期は慥か——」

「ああ。そうか。『嗤《わら》う伊右衛門』と同じ時期に書き始められていたのか——な」

「そうです。『嗤う伊右衛門』といえば京極版四谷怪談。その裏で京極版忠臣蔵が書かれていたというのは、ちょっと面白い思いつきでしょ」

「そうですけど——それでどうだと言うんです」

「まあ、それだけなんですが。何故彼があんなモノを書いたのかというね」

「じゃあ——問題なのは力士ではなく四十七という数だと？」

「それなら綾辻さんのセンスに近づきませんか？」

「どっちにしても魅力的じゃないですよォ」

「そうですねえ。でも——じゃあ何ですか。宇山さんが相撲取りと見て取ったのは、実は赤穂浪士《あこうろうし》だったと言うんですか？　似てるのは髷くらいだと思いますがね」

「と、いうか、赤穂浪士は実は相撲取りだったとかね」

「討ち入りしたのは力士だったたって？」

「時代考証無茶苦茶」

「時代考証のみならず無茶苦茶ね」

「なんか――どうであれ現実的じゃないよなあ」

「そうなんや！」

「何だい。急に大きな声出して」

「そのうえ立ち上がっちゃって。吃驚しますよ」

「立ち上がっとんのか、僕は。そんな自覚はあらへんぞ」

「あらへんって我孫子さん、そう言われてみればどこにいます？」

「どこに――いるって集英社の会議室でしょ」

「まあそのはずなんだけど――そうだよね？」

「なんか変やないか？　どうもさっきから現実感がないんや」

「まあ、四十七人の力士ですからね。そもそも非現実的ですよ」

「そうやないんや。僕ら自身も――現実感がないんやな。そう思わへんか。なんか――竹本さんの実名小説に出てるような気持ちにならんか？」

「ボクはこんな下手な小説書かないデス」

「それはそうかもしれんけど――なんか妙なんや。そう思いませんか？　東野さんも」

「思うね。だって何だか、さっきからちっとも地の文がないから」

「地の文！　そうだよね」

「な、何をいきなりメタなこと言うねん」

「でもそうじゃないか。全部会話文でしょう。正直言って僕には今現在この部屋に何人の人間がいるのかも解らないんだッ！」

「そういえばそうやな。話し方かて変やで。僕はこんな話し方せえへんわ。そもそも会話文だけでは誰が誰やら解らへんやないか。会話の端端で辛うじて苗字は解るけど、誰もフルネームで出て来てないやないか」

「だって――我孫子さんなんでしょ？」

「そうだけど顔の描写も声の調子も部屋の様子も、何の描写もないねんど」

「そ、そう言えばそうだ」

「いま相槌を打ったのは誰だ？」

「僕ですよ僕」

「誰だって？　僕って誰だよ」

「どうなってるんですか遅塚さん！」

「そ、そう言われても――アタシゃ何が何だか」

「まさか――そうか。京極さんがいない理由は――この現実が京極さんが書いている小説だから――とかいうオチじゃないでしょうね。京極視点だったとか？」

「そんなのは厭だなァ」

「それは違うと思うな。彼は――やはり作者に消されたんだよ」

「作者？　それは所謂大文字の京極さんじゃないの？」

「いや——それだと我我も架空の、虚構世界の住人ということになってしまう。そうじゃないでしょう。いや、もしそうだったとしても——少なくとも我我は京極さんを知っているでしょ。彼はこの世界では実像を持っていて、それで力士に誘拐されたことになっている。だから——創造主は他にいるんですよ。きっと」

「そ、創造主って誰やねん」

　それは——私だ。

4

そこまで書いて私はキーを叩く指を休め、暫《しばら》く放心した後、そこまでの原稿をプリントアウトして、隣室で待機していた編集者の大石に渡した。大石はおやもう出来ましたかと眼を輝かせて紙の束を受け取ったが、読み進めるうちに神妙な顔つきになった。

それもそうだろう。

依頼されたのは現実の作家が登場する実名ミステリ小説だった。しかし私が書いたのは実在の人物などひとりも登場しない——しかもミステリとはいい難い代物だったからである。

書き始めた時はそれでも実名小説にしようという意識はあったのだ。しかし書き進めるに連れてそうした意気込みは薄れ、結局はやめてしまったのである。

「これ——最初の編集者達のくだりですが」

ああ、と私は生返事をする。

「一応誰が誰か解らないこともないんですけど——名前がないじゃないですか」

名前を書いたって一般の読者には誰が誰だか解らないだろう——と答えた。編集者は裏方だから作家のように世に名が出ている訳ではない。そんな内輪ネタが世間に通じる訳はないのだ。

大石はまあそうですけど——と覇気のない返事をした。

「しかし——この宇山に遅塚というのは」

それはまあいいだろうと投げ遣りに答える。個人名を伏せてミステリを書き進めることは難しい。そのあたりから私は実名小説に拘泥することを放棄してしまっていたのだ。大石ははあと気のない返事をして先を読み進めた。

「ああ？　このキャラは？　ん？　大沢？　宮部ェ？」

第二章を読んでいるのだろう。

つい先程書いていたものを即座に読まれるというのはあまり気分の良いものではない。

私は——この奇妙な状況にどう対処したものか解らなくなって、大石の善く肥えた項《うなじ》から眼を背けた。文芸編集者といえば中中にハードワークのはずなのだが、何故にこの男はこんなにむくむくと肥えているのだろう。

「これ——」

大石は奇妙な表情になって私を見上げた。

「——いいんですか。こんなのありですか」

ありだろう、何でも——私はそう答える。

「でも——この京極夏彦って——先生が作ったキャラクターの中でも割と評判いいキャラのうちなんじゃないんですか？」

「そうだけど——」

消しちゃうんですかァ——と大石は裏返った声で尋いて来た。

「だってこの状況だと——ただじゃ済まないでしょう」

死んじゃったりするんですか——と大石は尋いた。

「まあな」

「そ、それはどうですかねえ。読者が納得しますかね」

読者が納得しようがすまいが、そんなことは関係ない。これはそういう小説なのだ。キャラクター主導で小説は書けないだろう。あくまで小説先にありきであって、キャラクターなど所詮は使い捨てである。

「しかしキャラ萌《も》え読者は怒るんじゃないですか」

関係ないよ——私はできるだけ素っ気なく答えた。

「小説はキャラクターのためにある訳じゃないよ。読者がキャラクターを気に入ってくれるのは有り難いことだが、キャラクターのために筋書き変えたりプロット変えたりするのは本末転倒だろう。人気があったって要らなくなりゃ消すよ」

「勿体無い気がしますけどねえ。それに、この作中作の『理油』ですか？　これも読みたいって気になってきますけどね」

そんなものはないよ——と私は答える。タイトルだけしか出て来ないのだ。だから中味はない。書くに当たってそれなりに内容は想像してはいるものの、テキストに書かれていないならないと思うよりないだろう。テキストに記されていないことは、たとえ設定してあったのだとしても——作者は決して口にしてはならない。

大石はふうん、と不服そうな声を漏らした。

「それにしても――」

何か言いかけてから大石は言葉を切り、再び黙して原稿を読み始めた。

ふう、と溜め息を吐く。

第三章を読んでいるのだろう。

「ああ。こりゃ結局、実名小説なんかじゃあなくなっちゃってるんですね。実在の人物は全然出て来ないものナあ。まあいいですけど。おや、こりゃ、もう先生の創作した作家キャラが総登場じゃないすか。こんなに出しちゃっていいんですか？　他の作品との辻褄合うんですかね。うん？　でも何だかメタな展開だなァ。これ、作中人物が地の文とか言っちゃってますよ。あら？　あらら、ここで終わりですか？」

「終わりじゃないんだが――取り敢えずな」

「でも――これは」

大石は内ポケットからハンカチを出して額の汗を拭った。

十二月である。決して暑くはない。それなのに――大石は汗をかいている。

肥満の所為ばかりではないだろう。

「これは――決着つかんでしょう」

「そう思うか」

思いますねえと大石は短い首を捻り、それから上着を脱いだ。

「何か暖房が効き過ぎてるなこの部屋は。暑いですよ。しかし両国先生、これは難しいと思いますよ。この——京極誘拐事件ですけどね、まあ風呂敷広げるなぁ構いませんがね。このまんまじゃ風呂敷畳めないんじゃないですか」

「そんなに広げてないだろう」

「まあそれもそうなんでしょうけど。でも——書くに事欠いて、そういう言い回しがあるかどうか解りませんが、裸の力士の集団に誘拐されたってのは——どうですかねぇ。そんなネタをシリアスに解決するのは難しいでしょう」

　そうなのだ。

　書いたはいいが、まともな結末がつけられないような気がして、私は一旦執筆を中止したのである。勿論、無鉄砲に書き進めていた訳ではない。ある程度の形は決めていた。しかし書くにつれ——その結末ではいけないような気がして来たのだった。

　巫山戯ていると取られても仕方がない。何しろ——設定した謎自体が巫山戯ているという見方はできる。

「まあねえ。そもそも——四十七人の力士に攫われたというのは、いったい何からの着想なんですか。洒落かなんかですかね？」

　洒落なんかじゃないよと、ぶっきらぼうに私は答えた。

「それはね、いずれ書かなくちゃいけないことだったんだ。私はそう思っている」

「書かなくちゃいけないこと？」

大石は肉に埋もれた顔面をチャウチャウのように歪めた。

「——意味が解りませんな」

「解らないだろうな。ま、説明する気もないんだが——」

言ってくださいよ——と大石はネクタイを緩めながら言った。

「それを聞かなきゃ。そこんとこ聞かされなくちゃ、これが完成したって、僕は自信持ってこの小説を世に出せないです」

他人に語ってはならぬ——。

そう言われている。しかし——私は。

教えてくださいよう、と大石は懇願した。

私は暫く考え、考えあぐねて、やがて徐《おもむろ》に——尋いた。

「大石君。君は——私が世に出る契機となった本を知っているかね」

「勿論です。あれは『本所宇兵衛日記《ほんじょううへえにっき》』でしたよね。江戸の庶民の生活を活写していると評判になった」

「まあ——小説のつもりはなかったのだがね」

「ええ。慥かご先祖様の日記か何かを下敷きにされてるんでしたよね」

「ああそうだ。我が家は十二代続いた生粋の江戸っ子でね。ずっと本所で佃煮屋《つくだにや》をやってたらしいんだが、代代の日記が残っている。一番古い奴をね、試しに読んでみたらば、これが大変面白い。そこで現代語訳にして出版したんだ」

「まあ歴史資料的価値もあるし——小説として読んでも十二分に面白いと、随分世間は騒いだですよ。その後先生はノンフィクションライターとして活躍、更に作家を主人公にしたミステリのシリーズでヒットを飛ばし、小説家としても注目された。そうでしたね？」

概《おおむ》ね——間違いはない。好き勝手に暮らして来たと思っていたが、簡略に纏《まと》められるとそれなりに筋が出来上がっているから不思議だと思う。自分の人生なのに——である。

「いずれにしても私の原点は何代か前の祖父《じい》さん——宇兵衛の日記なんだ」

「それがどうしたんですか？」

大石は原稿の束で自分の顔をバタバタ扇ぎ始めた。そんなに暑いだろうか。

「実はね——」

絶対に語ってはならぬ——。

これだけは、一子相伝だ——。

我が家だけの秘密だ、口外罷《こうがいまか》りならん——。

厳しく父に言われた。その父も——去年亡くなった。

大石はネクタイを外し、ワイシャツのボタンまで外した。

「実は、その先祖の日記には——秘密の一節というのがある」

遂に言ってしまった。私は——動悸が激しくなるのを感じている。

「当家の子孫以外、何人《なんぴと》にも見せてはならぬ、内容を語ってもならぬという代物だ」

「そりゃ凄いですね。タブーだ。で？」

「まあ――そこにね、書いてあるんだが」

「何が？」

「ああ。それはね、元禄十五年十二月十四日――ああ、今日も十二月十四日か。だからピッタリ三百年前の今日の日記なんだがね」

「それって――赤穂浪士の討ち入りの日じゃないですか？」

「そうだ。私のご先祖は――討ち入りを目撃しているんだ」

ほう、と声を上げて、それまでソファに沈んでいた大石はむくりと身を起こした。ワイシャツのボタンは半ば外されている。

「赤穂の――四十七士を目撃した！　それは何だか――歴史的にも価値がありそうな記録じゃないですか。ああ、そういえば『本所宇兵衛日記』が舞台としている時代はまさに忠臣蔵の時代でしたっけ。いや、ズバリ問題の年を真ん中に挟んだ期間の記述という体裁になっているにも拘らず、当時かなり世間を騒がせたはずの赤穂浪士の吉良邸討ち入り事件に就いて一切触れていないのは不自然だ――というような書評を読んだことがあるなあ」

わざと触れなかったんだ――私はやや語気を荒らげる。

「お蔭で偽書扱いされたんだ。創作としてはともかく資料的信憑性はなしという判断だ。勿論原本を出さなかったのだから当然なのだがね。出せない理由があったんだよ」

小説としては評価されたんだから文才があったつうことでしょう、と大石はやや興奮気味に言った。暑がっているというより熱を放射している。代謝異常なのか？

「それで――その秘密の部分には何と書いてあるんです先生？」

「だからさ」

「だから？」

「私のご先祖様は――討ち入りを目撃した。しかし――日記に記されているそれは、我我が映画やテレビで見るそれとは――いや、公式な資料から汲み取れるそれとも、大きく異なったものだったんだよ。それが本当なら――定説は覆《くつがえ》される」

「そりゃ大ごとだ。衣装が違ってたとか？」

「そうじゃないよ」

「人数が違うとか」

「四十七人――ではあったようだな」

「では何が違っているんですか」

「それは――」

「それは？」

大石は興味津津という様子で、その巨大な顔面をぐいと私に近づけた。私はその汗臭いのと牛の吐息を思わせる鼻息の香りに噎《む》せて、思わず顔を背けた。

時計が目に入った。

深夜――十二時を回っている。

窓の外にはちらほらと白いものが舞っている。

それなのに——。

——何故この男はこんなに発汗しているんだ？

「き、君。大石君。少し異常じゃないか。その汗」

滝のような汗である。水滴が鼻を伝ってぽたぽたと床に落ちた。

「ゆ、床が濡れている。シャツだって、ほら」

躰にぴたりと貼りついている。

「話をはぐらかさないでください」

大石は足を一歩前に踏み出した。

「ちゃんと教えてくださいよ先生」

ずん——と音が響いて、窓際の花瓶が揺れた。

——こいつ。

それにしたって、こんなに太っていただろうか。

はだけたワイシャツの隙間から覗く腹部は、見事に隆起していた。

パンパンに張った肉。ボンレスハムのような腕。巨木のような腿。ビア樽のような腹。

ワイシャツは大量の汗でぐっしょりと濡れそぼり、のみならず湯気を立てていた。

体温が高いのだろう。通常の成人男子の基礎代謝を遥かに上回る熱量が放たれているのに違いない。

「き、君、最近太ったかな」

「どうしてそうやって誤魔化すのですか。そこまで振っておいて核心の部分だけ語らないというのは、これは酷いですよ先生。僕が——信用できないのですか」

ずん——大石は更に私に接近した。

「だからさ」

「だから？」

「だから、それが——その語ってはならぬことこそが、私がそんな小説を書いた動機そのものなんだよ」

よく解りませんなあ——と、如何にも愚鈍そうに編集者は言った。

「も、もっと具体的に、解り易く言ってくれないと——」

「ぐ、具体的に？」

「そう。詳《つまび》らかに」

「つ、詳らかにか」

「勿論でごわす」

「ご、ごわす？」

大石は濡れたワイシャツを脱いでかなぐり捨てた。

ずうん、と肚に響くような音がした。

「ごわすって、君——」

「はあ、はあ、はあ」

「息が荒いぞ。どうしたんだ！」

「せ、せ、先生、う、討ち入りは」

「討ち入りは――」

「そ、それは、先生の先祖が目撃したのは、どんな光景だったのでごわすか両国先生ッ！」

「それはな、だから――」

「はふっはふっはふっ。だ、だから？」

「だから、討ち入りすべく雪道を行進していたのは」

「そ、そ、それは――」

「それは――討ち入りしたのは――四十七人の力士だったというんだ」


「つ――」

パンと大石のベルトが弾けた。

「ついに仰ったでごわすね――」

するすると緩めのズボンが床に落ちた。

「――絶対に――言うてはならぬことを」

そこにはマワシひとつを身に纏った醜悪な力士が仁王立ちになっていた。

「どすこいッ」

「わあああああああああッ」

どすこい。どすこい。ごっつあんです。擦り足擦り足張り手張り手張り手。

「ひゃああああああああああっ」

私は悲鳴を上げた。

有らん限りの息を絞り出して私は叫んだ。

その悲鳴がすっかり消え入ってしまう前に――。

地響きが聞こえて来た。

と――思って戴きたい。

どすこい。――おしまい

怪奇!!
実録・解説まんが
大極肉彦《おおもりにくひこ》くん♥
読者のみんなー！この世には不思議なことなんてなにひとつないんだよー♡
絵と文・児嶋都
どすこい2
カリ
地響きがする
と思って書きたい
カリ!!
作家・京極夏彦
——……ふう
またの名を大極肉彦《おおもりにくひこ》——……
体重はヒ・ミ・ツ☆
なにを書いているんじゃああ——ッ!!!
京極先生……ッ
い…痛い…
『どすこい』はもう終わったのですよッ
しかも文庫ッ！最終版ッ!!
こんなものは2度と書かないでよいのです……2度とねッッ!!
担当・遅塚久美子
文庫担当瀧川っス！
きゃあっ

先生がどうしても書く　書かせなきゃ金輪際　集英社とは縁を切る――……そう仰るから…
涙をのんでこんな肉小説を出版したのですよ……
さあ早く次の原稿を……ッ
生真面目でデンジャラスな京極夏彦の原稿を下さイイ――――ッ!!!
うう……
もぐ…もぐ…
そ…そんなのはもう書きたくないよぅ……
むぐむぐ
『どすこい』はぼくのライフワークにするんだ…ッ…
集英社ではもう『どすこい』しか書かないと決めているんだ――ッツ
ガガーン!!!
肉マン専門
大肉堂
は……
破滅…っ
このままでは集英社は……ッ
破滅っスよー!!

目を覚まして
先生ーッ
あなたは
直木賞作家
なんですよ
ーーッ!!
いやだーッ
『どすこい』を
書くんだーー
シリーズ化して
全29《にく》巻まで
出すんだーーッ!!
おかしい…ッ
なぜ先生は
こんなに肉小説に
こだわって……
いいえ…そう
彼が「四十七人の
力士」を書きたいと
言い出したーー
95年の夏から
奇妙な変化が
起こりはじめて
いたのだわ……ッ
奇妙な変化
その① 毎日編集者に
肉マンの差し入れを
要求。
その② あきらかに、そして
確実に体型が
『どすこい』化
その③ しばしば唐突に
サンバを踊りだす。
その姿はあたかも
マツケンのようだった!
以前の夏彦先生
これは
まさか…
本当に…ッ
各社編集班は
著者近影・
インタビュー記事に
CGを酷使!
イベント等には
ホログラフを起用し
真実の隠蔽に
努めたっス!!
ああ…っ
四十七人の力士の
呪いーー!?

おお…
ミイラとりが
ミイラに……ッ
誰か…ッ
誰か助けてェ
エェーーッッ!!
カラ～
コロ～
ハッ
ああッ
暗闇に肉印《にくじるし》の
提灯が……ッ
あなたは
いったい!?
みなさん
ごきげんよう…
ず～～ん…

夏彦くんの文字をクローズアップすると助けを求めるメッセージが!!!

そのお肉——…
似久子が祓ってさしあげる……
ゲエエーッ
や、やめろォ——ッッ
肉マン喰わせろ——
肉マン喰わせろーー！
覇痾——ッ!!!
パァァァァ
ま……っ眩しいッッ
ぎゃあああ
嗚呼ッ先生の軀から四十七人の肉夏彦が出てゆくわッッ
キャー
キャー
キャー
キャー

見て！それを肉子ちゃんが食べてくれている…ッ
幻想的っスー!!
ウフフッ
アハハッ
醤油味…ソース味…めんたいこ…さまざまな味付けで！
うう…ここは…？
私は今まで何を…？
京極先生ッ戻ったのですねッ
遅塚くん…？
もう大極《おおもり》肉彦ではないのだわ！
やめろォーーッ
そのまたの名を言うなーーッッ!!
頭が割れるように痛いッ
ありがとう肉子ちゃん！
あっ
いない…
ヒュー
こうして肉子ちゃんはいずこともなく旅立ったのです――
でも私達はけっして肉子ちゃんのことを忘れない――…
オ・ルボワール肉子ちゃん！セ・テ・デリシュ肉子ちゃん!!
もう2度と肉小説なんて書かないよ……！
夢

文庫特別付録　「おすもうくん」完全収録
作・しりあがり寿

「すべてがデブになる」のためにに描かれたオリジナル作品です。ご堪能下さい。

（これのみ１コマでした）

単行本「どすこい（仮）」収録作品

新書版「どすこい(安)」収録作品

（デザイン／祖父江慎）

（デザイン／祖父江慎）

●本作品は二〇〇〇年二月に集英社より単行本『どすこい（仮）』として、また二〇〇二年七月に新書版『どすこい（安）』として刊行されたものです。文庫版として出版するにあたり、本文レイアウトに合わせて加筆訂正がなされていますが、ストーリーなどは変わっておりません。

公式ホームページ「大極宮」
http://www.osawa-office.co.jp/

集英社文庫 目録（日本文学）

北方謙三　風の中の女
北川歩実　金のゆりかご
北川歩実　もう一人の私
北村　薫　ミステリは万華鏡
北森　鴻　メイン・ディッシュ
木村元彦　誇り　ドラガン・ストイコビッチの軌跡
木村元彦　悪者見参
京極夏彦　どすこい。
草　薙　渉　草小路鷹麿の東方見聞録
草　薙　渉　黄金のうさぎ
草　薙　渉　草小路弥生子の西遊記
草　薙　渉　第8の予言
工藤美代子　哀しい目つきの漂流者
邦光史郎　やってみなはれ ―芳醇な樽―
邦光史郎　坂本龍馬
邦光史郎　世界を駆ける男(上)(下)

国谷誠朗　孤独よ、さようなら ―母親離れの心理学
熊谷達也　ウエンカムイの爪
熊谷達也　漂泊の牙
熊谷達也　まほろばの疾風《かぜ》
倉阪鬼一郎　ブラッド
倉阪鬼一郎　ワンダーランドin大青山
栗本薫・選　いま、危険な愛に目覚めて
黒岩重吾　幻への疾走
黒岩重吾　夜の挨拶
黒岩重吾　女の太陽(I)茜色の章
黒岩重吾　女の太陽(II)孤驟の章
黒岩重吾　女の太陽(III)花愁の章
黒岩重吾　さらば星座　全13巻
黒岩重吾　女の氷河(上)(下)
黒岩重吾　新編　とうがらしの夢
黒岩重吾　落日はぬばたまに燃ゆ

黒岩重吾　黒岩重吾のどかんたれ人生塾
小池真理子　恋人と逢わない夜に
小池真理子　いとしき男《アダム》たちよ
小池真理子　あなたから逃れられない
小池真理子　悪女と呼ばれた女たち
小池真理子　蠍《さそり》のいる森
小池真理子　双面の天使
小池真理子　死者はまどろむ
小池真理子　無伴奏
小池真理子　妻の女友達
小池真理子　ナルキッソスの鏡
小池真理子　倒錯の庭
小池真理子　危険な食卓
小池真理子　怪しい隣人
小池真理子・藤田宜永　夫婦公論
小池真理子　律子慕情

集英社文庫　目録（日本文学）

小池真理子　会いたかった人　短篇セレクション サイコ・サスペンス篇I
小池真理子　ひぐらし荘の女主人　短篇セレクション 官能篇
小池真理子　命日　短篇セレクション 幻想篇
小池真理子　泣かない女　短篇セレクション ミステリー篇
小池真理子　夢のかたみ　短篇セレクション ノスタルジー篇
小池真理子　贅肉　短篇セレクション サイコ・サスペンス篇II
小池真理子　肉体のファンタジア
小池真理子　柩《ひつぎ》の中の猫
神津カンナ　親離れするとき読む本
神津カンナ　男と女の交差点
神津カンナ　美人女優
神津カンナ　恋人論
河野啓　よみがえる高校
河野美代子　新版 さらば、悲しみの性　高校生の性を考える
河野美代子／永田由紀子　初めてのSEX　あなたの愛を伝えるために
五條瑛　プラチナ・ビーズ

五條瑛　スリー・アゲーツ
御所見直好　誰も知らない鎌倉路
小杉健治　絆
小杉健治　二重裁判
小杉健治　汚名
小杉健治　裁かれる判事
小杉健治　夏井冬子の先端犯罪
小杉健治　最終鑑定
小杉健治　検察者
小杉健治　殺意の川
小杉健治　宿敵
小杉健治　特許裁判
小杉健治　不遜な被疑者たち
小杉健治　それぞれの断崖
小杉健治　江戸の哀花
小林カツ代　アバウト英語で世界まるかじり

小林紀晴　写真学生
小林恭二　悪夢氏の事件簿
小林光恵　気分よく病院へ行こう
小林光恵　12人の不安な患者たち
小林光恵　ときどき、陰性感情　看護学生 理実の青春
小檜山博　地の音
小山勝清　それからの武蔵　(一)(二)(三)(四)(五)(六)
今東光　毒舌・仏教入門
今東光　毒舌身の上相談
今野敏　惣《そう》角《かく》流《る》浪《ろう》
今野敏　山嵐
斎藤栄　黒い王将
斎藤栄　殺意の時刻表
斎藤栄　水の魔法陣(上)(下)
斎藤栄　火の魔法陣(上)(下)
斎藤栄　空《くう》の魔法陣(上)(中)(下)

集英社文庫

どすこい。《まる》

2004年11月25日　第1刷

定価はカバーに表示してあります。

著　者　京《きょう》極《ごく》夏《なつ》彦《ひこ》

発行者　谷山尚義

発行所　株式会社　集英社

東京都千代田区一ツ橋2—5—10

〒101-8050

(3230) 6095（編集）

電話　03 (3230) 6393（販売）

(3230) 6080（制作）

印　刷　凸版印刷株式会社

製　本　凸版印刷株式会社

ISBN4-08-747755-X C0193